LIVSTID

Livstid

av

Liza Marklund

Av Liza Marklund:

Gömda (om Maria Eriksson) 1995, reviderad upplaga 2000
Sprängaren 1998
Studio sex 1999
Paradiset 2000
Prime time 2002
Den röda vargen 2003
Asyl (om Maria Eriksson) 2004
Det finns en särskild plats i helvetet för kvinnor som inte
hjälper varandra (med Lotta Snickare) 2005
Nobels testamente 2006

ISBN 13: 978-91-642-0239-0
ISBN 10: 91-642-0239-9

© Liza Marklund 2007
Utgiven av Piratförlaget
Omslagsform Eric Thunfors/Thunfors Design
Omslagsfotografi Fredrik Hjerling
Tryckt hos ScandBook AB, Smedjebacken 2007

Del 1
Juni

ANROPET KOM KLOCKAN 03.21. Det gick ut från Länskommunikationscentralen till samtliga radiobilar i Stockholms city och var kort och intetsägande.

– Alla enheter från 70. Vi har en misstänkt skottlossning på Bondegatan.

Inget mer. Ingen närmare adress, inga uppgifter om offer eller anmälare.

Ändå knöt det sig i magen på Nina på ett sätt hon inte begrep.

Bondegatan är lång, det måste bo tusen människor där.

Hon såg Andersson i passagerarsätet sträcka sig efter kommunikationsradion och skyndade sig att slita tag i luren till 80-systemet, tryckte in sändningsknappen på vänstra sidan samtidigt som hon svängde upp på Renstiernas gata.

– 1617 här, svarade hon. Vi är ett kvarter bort. Hade du något husnummer, kom?

Andersson suckade teatraliskt och tittade demonstrativt ut genom polisbilens sidoruta. Nina sneglade på honom medan hon lät bilen rulla fram mot Bondegatan, *barnrumpa, sura på då.*

– 70 till 1617, sa operatören i radion igen. Du är närmast. Är det du, Hoffman, kom?

Radiobilen var kopplad till hennes nummer på polisbrickan.

Inför varje pass var det rutin att mata in bilnumret och sitt brick-nummer i det Centrala Operativa Planeringssystemet, begåvat nog förkortat COPS, vilket gjorde att operatören på LKC alltid kunde se vem som bemannade vilket fordon.

– Svar ja, sa hon. Jag svänger in på Bondegatan nu…

– Hur ser det ut, kom?

Hon lät bilen stanna och tittade upp på de tunga stenfasaderna på bägge sidor om gatan. Gryningsljuset nådde inte ner bland husen, hon kisade för att urskilja konturer i dunklet. Det var tänt i en takvåning på höger sida, i övrigt var allting släckt och mörkt. Tydligen var det städnatt och därmed parkeringsförbud, vilket gjorde gatan extra tom och övergiven. En rostig Peugeot stod ensam och bötfälld halvvägs ner mot Nytorgsgatan.

– Ingen synlig aktivitet så långt jag kan uppfatta. Vilket nummer gällde det, kom?

Operatören gav henne adressen och hon blev alldeles iskall, *det är Julias nummer, det är Julias och Davids port.*

Och han har en lägenhet på Söder, Nina! Gud, vad skönt att slippa den här korridoren!

Ta honom inte för bostaden, Julia…

– Åk och titta, 1617, tyst framkörning…

Hon rullade ner alla rutor på bilen för att uppfatta ljudet från gatan bättre, lade i växeln igen, släckte strålkastarna och körde sakta fram mot den välbekanta adressen utan blåljus eller sirener. Andersson hade kvicknat till och lutade sig engagerat fram mot vindrutan.

– Tror du det här är något? frågade han.

Jag hoppas vid Gud att det inte är något!

Hon stannade utanför porten och stängde av bilmotorn, böjde sig fram och kikade upp på den grå betongfasaden. Det lyste i ett fönster på andra våningen.

– Vi utgår naturligtvis från att det är skarpt läge, sa hon kort och grep kommunikationsradion igen. 1617 här, vi är på plats, det verkar vara folk vakna i huset. Ska vi invänta 9070, kom?

– 9070 är kvar ute i Djursholm, sa operatören.

– Nobelmördaren? undrade Andersson och Nina viftade åt honom att hålla tyst.

– Finns det andra bilar i området? Eller piketen, kom? frågade hon i radion.

– Vi går över på kanal, sa operatören. Alla intressenter, vi byter till nollsexan.

– Jävla historia, det här med Nobelmorden, sa Andersson. Hörde du att de tog den jäveln?

Tystnaden bredde ut sig i kupén, Nina kände den skottsäkra västen skava mot ryggslutet. Andersson rörde sig oroligt i sätet och spanade upp mot fasaden.

– Det kan ju mycket väl vara ett falsklarm, sa han som för att hejda sin entusiasm.

Käre gode Gud, låt det vara ett falsklarm!

Radion sprakade till, nu på en enskild frekvens.

– Då ska vi se, alla med på kanalen? 1617 kom?

Hon tryckte in sändningsknappen igen, kände tungan klibba mot gommen, höll sig krampaktigt fast i formalia och rutiner.

– Nollsexan, vi är med, kom.

De andra svarade också, två patruller från city och en från länet.

– Piketen är inte tillgänglig, sa operatören. 9070 är på väg. Hoffman, du blir insatschef tills vi fått fram yb-bussen. Nu strukturerar vi oss, alla åker inte fram. Vi slår en ring runt kvarteret, placera ut bilarna. Tyst framkörning för samtliga.

I samma stund svängde en patrull in på Bondegatan från andra hållet. Den stannade ett kvarter bort, strålkastarna slocknade när motorn slogs av.

Nina öppnade bildörren och klev ur, de tunga kängorna slog

mot gatan så att det ekade. Hon tryckte in öronsnäckan hårt i vänstra örat samtidigt som hon öppnade bilens baklucka.

– Sköld och batong, sa hon till Andersson och ställde in kanal nollsex på den bärbara kommunikationsradion.

På andra sidan kvarteret såg hon två polismän kliva ur patrullbilen.

– 1980, är det du där borta? sa hon lågt i monofonen på högra axeln.

– Svar ja, sa en av poliserna och höjde ena handen.

– Ni följer med in, sa hon.

De andra patrullerna beordrade hon att stå diagonalt med full uppsikt över kvarteret, den ena från hörnet Skånegatan/Södermannagatan, den andra uppifrån Östgötagatan.

Andersson rotade runt bland första förband, brandsläckare, spade, nödraketer, lampa, alkogel, avspärrningsband, varningstrianglar, blanketter och allt annat skräp som låg intryckt i bilens bagageutrymme.

– 1617 till 70, sa hon i radion. Hade du något namn på anmälaren, kom?

Kort tystnad.

– Erlandsson, Gunnar, två trappor.

Hon såg upp mot sextiotalsfasaden med sina kvadratiska perspektivfönster, noterade att kökslampan på andra våningen lyste bakom en rödvitrutig gardin.

– Han är vaken. Vi går in.

De andra poliserna kom fram, presenterade sig som Sundström och Landén. Hon nickade kort och slog portkoden. Ingen av de andra reagerade över att hon kände till den. Hon steg in genom porten och skruvade samtidigt ner radion i hölstret till nästan ljudlöst. Kollegorna gled tyst in bakom henne. Andersson, som gick sist, spärrade upp dörren så att den stod på vid gavel ut mot gatan som reträttväg.

Trapphuset var nedsläckt och öde. Enda ljuskällan kom från hissen, sipprade ut från det avlånga glaspartiet i plåtdörren.

– Finns det någon bakgård? frågade Landén lågt.

– Bakom hissen, viskade Nina. Den till höger är källardörren.

Landén och Sundström kontrollerade var sin port, bägge var låsta.

– Ställ upp hissdörren, sa hon till Andersson.

Kollegan spärrade upp dörren så att ingen skulle kunna använda hissen, sedan ställde han sig vid trappan och väntade på hennes order.

Hon kände paniken hamra i bakhuvudet och lutade sig tungt mot regelboken för att bemästra den.

Gör en första bedömning av läget. Säkra trapphuset. Tala med anmälaren och ta reda på var den misstänkta skottlossningen ägt rum.

– Vi tar väl en titt, sa hon och började sedan snabbt och försiktigt gå uppför trapporna, plan för plan. Andersson följde efter henne, hela tiden en våning nedanför.

Trapphuset låg i dunkel. Hennes rörelser fick kläderna att knarra i tystnaden. Det luktade skurmedel. Bakom de stängda dörrarna kunde hon ana mänsklig närvaro utan att egentligen höra den, en säng vars fjädrar gnisslade, en kran som spolade.

Här finns ingenting, ingen fara, allt är som det ska.

Till slut, lätt andfådd, nådde hon vindslägenheterna högst upp. Våningsplanet skilde sig från de andra, med marmorgolv och specialdesignade säkerhetsdörrar. Hon visste att bostadsrättsföreningen hade byggt om vindarna till lyxbostäder i slutet av 1980-talet och fått dem färdiga lagom till fastighetskraschen. Lägenheterna hade stått obebodda i flera år och nästan fått föreningen att gå omkull. Idag var de förstås hysteriskt dyra, men David var fortfarande arg över den förra styrelsens bristande omdöme i frågan.

Andersson kom upp bredvid henne och flämtade tungt. Nina kände kollegans irriterade besvikelse när han torkade sig i pannan.

– Verkar vara falskt alarm, konstaterade han.

– Få se vad anmälaren har att säga, svarade Nina och gick nedåt igen.

På andra våningen väntade Sundström och Landén, intill dörren märkt ERLANDSSON, G&A.

Nina gick fram till ytterdörren och knackade försiktigt.

Ingen reaktion.

Andersson bytte otåligt fot bakom henne.

Hon knackade igen, betydligt hårdare.

En man i blårandig frottémorgonrock skymtade i öppningen bakom en tjock säkerhetskedja.

– Gunnar Erlandsson? Det är från polisen, sa Nina och höll fram sin bricka. Du ringde om några misstänkta ljud. Får vi komma in?

Mannen stängde till dörren, fumlade några ögonblick med kedjan och svängde sedan upp den.

– Välkomna, viskade han. Vill ni ha lite kaffe? Frugan har bakat rulltårta, med hemkokt rabarbermarmelad. Hon ligger och snusar ser ni, har lite svårt med insomningen nuförtiden och tog en tablett...

Nina steg in i hallen. Det var en exakt likadan lägenhet som David och Julias, bara betydligt mer välstädad.

– Inget besvär för oss, sa Nina.

Hon märkte att Gunnar Erlandsson talat till Landén, den störste av männen. Nu såg han förvirrat från den ene till den andre och visste inte var han skulle fästa blicken.

– Gunnar, sa Nina och tog ett lätt tag om hans överarm, kan vi sätta oss någonstans och gå igenom din anmälan?

Mannen stelnade till.

– Visst, sa han. Ja, visst, naturligtvis.

Han gick före dem in i ett pedantiskt välskött vardagsrum med bruna skinnsoffor och tjock matta på golvet. Av gammal vana slog han sig ner i en fåtölj framför tv-n, Nina satte sig på soffbordet mitt emot honom.

– Vad var det som hände, Gunnar?

Mannen svalde och hans ögon irrade fortfarande mellan poliserna.

– Jag vaknade, sa han. Jag vaknade av ett ljud, en knall. Det lät som ett skott.

– Vad var det som fick dig att tro att det var ett skott? frågade Nina.

– Jag låg i sängen och visste först inte om jag hade drömt, men sedan hörde jag det en gång till.

Mannen tog upp ett par glasögon och putsade dem frenetiskt.

– Är du jägare? undrade Nina.

Gunnar Erlandsson stirrade förskräckt på henne.

– Nej, bevare mig väl, sa han. Mörda oskyldiga djur, det finner jag fullkomligt medeltida.

– Om du inte är bekant med skjutvapen, sa Nina, vad är det som får dig att tro att det var just ett skott du hörde? Kunde det inte vara en bil som baktände, eller någon annan form av skarpt ljud från gatan?

Han blinkade några gånger och tittade hjälpsökande upp på Landén.

– Det kom inte från gatan, sa han och pekade mot taket. Det kom från Lindholms. Det är jag nästan säker på.

Nina kände rummet kränga till och reste sig hastigt, bet ihop käkarna för att hejda sig från att skrika.

– Tack, sa hon. Vi kommer tillbaka och tar upp ett mer formellt förhör.

Mannen sa något om kaffe igen men hon gick, ut i trapphuset och uppför trappan till våningen ovanför med två steg i taget, fram till David och Julias dörr.

David och Julia Lindholm.

Jag vet inte om jag orkar mera nu, Nina.

Du har väl inte gjort något dumt, Julia?

Hon vände sig om och tecknade till Sundström och Landén att de skulle täcka trappavsatsen uppåt respektive nedåt, och att Andersson skulle komma fram bredvid henne intill ytterdörren. De placerade sig vid var sin dörrpost och lämnade skottriktningen fri.

Försiktigt kände Nina på ytterdörren. Låst. Hon visste att den gick igen automatiskt såvida man inte ställde upp den. Hon fumlade efter ASP-batongen i bältet, slog ut den med en lätt knyck på handleden. Förde sedan spetsen till brevinkastet och gläntade försiktigt på luckan.

Det lyste i hallen. Ett lätt luftdrag steg upp inifrån lägenheten, det luktade trycksvärta och mat. Hon skymtade en morgontidning som vilade mot tröskeln. Snabbt vände hon batongen och lade den horisontellt så att den spärrade upp brevlådan. Sedan drog hon fram sitt vapen och gjorde en mantelrörelse så att kulan hamnade i loppet, tecknade till de andra att höjd beredskap gällde. Hon nickade mot ringklockan så att Andersson skulle förstå att hon tänkte ge sig till känna.

Hon höll vapnet ner mot golvet när hon tryckte in ringsignalen och hörde dingdongen eka där inne.

– Polis, ropade hon. Öppna!

Hon lyssnade intensivt ner mot brevinkastet.

Ingen reaktion.

– Julia! ropade hon med något lägre röst. Julia, det är jag, Nina. Öppna. David?

Västen tryckte över hennes bröst, gjorde det lite svårt att

andas. Hon kände svetten bryta fram i pannan.

– Är det... Lindholm? sa Andersson. David Lindholm? Känner du hans fru?

Nina hölstrade vapnet, fiskade upp sin egen mobiltelefon ur jackans innerficka och slog det välbekanta numret in till lägenheten.

Andersson tog ett steg mot henne.

– Du, sa han och ställde sig alltför nära henne, hon fick hejda en impuls att backa undan. Om du har en personlig relation till någon här inne så borde du inte...

Nina stirrade tomt på Andersson medan telefonen började ringa på andra sidan ytterdörren, långa ödsliga signaler som letade sig ut genom brevinkastet.

Andersson steg tillbaka. Ringningen slutade mitt i en signal och telesvaret tog över. Nina tryckte bort samtalet och slog in ett annat nummer. En munter melodi började spela på golvet strax innanför dörren. Julias mobiltelefon måste finnas på hallgolvet, förmodligen i hennes handväska.

Hon är hemma, tänkte Nina. Hon går inte ut utan väskan.

– Julia, sa hon en gång till sedan också mobilens svarare gått på. Julia, är du där?

Tystnaden ekade. Nina tog några steg tillbaka, tryckte på sändaren och talade lågt in i radion.

– 1617 här. Vi har pratat med anmälaren och han uppger följande: han har hört något han uppfattar som skottlossning, troligtvis från lägenheten ovanpå. Vi har givit oss till känna men möter ingen reaktion inifrån våningen. Vad göra, kom?

Svaret dröjde några sekunder innan hon fick det i sin öronsnäcka.

– Piketen är fortfarande inte tillgänglig. Din bedömning. Klart slut.

Hon släppte radion.

– Okey, sa hon lågt, tittade på Andersson och assistenterna på trappavsatserna. Vi går in med forcen. Finns det någon i 1617?

– Vi har en i vår bil, sa Landén. Nina nickade ner mot trapphuset och polisassistenten gick snabbt iväg.

– Tycker du verkligen att det är lämpligt att du är insatsledare om…, började Andersson.

– Vilket är alternativet? klippte Nina av, hårdare än hon avsett. Att jag lämnar över ansvaret till dig?

Andersson svalde.

– Var det inte något konstigt med Julia Lindholm? sa han. Slog det inte över för henne på något sätt?

Nina tog upp mobiltelefonen och ringde Julias nummer ytterligare en gång, fortfarande utan resultat.

Landén dök upp på trappavsatsen igen med forceringsverktyget i famnen, en knappt meterlång enkelcobra som i praktiken var en förstärkt och avancerad kofot.

– Kan vi verkligen göra det här? undrade Landén andfådd när han räckte henne verktyget.

– Fara i dröjsmål, sa Nina.

Polislagens tjugoförsta paragraf. *Polis har rätt att bereda sig tillträde till ett hus, rum eller annat ställe, om det finns anledning att anta att någon där har avlidit eller är medvetslös eller annars oförmögen att tillkalla hjälp…*

Hon skickade verktyget vidare till Andersson och osäkrade sitt vapen, nickade till de övriga att gå undan.

När Andersson tog spjärn med cobran intill dörrposten placerade hon foten någon decimeter framför dörren så att den inte skulle flyga upp och skada kollegan, i händelse av att någon trots allt stod där innanför och försökte tränga sig ut.

Med tre väl avvägda rörelser brakade säkerhetsdörren till och låsen släppte. Vinddraget som svepte ut i trapphuset förde med sig de sista resterna av matos.

Nina lyssnade intensivt inåt våningen. Hon blundade och koncentrerade sig. Kastade sedan huvudet snabbt åt vänster för en första kik in i hallen, tomt, en andra kik, denna gång mot köket, tomt, en tredje, bort mot sovrummen.

Tomt.

– Jag går in, sa hon och tryckte ryggen som stöd mot dörrposten, vände sig mot Andersson. Du täcker mig. Polis, ropade hon igen.

Ingen reaktion.

Med spända lår gled hon runt dörrposten, sparkade undan tidningen och steg tyst in i hallen. Taklampan gungade en aning, förmodligen från luftdraget ut mot trapphuset. Julias väska var mycket riktigt slängd på golvet till vänster om ytterdörren, Alexanders jacka låg bredvid. David och Julias ytterkläder hängde på krokar på hatthyllan till höger.

Hon stirrade rakt fram, mot köket, hörde Andersson andas bakom sig.

– Kolla barnkammaren, sa hon och visade med vapnet mot den första öppna dörren på vänster sida utan att släppa köksöppningen med blicken.

Kollegan gled fram, Nina hörde tyget i hans byxor knaka.

– Barnkammaren klar, sa han efter några sekunder.

– Kontrollera garderoberna, sa Nina. Stäng dörren efter dig när du är klar.

Hon tog några steg fram och kikade snabbt in i köket. Bordet var avdukat, men odiskade tallrikar med rester av spagetti och köttfärssås fyllde diskbänken.

Julia, Julia, du måste städa undan. Jag är så himla trött på att plocka upp efter dig.

Förlåt, jag tänkte inte.

Luftdraget kom inifrån sovrummet, ett fönster måste stå på glänt. Gardinerna var fördragna och fick rummet att vila i kompakt mörker. Hon stirrade in i skuggorna några ögonblick, anade inga rörelser. Men något luktade, skarpt och främmande.

Hon sträckte ut en hand och tände taklampan.

David låg på rygg, utsträckt på sängen, naken. Blod hade runnit från ett hål i hans panna och ner på kudden. Hans buk, där könsorganet suttit, var en blodig massa av senor och hud.

– Polis, sa hon och tvingade sig att agera som om han fortfarande levde. Du har ett vapen riktat mot dig. Visa händerna.

Tystnaden dånade till svar, hon insåg att hon fått tunnelseende. Hon flyttade blicken över rummet, gardinen rörde sig lite, ett vattenglas stod halvfullt på nattygsbordet vid Julias sida av sängen. Täcket låg i en hög på golvet vid fotändan. Ovanpå det låg ett vapen, ett likadant som hennes eget, en Sig Sauer 225.

Nina sträckte sig efter radion med mekaniska rörelser.

– 1617 till 70. Vi har en skadad person på brottsplatsen, oklart om han lever. Ser ut som skottskador i huvud och bål, kom.

Medan hon väntade på svar gick hon fram mot sängen, såg ner på kroppen och visste att mannen var död. Högra ögat var slutet, som om han fortfarande sov. Där det vänstra hade suttit gapade ingångshålet i kraniet. Blodflödet hade upphört, hjärtat hade slutat att slå. Tarmen hade tömt sig och lämnat en brun sörja av skarpt luktande avföring på madrassen.

– Var är ambulansen? frågade hon i radion. Fick de inte samma larm som vi, kom?

– Jag ser till att skicka fram ambulans och tekniker, sa 70 i hennes öra. Finns ytterligare personer i lägenheten, kom?

Andersson blev synlig i dörröppningen, kastade en blick på liket.

– Du behövs här ute, sa han och pekade mot badrumsdörren.

Nina stoppade ner vapnet i hölstret och gick snabbt ut i hallen, öppnade badrumsdörren och höll andan.

Julia låg på golvet intill badkaret. Hennes hår var som en ljus solfjäder runt huvudet, delvis insmetat i en hög med uppkastad spagetti med köttfärssås. Hon bar trosor och en stor t-shirt, knäna var uppdragna mot hakan, som i fosterställning. Hon låg på ena handen, den andra var knuten i kramp.

– Julia, sa Nina lågt och böjde sig över kvinnan. Hon strök undan håret från ansiktet och såg att ögonen var vidöppna. Ansiktet var fläckigt av små ljusröda blodstänk. En sträng av saliv letade sig från mungipan och ner på golvet.

Åh Gud, hon är död, hon har dött och jag räddade henne inte. Förlåt!

En rosslande inandning fick kvinnan att rycka till, hon hulkade inför en ny uppkastning.

– Julia, sa Nina, högt och tydligt nu. Julia, är du skadad?

Kvinnan kräktes tomt några gånger innan hon sjönk tillbaka ner mot golvet.

– Julia, sa Nina och tog tag om axlarna på sin vän. Julia, det är jag. Vad har hänt? Är du skadad?

Hon drog kvinnan upp till sittande, lutade henne mot badkaret.

– 1617, sa 70 i hennes öra. Jag upprepar, finns det fler skadade i lägenheten, kom?

Julia blundade och lät huvudet falla bakåt mot emaljen. Nina fångade det med sin vänstra hand samtidigt som hon kontrollerade kvinnans puls vid halspulsådern. Den skenade.

– Svar ja, två skadade, den ena troligtvis avliden, kom.

Hon släppte radion.

– Andersson! ropade hon över axeln. Leta igenom lägenheten, vartenda skrymsle. Det borde finnas en fyraåring här någonstans.

Julia rörde läpparna, Nina torkade av hennes haka från kräkrester.

– Vad sa du? viskade hon. Julia, försöker du säga något?

Nina såg sig omkring och konstaterade att det inte fanns något synligt vapen i badrummet.

– Hur mycket spärrar vi av? undrade Andersson utifrån hallen.

– Trapphuset, sa Nina. Tekniker är på väg, och folk från krim. Börja förhöra grannarna. Starta med Erlandsson, fortsätt sedan med de andra på det här våningsplanet. Kolla med tidningsbudet om han sett något, han måste ha varit här ganska nyligen. Har du sökt igenom alla rum?

– Inklusive ugnen, ja.

– Ingen pojke någonstans?

Andersson tvekade i dörröppningen.

– Är det något som är oklart? frågade Nina.

Kollegan flyttade tyngden från ena foten till den andra.

– Jag tycker det är jävligt olämpligt att du deltar i utredningen, sa han, med tanke på...

– Nu är jag här och jag tar det här, sa hon kort och hårt. Verkställ avspärrningarna.

– Ja, ja, sa Andersson surt och lommade iväg.

Julias läppar rörde sig oavbrutet, men hon fick inte fram några ljud. Nina höll fortfarande hennes huvud upprätt med sin vänstra hand.

– Ambulans är på väg, sa Nina och undersökte kvinnan med den fria handen, följde kroppens linjer under t-shirten och längs med huden.

Inga skador, inte ens ett skrubbsår. Inga vapen.

Långt borta hörde hon ljudet av sirener och fylldes av panik.

– Julia, sa hon högt och smällde till kvinnan på kinden med handflatan. Julia, vad är det som har hänt? Svara!

Kvinnans blick glimmade till och klarnade ett ögonblick.

– Alexander, viskade hon.

Nina böjde sig alldeles intill Julias ansikte.

– Vad är det med Alexander? frågade hon.

– Hon tog honom, flämtade Julia. Den andra kvinnan, hon tog Alexander.

Sedan svimmade hon.

Samtidigt som Julia Lindholm bars ut på bår från sin och makens lägenhet på Södermalm satt Annika Bengtzon i en taxi på väg in mot Stockholms city. Solen steg över horisonten när bilen passerade Roslagstull och färgade hustaken brinnande röda. Kontrasten mot de svarta och tomma gatorna sved i Annikas ögon.

Chauffören kikade på henne i backspegeln, hon låtsades inte märka det.

– Vet du hur det började brinna? frågade han.

– Jag har ju sagt att jag inte vill prata, sa hon och stirrade in i fasaderna som rusade förbi.

Hennes hus hade precis brunnit ner. Någon hade kastat in tre brandbomber genom fönstren, först en vid foten av trappan, sedan en i vart och ett av barnens rum. Hon hade fått ut sonen och dottern via sitt eget sovrumsfönster på baksidan och höll nu ett krampaktigt grepp om barnen där de satt på var sin sida om henne i bilens baksäte. Både hon och barnen luktade brandrök, hennes kornblå tröja hade fått sotfläckar.

Jag för död och elände med mig. Alla jag älskar dör.

Sluta, tänkte hon hårt och bet sig i insidan av kinden. Jag klarade det ju. Det handlar bara om att agera och fokusera.

– Jag kör egentligen aldrig på kredit, sa chauffören surt och bromsade in vid ett öde rödljus.

Annika blundade.

För ett halvår sedan hade hon upptäckt att Thomas, hennes make, hade en affär med en kvinnlig kollega, en blond liten isbit som hette Sophia Grenborg. Annika hade sett till att relationen avslutades, men hon hade aldrig konfronterat Thomas och berättat vad hon visste.

Igår hade han fått reda på att hon vetat hela tiden.

Du har ljugit och hymlat, hade han skrikit, *lurat mig i månader, och det går igen i allt du gör. Du bestämmer hur världen ska se ut, och alla som inte håller med är idioter.*

– Det är inte sant, viskade hon och kände hur hon höll på att börja gråta i taxins baksäte.

Hon vill att vi ska träffas igen. Jag är på väg dit nu.

Hennes ögon värkte, hon spärrade upp dem så att inte tårarna skulle rinna över. Stenstadens husfasader flimrade och blänkte.

Om du går nu så får du aldrig komma tillbaka.

Han hade stirrat på henne med sin nya främmande smala blick, sina röda hemska döda ögon.

Okey.

Och hon hade sett honom gå över parkettgolvet och ta upp sin portfölj och öppna ytterdörren och se ut över grådiset. Han klev över tröskeln och dörren gick igen efter honom och han såg sig inte om en enda gång.

Han hade lämnat henne och någon hade kastat in tre brandbomber i huset. Någon hade försökt döda henne och barnen och han hade inte varit där och räddat henne, hon hade fått klara sig själv, och hon visste minsann vem det var som kastat. Grannen på andra sidan häcken, han som kört sönder hennes gräsmatta och grävt upp hennes trädgård och förstört hennes blombänkar, som gjort allt för att få bort henne: William Hopkins, ordförande i villaägareföreningen.

Hon höll hårdare i barnen.

Det här ska du få äta upp, din jävel.

Hon hade försökt ringa till Thomas, men han hade slagit av mobilen.

Han ville inte bli nådd, han ville inte bli störd, för hon visste vad han gjorde.

Så hon hade inget sagt på mobilsvaret, hon hade andats in i hans nya, fria verklighet och sedan knäppt bort samtalet, det kunde han gott ha.

Svikaren. Förrädaren.

– Vilken port sa du att det var?

Chauffören svängde in på Artillerigatan.

Annika smekte barnen över håret för att väcka dem.

– Vi är framme, viskade hon när taxin stannade. Vi är hos Anne nu. Kom igen raringar...

Hon slog upp bakdörren, nattkylan svepte in i bilen och fick Ellen att dra ihop sig till en liten boll. Kalle gnällde i sömnen.

– Jag vill ha din mobil i pant, sa chauffören.

Annika baxade ut ungarna ur bilen, vände sig om och släppte ner telefonen på golvet i baksätet.

– Jag har slagit av den så du kan glömma att ringa med den, sa hon och smällde igen dörren.

Anne Snapphane vred på huvudet och tittade försiktigt på killen på kudden bredvid, på hans mörka geléhår som spretade i pannan och näsborrarna som skälvde. Han höll på att somna.

Det var så länge sedan hon sovit bredvid någon, faktiskt inte sedan Mehmet förlovade sig med Fröken Monogam och övergav deras fria och fungerande relation.

Så söt han är, och så ung. Nästan bara en pojke.

Jag undrar om han tyckte jag var för tjock, tänkte hon och kollade om mascaran hade runnit. Det hade den, men bara lite.

För tjock, tänkte hon, eller för gammal.

Det som varit mest upphetsande för henne hade varit smaken av starköl i hans mun.

Hon skämdes lite vid insikten.

Det var ett halvår sedan hon druckit alkohol.

Tänk att det inte var mer. Det kändes som en evighet.

Hon vände sig om på sidan och studerade profilen på grabben bredvid sig.

Det här kunde bli början på något nytt, på något riktigt friskt och gott och bra.

Så snyggt det skulle bli i faktarutorna när tidningarna intervjuade henne:

Familj: dotter, 5, och pojkvän, 23.

Hon sträckte ut handen för att röra vid hans hårtestar, de hårda striporna som nästan var som rastahår.

– Robin, viskade hon på en ljudlös utandning och rörde fingrarna strax ovanför hans ansikte. Säg att du bryr dig om mig.

Dörrklockans ilskna tjut ute i hallen fick honom att vakna med ett ryck och förvirrat se sig omkring. Anne drog till sig handen som om hon bränt sig.

– Va fan? sa han och stirrade på Anne som om han aldrig hade sett henne förr.

Hon hissade upp lakanet till hakan och försökte le.

– Det är dörren, sa hon. Jag skiter i att öppna.

Han satte sig upp i sängen, hon såg att örngottet fått en stor fläck efter hans hårprodukter.

– Är det en gubbe? sa han och såg på henne med skepsis och osäkerhet. Du sa att du inte hade någon karl.

– Det är ingen karl, sa Anne och ställde sig upp med lakanet i handen, försökte förgäves linda det runt sig samtidigt som hon snubblade ut mot hallen.

Dörrklockan tjöt på nytt.

– Jamen för helvete, sa Anne och kände besvikelsen stiga i halsen. Hon hade längtat så länge, försökt vara erfaren och sensuell men han hade bara blivit generad, jävla skit också.

Hon fumlade med låset och svalde något som kanske var gråt.

Det var Annika som stod där ute med Kalle och Ellen.

– Vad vill du? sa Anne och hörde själv att hennes röst var alldeles tjock.

Annika såg trött och sur ut, suckade som om hon inte ens orkade förklara varför hon stod där.

– Vet du vad klockan är? sa Anne.

– Kan vi få sova här? frågade Annika. Det har brunnit hemma hos oss.

Anne såg skeptiskt på barnen, brunnit? Bakom sig hörde hon Robin spola i toaletten.

– Det kommer faktiskt ganska oläigt, sa hon och hissade upp lakanet över brösten.

Kalle började grina, sedan satte Ellen också igång. Anne kände kylan från trapphuset dra runt fötterna, hon petade till lakanet bättre runt benen.

– Kan ni vara lite tysta, sa hon, det är ju mitt i natten.

Annika stirrade på henne med sina fuktiga jätteögon.

Herregud! Ska hon börja böla också?

– Vi har ju ingenstans att ta vägen.

Robin hostade i sovrummet. *Bara han inte går nu!*

– Men Annika, sa Anne och sneglade över axeln. Det är väl inte mitt fel.

Annika tog ett steg bakåt, drog in luft som för att säga något men inget kom.

Anne försökte le.

– Jag hoppas du förstår.

– Du kan inte mena allvar, sa Annika.

Anne hörde Robin röra sig inne i sovrummet.

– Jag är inte ensam här, och du vet inte hur mycket det här betyder för mig.

Annikas ögon smalnade.

– Hur självupptagen får man vara?

Anne blinkade. Vad? Vem?

– Jag fick inte med mig några pengar ut ur huset, sa Annika, så jag kan inte ens betala taxin. Menar du att jag ska sova på gatan med ungarna?

Anne hörde sig själv flämta till och kände ilskan stiga upp i huvudet, *vem fan är hon att anklaga mig?*

– Dags för mig att betala tillbaka nu, sa hon, är det så? För att det var du som betalade den här lägenheten? Är det så du tänker, eller?

Annika Bengtzons röst gick upp i falsett.

– Är det för mycket begärt att jag ber om hjälp någon enda gång?

Nu klär han på sig, han är på väg att gå.

Hon visste det, han skulle lämna henne nu, och för att få honom att stanna lite längre gick hon ut i trapphuset och stängde till dörren bakom sig.

– Som jag har lyssnat på dig! sa Anne och försökte behärska sig. År ut och år in har jag stått ut med ditt jävla gnäll, allt det är fel på, din tråkiga karl och ditt hemska jobb. En sak ska du veta, det är inte *jag* som sviker!

Hon märkte hur hennes ben börjat skaka.

– Men nu får du väl ge dig, sa Annika.

Anne kunde knappt hålla rösten under kontroll när hon svarade.

– All den energi som jag lagt på dig, sa hon svajigt, den hade jag ju kunnat ägna åt mig själv i stället. Då hade det varit jag som lyckats, då hade det varit jag som fått erbjudande om programledarjobb och hittat massvis med miljoner.

– Programledarjobb? sa Annika och nu såg hon förvirrad ut.

– Tro inte att jag har glömt det, sa Anne, jag minns allt hur jävla mallig du var. Efter att Michelle dog, då ringde Highlander till dig och erbjöd dig hennes jobb, men det var ju *jag* som borde

ha fått det där jobbet. Vem var det som hade slitit på det där skit-
bolaget i alla år?

– Vad pratar du om? sa Annika och hennes ögon hade blivit
blanka och runda igen.

– Där ser du, det betydde ingenting för dig. Inget av det jag
har duger.

Annika började gråta, tårarna vällde över och rann över hen-
nes kinder, hon hade alltid varit en jävla lipsill.

– Jag förstår att det är totalt ovidkommande för din del, sa
Anne, men nu har jag *äntligen* hittat något som kan bli något.
Missunnar du mig den chansen? Va?

Annika sänkte ögonlocken och sjönk ihop framför henne.

– Jag ska aldrig mera störa dig, sa hon.

Hon tog barnen i var sin hand och vände sig om mot trap-
pan.

– Bra, sa Anne. Tack!

Hon steg tillbaka in i hallen, men fylldes av en sådan oresonlig
vrede att hon var tvungen att luta sig ut igen.

– Du kan väl ta in på hotell, ropade hon efter den försvin-
nande ryggtavlan. Du är ju rik som ett troll.

Robin stod bakom henne när hon stängde ytterdörren. Han
hade tagit på sig jeans och tröja och var i färd med att knyta ena
gymnastikskon.

– Vart ska du? sa hon och försökte le genom ilskan.

– Måste hem, sa han. Börjar tidigt i morgon.

Anne kämpade emot impulsen att dra lakanet tätare omkring
sig. I stället försökte hon slappna av och lät det falla till golvet,
sträckte ut armarna mot honom för att visa att hon öppnade sig
för honom.

Han böjde sig generat ner efter sin andra sko.

– Men, sa Anne och stelnade i sin rörelse, är du inte arbets-
lös?

Han tittade hastigt upp på hennes bröst.

– Ska repa med bandet, sa han, och lögnen var så tung att den inte förmådde lyfta från golvet.

Anne tog upp lakanet igen, svepte det omkring sig.

– Jag tycker om dig, sa hon.

Han tvekade en pinsam sekund för länge.

– Och jag gillar dig också, sa han så.

Säg bara inte: det är inte du, det är jag.

– Ringer du? frågade hon.

Han svalde och tittade ner, kysste henne sedan snabbt på örat.

– Så klart, sa han, och gick ut och stängde dörren efter sig.

Läkaren stegade in i akutrummet med den vita rocken flaxande efter sig. Nina reagerade över hur ung han var, yngre än hon själv. Han gav henne en snabb blick medan han gick fram till båren där Julia låg utsträckt.

– Vet vi vad som inträffat? frågade han och lyste Julia i ena ögat med en liten ficklampa.

Dörren gick igen bakom honom.

– Hon påträffades i sin bostad, sa Nina. Det har alltså begåtts ett mord på platsen, hennes make låg skjuten i sängen.

– Har hon varit kontaktbar? frågade läkaren och flyttade lampan till andra ögat.

Nina hejdade en impuls att knäppa upp sin skottsäkra väst.

– Svar nej. Jag trodde först hon var död.

– Pupillerna reagerar normalt, konstaterade han och släckte lampan. Har vi någon identitet på patienten?

Han sträckte sig efter en skrivplatta.

– Julia, sa Nina. Julia Maria Lindholm, 31 år. Hensen som ogift.

Den unge mannen sneglade upp på henne, antecknade något och lade plattan ifrån sig. I stället hängde han ett stetoskop runt halsen och lindade en blodtrycksmätare runt Julias överarm. Nina väntade tyst medan han mätte blodtrycket.

– Något förhöjda värden, men stabila, sa han.

Sedan tog han upp en sax och klippte sönder Julias t-shirt.

– Fanns det några spår av blod där patienten hittades?

– Förutom blodstänken i ansiktet så såg jag inget, sa Nina. Jag tror inte hon är fysiskt skadad.

– Inga ut- eller ingångshål? Inga stickskador?

Nina skakade på huvudet.

– Hon kan ha varit utsatt för något trubbigt våld som inte är synligt, sa läkaren, gick igenom hennes kropp med händerna och klämde bestämt på buk och lungor.

Julia reagerade inte.

Han kände på hennes nacke.

– Ingen stelhet och normala pupiller, hon har ingen blödning i hjärnan, konstaterade han.

Han böjde på hennes ben och mumlade *inga frakturer i höfterna.*

Sedan tog han hennes hand och strök den.

– Julia, sa han, nu ska jag kontrollera din medvetandegrad. Jag vill kolla om du reagerar på smärta. Det är inte farligt.

Han böjde sig över henne, knep till om hennes bröstben. Julias ansikte förvreds och hon skrek till.

– Såja, såja, sa läkaren och antecknade något på sin skrivplatta. Ett EKG bara nu så ska jag lämna dig i fred…

Han fäste några elektroder på Julias bröstkorg och svepte sedan in henne i en stor filt.

– Vill du sitta hos henne? frågade han Nina.

Nina nickade.

– Håll henne i handen, smek den och tala till henne.

Nina satte sig på britsen och tog Julias hand, den var fuktig och kall.

– Vad är det för fel på henne?

Bara hon inte dör! Säg att hon inte dör!

– Hon befinner sig i ett psykotiskt chocktillstånd, sa läkaren. De kan bli så här då, stumma och förlamade. Slutar äta och dricka. Man kan se dem i ögonen men de märker inte att man är där, ljuset på men ingen hemma.

Han såg upp på Nina och tittade sedan hastigt ner igen.

– Det är ingen fara, sa han. Det är övergående.

Övergående? Kommer allt att bli som vanligt?

Nina stirrade på kvinnans vita ansikte, de ljusa ögonfransarna, hårlockarna. Blodet i ansiktet hade torkat in och mörknat. Brottstycken av deras senaste möte rullade som korta filmsekvenser i hennes huvud.

Jag står inte ut längre, Nina. Jag måste göra något åt det här.

Men berätta då, vad är det som har hänt?

Julia hade sett uppgiven ut, med rödfnasiga utslag på kinderna. Märkena skymtade fortfarande under blodet. Hur länge sedan var det, tre veckor?

Fyra?

– Julia, sa hon tyst. Det är jag, Nina. Du är på sjukhuset. Allt kommer att bli bra.

Verkligen? Tror du det?

Nina såg upp på läkaren som satt sig ner vid fotändan av båren och intensivt höll på att fylla i en blankett.

– Vad händer nu? frågade hon.

– Jag skickar iväg henne på datortomografi, sa han, bara för att utesluta alla typer av hjärnskador. Vi kommer att ge henne något lugnande och sedan åker hon upp på psykakuten. Förhoppningsvis får hon väl en dos terapi.

Han reste sig så att träskorna slog i golvet med en liten smäll.

– Känner du henne personligen?

Nina nickade.

– Hon kommer att behöva väldigt mycket stöd den närmsta tiden, sa läkaren och steg iväg ut i korridoren.

Dörren gick långsamt igen med ett sugande läte. I stillheten efter den unge mannens sprakande effektivitet framträdde akutmottagningens alla ljud mycket tydligare: den molande fläkten, Julias lätta andning, blippandet från EKG-apparaten. Steg som skyndade förbi ute i korridoren, en telefon ringde, ett barn grät.

Nina såg sig omkring i det sterila rummet. Det var trångt och svalt, fönsterlöst, det skarpa ljuset kom från flimrande lysrör i taket.

Nina lösgjorde sin hand från Julias och reste sig upp, Julias ögonfransar fladdrade till.

– Julia, sa Nina lågt och lutade sig över sin väninna. Hallå, det är jag. Se på mig...

Kvinnan reagerade med en liten suck.

– Du, sa Nina. Titta upp och se på mig, jag vill prata med dig...

Ingen reaktion alls.

Ilskan steg med ens i Ninas hals som en vass uppkastning.

– Du bara ger upp, sa hon högt. Det är så typiskt dig, du bara lägger dig ner och låter alla andra ta reda på din röra.

Julia rörde sig inte.

– Vad har du tänkt att jag ska göra nu? sa Nina och tog ett steg närmare britsen. Jag kan inte hjälpa dig nu! Varför berättade du inte? Då hade jag ju åtminstone haft en chans...

Hennes kommunikationsradio sprakade till och fick henne att ta två förskräckta steg bakåt.

– 1617 från 9070, kom.

Det yttre befälet sökte henne.

Hon vände sig bort från Julia och stirrade in i ett skåp med bandage, tog upp mikrofonen och tryckte in svarsknappen på sidan.

– 1617 här. Jag har följt Julia Lindholm upp till Södersjukhuset, hon har precis blivit undersökt på akutmottagningen. Kom.

– Du kan inte bli sittande där uppe, sa befälet. Vi behöver din rapport så snart som möjligt. Jag skickar upp Andersson med bilen, så får han stanna där tills jag hittat en gubbe som sköter bevakningen. Klart slut.

Nina släppte radion och kände rädslan smita åt kring halsen.

Som sköter bevakningen.

Naturligtvis, Julia var förstås misstänkt.

Huvudmisstänkt i ett polismord.

Hon gick ut ur rummet utan att se på Julia igen.

www.kvallspressen.se

DAVID LINDHOLM MÖRDAD

Uppdaterad 3 juni kl 05.24
Poliskommissarie David Lindholm, 42, uppges ha hittats mördad i sitt hem på Södermalm.

Lindholm är Sveriges mest kända och respekterade polisutredare, bland annat som expertkommentator i tv-programmet "Kriminellt".

Han har också personligen stått för några av de mest spektakulära polisinsatserna det senaste decenniet, då Sveriges grövsta och mest komplicerade brott kunnat klaras upp.

David Lindholm växte upp i ett välbärgat hem i Djursholm utanför Stockholm. Trots sin borgerliga bakgrund valde han en karriär som vanlig ordningspolis. Efter några år i den hårda miljön vid Norrmalmspolisens piketstyrka avancerade han till utredare och förhandlare.

Han blev känd för svenska folket som den raka och omdömesgilla poliskommissarien i tv-programmet "Kriminellt", men det var hans hantering av gisslansituationen vid daghemmet Gullvivan i Malmö för fem år sedan som gjorde honom legendarisk inom poliskåren.

En desperat och beväpnad man hade förskansat sig på dagisavdelningen och hotade att döda barnen, ett efter ett. David Lindholm etablerade kontakt med mannen, och efter en två timmar lång förhandling kunde han promenera ut till en väntande patrullbil, arm i arm med den avväpnade desperadon.

Kvällspressens fotograf Bertil Strand vann Årets bild i kategorin Bästa nyhetsbild för det klassiska fotot.

För två år sedan fick David Lindholm fram sådana uppgifter i ett förhör med en livstidsdömd amerikan att ett värdetransportrån i Botkyrka kunde klaras upp. Fem män greps och stora delar av bytet, som uppgick till 13 miljoner kronor, kunde återlämnas.

(uppdateras fortlöpande)

ANDERSSON KOM KÖRANDE UPP till akutintaget, sladdade med patrullbilen så att däcken lämnade svarta streck i asfalten. Nina öppnade bildörren på förarsidan innan kollegan hunnit få stopp på fordonet.

– Julia Lindholm har precis undersökts, sa hon. Stanna kvar och bevaka henne tills du blir avlöst, det torde inträffa inom en tämligen snar framtid.

Andersson hävde ut sina tunga ben på marken.

– Vad är det för fel på mörderskan? sa han släpigt. Har hon mensvärk?

Nina knöt nävarna för att inte slå till honom.

– Jag åker ner och avrapporterar, sa hon och satte sig i patrullbilen.

– Hörde du den preliminära dödsorsaken? sa han till hennes ryggtavla. Först satte hon en kula i hjärnbalken och sedan sköt hon av honom kuken...

Nina drog igen dörren och lät Volvon rulla ner mot Ringvägen. Det var fullt dagsljus, trafiken hade kommit igång. Hon kastade en blick på sitt armbandsur, fem över halv sex. Hon gick av passet klockan sex, den skulle förmodligen bli både sju och åtta innan hon skrivit anmälan och fyllt i p21-blanketten...

Blanketten? Hur kan jag tänka på vilka blanketter som ska fyllas i? Vad är jag för en människa?

Hon tog ett djupt andetag som slutade i en snyftning. Händerna skakade till på ratten och hon fick stålsätta sig för att lugna dem.

Höger på Hornsgatan, tänkte hon. Lägg i växeln. Gasa försiktigt.

Sedan, tanken som legat längst bak i hjärnan sedan hon klev över tröskeln till lägenheten: *Måste ringa Holger och Viola.*

Hon skulle vara tvungen att tala med Julias föräldrar så snart som möjligt. Frågan är vilka befogenheter hon hade, vilka möjligheter hon hade att berätta för dem vad som hänt. Inga alls, egentligen, hon fick givetvis inte sprida information om sina iakttagelser på brottsplatser till utomstående, men det här handlade om någonting annat. *Anständighet, eller kanske moral.*

Hon hade nästan vuxit upp med Julia och hennes föräldrar. De hade förmodligen räddat henne undan tillvaron där hennes bägge syskon hamnat. Många långa sommarveckor hade hon tillbringat på gården medan hennes mamma jobbade skift på kycklingfabriken inne i Valla. Under skolveckorna följde hon ofta med Julia hem och åt vid det stora slagbordet i bondköket. Hon mindes smaken av köttsoppa och limpsmörgås, den svaga lukten av ladugård som alltid svävade runt Holger. Sedan, när hennes mamma gått av skiftet, fick hon lämna värmen och ta bussen hem till Ekeby...

Nina ruskade på sig för att skingra sentimentaliteten.

Det gick ingen nöd på mig. Jag hade tur som hade Julia.

Några fulla tonåringar med studentmössor vinglade omkring på trottoaren till vänster om henne. Hon skärpte blicken och granskade dem. De gick i bredd med armarna om varandra, tre pojkar och en flicka. Flickan verkade knappt kunna stå på benen, pojkarna mer eller mindre släpade henne framåt.

Passa dig, lilla du, så att de inte utnyttjar dig...

En av grabbarna fick syn på henne och började göra obscena rörelser mot polisbilen, först fingret och sedan juckanden. Hon satte på blåljusen och sirenen i tre sekunder, effekten på ungdomarna var ögonblicklig. De sprang som antiloper åt andra hållet, flickan också.

Så var det med den berusningen.

Hon svängde in framför stationen och parkerade, vred av tändningsnyckeln så att motorn dog. Tystnaden som följde var så stor att den ekade. Hon satt kvar i flera minuter och lyssnade till den.

Suckade sedan och knäppte loss bilbältet, plockade upp Anderssons hamburgerpapper och sin egen Cola Light för att slänga allt i papperskorgen intill parkeringen, burken också. Det fick vara någon måtta på hennes ansvar för mänskligheten just den här morgonen.

Pettersson, stationsbefälet, satt i telefon när hon kom in, han vinkade åt henne att sätta sig på stolen mitt emot.

– Vid femtiden? sa han i luren. Är inte det lite sent? Många av kollegorna har ju... ja, det är sant. Ja, det har du rätt i. Då säger vi klockan sjutton...

Han lade ner luren och skakade på huvudet.

– Vilken förfärlig historia, sa han och strök sig över flinten. Vart är samhället på väg egentligen?

Han låter som kommissarie Wallander, tänkte Nina.

– Vi ska ha en tyst minut för David Lindholm, fortsatte Pettersson. Klockan fem har flera av kvällsskiften hunnit gå på och dagmänniskorna finns fortfarande kvar, så då får vi ut största möjliga effekt av aktionen. Alla polisdistrikt i landet är med på noterna. Lindholm var ju känd och respekterad i alla läger, och efter alla år av gästföreläsningar på Polishögskolan så har han vänner bland både nyetablerade och mer erfarna kollegor över hela...

– Berätta det inte för medierna bara, sa Nina.

Pettersson kom av sig och såg först förvånad och sedan något irriterad ut.

– Det är väl klart vi ska sprida det i medierna. Dagens Eko vill tydligen sända direkt.

– Om du hade för avsikt att råna en närbutik, när skulle du göra det om du fick veta att all polisverksamhet i Sverige ska ligga nere mellan 17.00 och 17.01? Och hur sänder man en tyst minut i radion? Blir det inte lite... ödsligt?

Stationsbefälet stirrade tomt på henne några sekunder och lutade sig sedan bakåt så att det knakade i IKEA-stolen.

– Då drar vi ärendet, sa han.

Nina tog fram sitt anteckningsblock. Hon redovisade samtliga fakta med entonig röst, anrop klockan 03.21, misstänkt skottlossning på Bondegatan. Eftersom 9070 och piketen var ute i Djursholm så blev Hoffman i 1617 utsedd till insatsledare. Anmälaren, en Gunnar Erlandsson på sagda adress, anförde att han vaknat av något han uppfattade som skottlossning i våningen ovanför. Då ingen gav sig till känna i den aktuella lägenheten gick patrull 1617, tillsammans med patrull 1980, in enligt paragraf 21 i polislagen, fara i dröjsmål. I lägenheten påträffades två personer, David Lindholm och Julia Lindholm. David Lindholm låg i sängen, skjuten med två skott i huvudet respektive buken. Julia Lindholm återfanns i badrummet i ett psykotiskt chocktillstånd. Hon är förd till Södersjukhuset för vård.

Nina slog ihop sin anteckningsbok och såg upp på Pettersson.

Han skakade på huvudet igen.

– Vilken förfärlig historia, sa han. Tänk om vi vetat att det skulle sluta så här...

– Det var en sak till, sa Nina och såg ner på sitt hopslagna anteckningsblock. Julia sa något konstigt innan hon tuppade av.

– Vad?

– Hon talade om sin son, Alexander. Hon sa: "Hon tog honom. Den andra kvinnan, hon tog Alexander."

Pettersson tittade upp med höjda ögonbryn.

– "Den andra kvinnan", vad fan menade hon med det? Fanns det någon annan i lägenheten?

Nina kände sig dum.

– Nej, sa hon.

– Fanns det några spår efter strid eller inbrott?

Nina tänkte efter en sekund.

– Inte vad jag kan erinra mig på rak arm, men det får väl teknikerna undersöka...

– Och dörren var låst?

– Den går igen automatiskt om man inte spärrar upp den.

Vakthavande suckade djupt.

– Herregud, stackars David. Hon var tydligen knäppare än någon kunnat ana.

– Alexander var faktiskt borta, sa Nina.

– Vem?

– Julias och Davids pojke. Han var inte i lägenheten. Hans rum var tomt.

Hennes chef lade in en snus.

– Och? sa han. Var är han då?

– Vet inte.

– Är han rapporterad saknad?

Nina skakade på huvudet.

– Vet vi om det har hänt honom något?

– Nej, sa Nina. Det är bara det att... lägenheten söktes igenom men han fanns ingenstans.

Vakthavande lutade sig bakåt.

– Nåväl, sa han. Uppgifterna om den andra kvinnan och den saknade pojken måste förstås finnas med i rapporten. Håll tungan rätt i mun nu när du skriver.

Hon kände hur kinderna började bränna.

– Vad menar du med det? frågade hon.

Pettersson såg ingående på henne några sekunder, sedan reste han sig ur stolen och stretchade ryggen lite.

– Du var väl inte ordinarie inatt? sa han. Skulle inte du vara ledig?

– Jag gick in och tog ett gnetpass, sa Nina. Klockan sexton går jag in på mitt vanliga schema igen.

Befälet suckade.

– Tidningarna har redan börjat ringa, sa han. Ge fan i att prata med dem. Alla kommentarer går via talesmännen, inget läckage till hon den där på Kvällspressen...

Nina reste sig och gick nedåt korridoren, förbi fikarummet och bort till ett litet avrapporteringsrum med skrivbord och dator.

Hon satte sig ner, slog igång datorn och gick in i programmet RAR, Rationell Anmälan Rutin. Började sedan systematiskt att klicka och fylla i alla aktuella uppgifter i deras respektive rutor: tidpunkt för anrop, personal, brottsplatsadress, målsägande, avlidna personer, misstänkt...

Misstänkt?

Hon skulle stå som författare till den här anmälan. Den skulle följa med handläggningen av ärendet med mordet på David Lindholm i evig tid, skulle förmodligen granskas och forskas kring på Polishögskolan om femtio år, och det var hon som skulle stå som upphovsman till den. Det var hon som skulle skriva in de allra första, preliminära uppgifterna, det var hon som skulle formulera anklagelsen.

Misstänkt: Julia Lindholm.

Hon sköt tangentbordet ifrån sig och gick ut i korridoren, gick planlöst några steg till höger, vände sedan och började gå till vänster.

Jag måste hämta något, tänkte hon. Kaffe? Då skulle hon inte kunna somna. Macka ur automaten? Hon fick kväljningar vid tanken. I stället gick hon bort till godisautomaten, det enda som fanns kvar var sura dragsters. Hon hittade en tiokrona i byxfickan och köpte den näst sista påsen. Sedan gick hon tillbaka till stationsbefälet och knackade på dörrposten.

Pettersson släppte dataskärmen med blicken och såg hastigt upp på henne.

– Förlåt, sa hon, men vem skriver jag som målsägande? Är det den mördade eller hans efterlevande?

– Den mördade, sa Pettersson och återgick till dataskärmen.

– Fast han är död?

– Fast han är död.

Nina dröjde i dörren.

– Det var en sak till, sa hon. Alexander...

Pettersson suckade.

– Han borde ha varit i lägenheten, skyndade sig Nina att säga. Jag tycker vi borde...

Vakthavande suckade en smula irriterat och lutade sig framåt mot dataskärmen igen.

– Om nu mamma skjutit pappa så var det väl ganska bra att ungen slapp se det, sa han och Nina förstod att samtalet var slut.

Hon vände sig om för att gå tillbaka.

– Du Hoffman, ropade stationsbefälet efter henne.

Hon stannade upp och såg på honom över axeln.

– Behöver du någon debriefing? frågade han, och hans ton avslöjade att en debriefing var det absolut fånigaste hon kunde fråga efter i den här *tragiska historien.*

– Nej tack, sa hon lätt och gick tillbaka till det lilla rummet, öppnade godispåsen och storknade när hon stoppat den första karamellen i munnen. De var verkligen fruktansvärt sura.

I stället för att klicka i rutan *misstänkt* plockade hon upp en blankett för utnyttjandet av paragraf 21 enligt polislagen. Den var lättare att fylla i än Julias namn.

Till slut hade hon skrivit ut allt som fanns att skriva ut, inklusive det spontana förhöret med Erlandsson på två trappor.

Hon stirrade på skärmen.

Klickade på *misstänkt*.

Skrev hastigt *Julia Lindholm*.

Loggade ur och stängde ner RAR och skyndade sig ut ur rummet innan tankarna hann ifatt henne.

– Mamma, jag är hungrig. Finns det jordnötssmör här?

Annika slog upp ögonen och stirrade in i en vit gardin. Hon hade ingen aning om var hon befann sig. Huvudet var tungt som sten, i bröstet fanns ett stort svart hål.

– Och mjölkchoklad och sylt, finns det mjölkchoklad?

Hotellet. Receptionen. Rummet. Verkligheten.

Hon vred sig i sängen, blicken landade på hennes barn. De satt bredvid varandra i sina pyjamasar med klara ögon och håret på ända.

– Brann vårat jordnötssmör upp i elden? frågade Kalle.

– Och Poppy, sa Ellen och flickans underläpp började darra. Poppy och Leo och Russ brann också upp i elden…

Åh Gud, vad ska jag säga? Vad svarar man?

Hon hävde sig fumligt upp ur de fuktiga lakanen, drog barnen till sig utan ett ord och höll dem, höll dem, höll dem i famnen och gungade dem sakta samtidigt som hålet i bröstet växte.

– Mjölkchoklad finns det nog, sa hon skrovligt. Och sylt också. Jordnötssmöret blir kanske lite svårare.

– Min nya cykel, sa Kalle. Brann den också upp?

Datorn. Alla mejlen. Min telefonbok och kalender. Bröllopspresenterna. Barnvagnen. Kalles första skor.

Hon strök pojken över håret.

– Vi har en försäkring, så vi kommer att få tillbaka dem.

– Poppy också? frågade Ellen.

– Och huset kan vi bygga upp igen, sa Annika.

– Jag vill inte bo i huset, sa Kalle. Jag vill bo hemma och gå på mitt riktiga dagis.

Hon blundade och kände världen kränga.

Familjen hade bara hunnit bo i villan på Vinterviksvägen i Djursholm i en månad när elden brutit ut. Deras gamla lägenhet på Kungsholmen var såld till ett bögpar som redan flyttat in och börjat riva köket.

– Nu går vi och äter frukost, sa hon och tvingade benen över sängkanten. Seså, på med kläderna.

Ellen torkade tårarna och tittade förebrående på henne.

– Men mamma, sa hon. De brann ju också upp i elden.

När Annika kommit ner på gatan igen, efter att Anne inte släppt in dem, hade taxin åkt iväg. Hon kunde inte ringa efter någon ny och hade inget mer att panta, så det enda hon kunde göra var att lyfta upp barnen och börja gå. Hon hade haft en vag aning om att det låg ett hotell i närheten, men gick runt i cirklar i tre kvart innan hon hittade det. Hon var svimfärdig när hon snubblade in i foajén. Receptionisten hade fått rädda ögon när Annika stammat fram sitt ärende. De hade blivit tilldelade ett rum på andra våningen.

Nu lät hon hotellrumsdörren gå igen bakom dem, tog barnen i ett kallsvettigt grepp och steg in i hissen.

Restaurangen var en avskalat ambitiös historia med glasvägg ut mot gatan, väggar täckta av bokhyllor och möbler i stål och körsbärsträ. Klockan bakom bardisken visade på kvart över nio, hon hade sovit ungefär fyra timmar.

Frukostbuffén var aväten och full av kladd, lokalen halvtom.

Affärsmännen hade försvunnit iväg till sina viktiga möten och lämnat ett kärlekspar i övre medelåldern och tre japanska turister att stirra på henne och barnen, på hennes sönderrivna jeans och sotfläckiga designertröja, på Kalle i hans silkiga batmanpyjamas och Ellen i flanellpyjamas med fjärilar.

Förlåt om vi förstör er trevliga frukost med våra oborstade tänder och bara fötter.

Hon bet ihop käkarna och hällde upp en temugg med kaffe, plockade till sig en yoghurt och tre skivor gravad lax, yoghurten för att den var det enda hon kunde få i sig och laxen för att frukosten ingick i priset, tvåtusen etthundratjugofem kronor för ett "twin standard room" som mest påminde om ett hisschakt.

Jag klarar inte det här själv. Jag måste ha hjälp.

– Det är inte möjligt, sa Berit Hamrin. Du låter ju helt normal.

– Alternativet är att lägga mig ner och dö, och då hade jag ju lika gärna kunnat vara kvar inne i huset, sa Annika och kollade att badrumsdörren var stängd.

Hon hade hittat Cartoon Network på hotelltv-n som svävade under taket och placerat barnen i sängen igen med var sin liten kartong frostflingor i stället för godis. Sedan hade hon stängt in sig i badrummet, där det också fanns telefon, och ringt till sin kollega på redaktionen.

– Och du fick inte med dig någonting alls? Jag läste om branden på TT, men inte fattade jag att det var din villa. Herregud!

Annika sjönk ner på toalettstolen och lutade pannan mot handflatan.

– Enligt TT blev huset fullständigt utbränt, sa Berit. Är det ingen på tidningen som ringt dig och frågat hur det gick?

– Vet inte, sa Annika. Jag har lämnat min mobil i pant på Taxi Stockholm. Fast jag tror inte att någon hört av sig. Det var ju ingen som dog.

Berit tystnade. Annika kände kylan från porslinet krypa bakåt mot nacken.

– Vad behöver du hjälp med först? frågade kollegan.

– Barnen har bara pyjamasar och jag fick inte med mig några pengar...

– Vad har de för storlek? undrade Berit och klickade igång en kulspetspenna.

– 110 och 128.

– Och i skor?

Halsen drog ihop sig och Annika fick svårt att andas.

Inte gråta, inte nu.

– Ellen har 26 och Kalle 31.

– Stanna där du är. Jag kommer om en timme ungefär.

Hon satt kvar på toalettsitsen och stirrade in i handdukstorken, kände hur hålet i bröstet dunkade och sved. Runt omkring henne svävade dimmor av självömkan och hopplöshet och bittra tårar över hur allting hade tagits ifrån henne men hon ville inte omfamnas av dem, för bland molnen var sikten skymd och hon skulle obönhörligen gå vilse.

Ditt liv är borta, viskade dimmorna men hon visste att det inte var sant, för hon satt här och frös och Scooby-Doo vrålade att han var rädd för spöken inne i hotellrummet.

Du har ingenting kvar!

– Har jag visst, sa hon högt.

Hemmet var viktigt, platsen där man hörde hemma, men den behövde inte bestå av fyra väggar utan kunde lika gärna utgöras av människor, eller projekt eller ambitioner.

Du saknar allting som betyder något.

Gjorde hon det?

Egentligen inte särskilt mycket mindre idag än igår.

Barnen hade inga kläder och datorn hade brunnit upp, men allt det andra var egentligen kvar.

Förutom Thomas.

Och Anne.

Hon reste sig upp, vände sig mot spegeln.

Bara kärnan kvar.

Jag och barnen, allt annat är avskalat.

Hon hade förlorat.

Var det inte svårare än så här?

Kvällspressens chefredaktör Anders Schyman hade i nedskärningarnas tecken avstått sitt privilegierade hörnrum och placerat sig själv i en skrubb bakom debattredaktionen, något han ångrade allt mer för varje dag som gick. Den enda fördelen med omlokaliseringen var direktkontakten med redaktionen, att han kunde sitta i sitt rum och se ut över arbetet på golvet.

Trots att klockan knappt var elva på förmiddagen pågick en aktivitet där ute som varit otänkbar för bara några år sedan. Nuförtiden uppdaterades webben dygnet runt med undantag av några vargtimmar runt fyrasnåret, inte bara textmässigt utan också med tv-inslag, radio och annonser. De allt tidigare tryckstarterna av papperstidningen hade inneburit att den vanliga produktionen flyttats fram och numera framför allt försiggick på dagtid, vilket var nytt. Traditionen bjöd att kvällstidningar skulle skottas ihop på nätterna, helst av ett gäng råbarkade pilsnerredaktörer med röda ögon och nikotinfläckiga skrivmaskinsfingrar. Idag fanns nästan inga sådana relikter kvar på tidningen. Antingen hade de anpassat sig till den nya tiden, spolat spånken och putsat skorna, eller så hade något av besparingsprogrammen rensat ut dem med avgångsvederlag och förtidspension.

Anders Schyman undslapp sig en djup suck.

Känslan av att något höll på att glida honom ur händerna hade blivit allt starkare med åren. På sistone hade han börjat ana vad det var: själva syftet med verksamheten, den elementära journalistiken.

Numera var det så viktigt att uppdatera först av alla på webben att man ibland glömde bort att man måste ha något att säga också.

Han mindes det gamla kritiska mantrat konkurrenterna använde på forntiden då Kvällspressen hade Sveriges högsta upplaga: Störst men aldrig först. Mest men aldrig bäst.

Nu gick allting mycket snabbare, till priset av sanning och konsekvensanalys.

Allt är inte skit, tvingade han sig själv att tänka.

De hade en jävla bra tidning idag igen, med Annika Bengtzons insidehistoria om Nobelmördaren, Berit Hamrins kritiska terroristartiklar och Patrik Nilssons intervju med en dokusåpastjärna som talade ut om sina ätstörningar.

Problemet var att det här redan var glömt. Trots att tidningen knappt kommit ut till kioskerna var artiklarna redan *yesterday's news*, för nu hade David Lindholm hittats skjuten i sin säng och hans fru var misstänkt för mordet.

Lovsångerna på nätet över den döde polisen var oändliga.

Hans storhet låg i hans insikter i den mänskliga naturen, i hans otroliga förmåga att kommunicera. Som förhörsledare hade han varit helt suverän, som vän var han den mest lojale någonsin, hans intuition var total.

Hur hanterar jag det här? tänkte Anders Schyman och märkte att tankarna gick trögt i en hjärna som inte längre var särskilt van att brottas med etiska avvägningar. I en ryggmärg som borde domineras av journalistiska grundprinciper som nyhetsvärdering, källkritik och reflektioner kring namnpubliceringar rymdes nästan bara ekonomiska analyser och upplagesiffror.

Han såg ut över redaktionen.

Det första som måste till är att jag blir medveten om situationen, tänkte han, reste sig bestämt och gick ut på redaktionsgolvet.

– Hur gör vi med den mördade supersnuten? frågade han Spiken, nyhetschefen, som satt med fötterna på desken och käkade en apelsin.

– Etta, löp, sexan sjuan åttan och mitten, svarade Spiken utan att titta upp.

– Och uppgiften om att frun är misstänkt? frågade Schyman och satte sig på skrivbordet, demonstrativt nära nyhetschefens fötter. Mannen fattade vinken och släppte ner dem på golvet.

– Menar du antalet punkter i rubriken? frågade han och slängde fruktskalet i pappersåtervinningen.

– Om vi identifierar David Lindholm som offer och skriver att frun är misstänkt så pekar vi ut henne som mördare, sa chefredaktören.

– Och? sa Spiken och tittade förvånat upp på sin chef.

– Hon är inte ens anhållen, sa Schyman.

– Tidsfråga, sa Spiken och ägnade sig åt dataskärmen igen. Dessutom är det redan ute överallt. Både Konkurrenten och Tjusiga Morgonblaskan kör redan hatartiklar om tanten på nätet.

Jahapp, tänkte Schyman, så mycket för det etiska initiativet.

– Kan man verkligen köpa apelsiner den här årstiden? frågade han.

– De är lite träiga, men det är ju jag också, sa Spiken.

Berit Hamrin kom fram till desken med handväskan över axeln och kappan i famnen.

– Jävla bra artiklar i tidningen idag, sa Schyman och försökte se uppmuntrande ut. Har du fått några reaktioner?

Berit stannade framför honom och nickade mot Spikens dataskärm.

– Julia Lindholm, sa hon. Är det ett medvetet ställningstagande att vi pekar ut henne som mördare på internet?

– "Vi" innebärandes hela det journalistiska kollektivet i

Sverige, sa Spiken.

– Såvitt jag förstår är det bara Konkurrenten och Morgontidningen som kör uppgiften om att frun är misstänkt, sa Schyman.

– Vi behöver inte skriva ut namnet på frun, sa Spiken.

Reportern tog ett steg närmare Schyman.

– I och med att vi publicerar David Lindholms namn, beskriver hur han sköts i sin säng och sedan påstår att hans fru är misstänkt för mordet så behöver vi inte skriva ut hennes namn. Alla som känner Julia vet ändå att det är hon som åsyftas.

– Vi måste ju kunna bevaka spektakulära mord, sa Spiken indignerat.

– Det som står på vår hemsida just nu skulle jag inte karaktärisera som "bevakning", sa Berit Hamrin. Det kallas "skvaller". Polisen har fortfarande inte bekräftat någonting alls, så det vi publicerar är hörsägen.

Anders Schyman såg hur journalister vid borden runt omkring höjde huvudena för att bättre kunna uppfatta vad som sades. Var det bra eller dåligt? Var etiska diskussioner vid desken ett sundhetstecken eller fick det honom att framstå som svag?

Han beslöt sig för det senare.

– Vi fortsätter den här diskussionen inne på mitt rum, sa han bestämt och visade med hela handen bort mot sitt krypin.

Berit Hamrin svarade med att kränga på sig kappan.

– Jag ska ut och träffa en källa, sa hon.

Reportern vände sig om och försvann bort mot utgången till parkeringsgaraget.

Schyman märkte att hans hand fortfarande var utsträckt mot skrubben bakom debattredaktionen.

– Så uppgifterna om den misstänkta frun ligger redan ute på vår hemsida? sa han till Spiken och lät handen falla tungt mot låren. Vem tog det beslutet?

Spiken tittade upp med sårad oskuld.

– Det vet väl inte jag.

Nej, det var ju så sant, papperstidningen och webben hade olika redaktörer.

Anders Schyman vände på klacken och gick in i sin skrubb.

Tanken bet sig fast och skavde mot hans ego: *Vad gör jag här egentligen?*

Berit bar på åtta stora påsar.

– Jag försökte att inte vara alltför könsrollsbunden, sa hon när hon trängde sig in i det trånga rummet och släppte ner kassarna på golvet. Hej Kalle, hejsan Ellen...

Barnen tittade upp på Berit en sekund och fortsatte sedan att stirra på tv-n. Annika stängde av den.

– Titta här, Kalle, sa hon, vilka tuffa jeans!

– De är till Ellen, sa Berit, satte sig ner på sängbordet och knäppte upp kappan. Underkläderna ligger i den här påsen, och i den andra köpte jag lite tvål och tandborstar och sådant...

Barnen klädde sig självmant, tysta och allvarliga. Annika hjälpte Ellen att borsta tänderna och fick syn på sina egna ögon i badrumsspegeln. Pupillerna var stora, täckte nästan hela iris, som om hålet i hennes bröst syntes i hennes blick.

– Hur mycket blir jag skyldig dig? frågade hon Berit.

Kollegan reste sig och tog upp ett kuvert ur väskan som hon räckte Annika.

– Jag åkte förbi bankomaten och hämtade ut lite kontanter. Betala tillbaka när du kan.

Där låg tiotusen kronor i femhundralappar.

– Tack, sa Annika lågt.

Berit såg sig omkring i det trånga rummet.

– Ska vi gå ut en stund?

Barnen tog på sig sina nya ytterkläder. Tysta gick de ner genom receptionen och fortsatte ut på gatan, kryssade över gatorna bort mot Humlegården.

Molnen hängde tjocka och grå över himlen, vinden var byig och kall. Annika drog sin nya kofta tätare omkring sig.

– Hur ska jag kunna tacka dig?

– Om mitt hus brinner ner så hör jag av mig, sa Berit och fällde upp kragen mot vinden. Du måste börja med att ringa försäkringsbolaget. De tar alla extrakostnader för boendet tills ditt hus är uppbyggt igen.

De nådde fram till parken. Barnen tvekade i sina nya gymnastikskor, Kalles gröna och Ellens blå.

Annika tvingade sig att le mot dem.

– Ni får springa, sa hon. Jag och Berit väntar här.

Försiktigt, med långa blickar över axlarna, gick de bort mot lekplatsen.

– Var är Thomas? frågade Berit lågt.

Annika svalde.

– Jag vet inte. Vi... grälade. Han var inte hemma när det hände. Jag vet inte vart han har tagit vägen. Hans mobil har varit avstängd.

– Så han vet inte vad som hänt?

Annika skakade på huvudet.

– Du måste försöka få tag i honom.

– Jag vet.

Berit såg begrundande på henne.

– Är det något du vill prata om?

Annika sjönk ner på en bänk, drog till koftan under rumpan.

– Inte just nu, sa hon.

Berit slog sig ner bredvid henne och tittade bort mot barnen som långsamt började ta lekplatsen i besittning.

– De kommer över det, sa hon. Fast du måste hålla ihop.

– Jag vet.

De satt tysta en stund, såg barnen åka rutschbana. Ellen skrattade så hon kiknade.

– Har du förresten hört vem som har skjutits under morgonen? sa Berit. David Lindholm, poliskommissarien.

– Tv-polisen? sa Annika och vinkade till Ellen. Gift med Julia Lindholm?

– Känner du dem? frågade Berit förvånat.

– Jag har åkt radiobil en natt med Julia. Minns du den där artikelserien om utsatta kvinnoyrken?

Berit skakade på huvudet och plockade upp en påse skumbilar ur fickan.

– De får väl äta godis? frågade hon Annika. Kalle, Ellen!

Hon viftade med påsen och barnen kom springande.

– Hur många får man ta? frågade Ellen.

– Du kan ju inte räkna, sa Kalle föraktfullt.

De fick plocka en handfull var, flickan valde de rosa och pojken de gröna.

– Det var egentligen Julias arbetskamrat jag skulle porträttera, sa Annika och såg efter barnen när de travade iväg. Nina Hoffman heter hon. Det var den natten vi klev rakt in i det hemska trippelmordet på Söder, kommer du ihåg det?

Berit tog en näve bilar och höll upp påsen mot Annika som avböjde.

– Yxmorden? Med de avhuggna händerna?

Annika svalde.

– Ja fy, sa Berit. Det var jag och Sjölander som bevakade rättegången.

Annika rös till och lade benen i kors.

Hon hade varit höggravid med Ellen den där våren, och på Kvällspressen behandlades gravida reportrar som svårt imbecilla eller gravt senildementa personer: vänligt, bestämt och fullständigt kravlöst. Till slut hade hon tjatat sig till ett halvfartsuppdrag, en serie arbetsplatsreportage om kvinnor på utsatta mansjobb. På kvällen den 9 mars för fem år sedan hade hon fått följa med två kvinnliga poliser i en patrullbil på Södermalm. Natten var kall och passet händelselöst, hon hade haft gott om tid att prata med de bägge polisassistenterna. De var goda vänner sedan barndomen, hade gått Polishögskolan tillsammans och jobbade nu på samma station. Den ena, Julia, avslöjade att också hon var gravid. Ingen på jobbet visste om det ännu, hon var bara i vecka fjorton, och hon mådde otroligt illa hela tiden.

Strax före midnatt fick de ett anrop om ett lägenhetsbråk på Sankt Paulsgatan, strax bortom Götgatan. Det var ett vanligt rutinuppdrag, en granne hade ringt och klagat på bråk och skrik i våningen under. Annika frågade om hon fick följa med in, och det fick hon, på villkor att hon höll sig i bakgrunden.

De gick uppför trappan till andra våningsplanet, och där låg den stympade kvinnan. Hon hade kravlat sig ut i trapphuset och levde fortfarande när polispatrullen kom fram, hennes högra hand saknades och blodet pumpades ut ur de trasiga ådrorna, det rann längs stengolvet och ut i trappan och stänkte på väggarna när hon rörde på armen. Julia hade kräkts i en fönsternisch och Nina hade kört ut Annika på gatan med oerhörd kraft och effektivitet.

– Jag såg inte så mycket, men jag minns fortfarande hur det luktade i trappuppgången, sa Annika. Sött och liksom... tungt.

– Det var två män inne i våningen, sa Berit. De hade också blivit stympade.

Annika ändrade sig och sträckte sig efter en skumbil.

– De löste morden ganska snabbt.

– Filip Andersson, sa Berit, finansmannen. Han dömdes mot sitt nekande. Sitter på Kumla. Livstid.

Berit hällde ut de sista godisbitarna i handen och slängde den tomma påsen i en papperskorg.

– Om man nu ska bli osams med sina kompisar så är det ju tur att man inte är knarklangare, sa Annika.

– Det handlade inte om några små knarkskulder på plattan, sa Berit, utan om avancerade ekonomiska transaktioner mellan Spanien, Gibraltar och Caymanöarna.

– Så korkat, sa Annika, att lämna sina fingeravtryck överallt om man just huggit sönder tre personer.

– Vår kriminella del av befolkningen tillhör vanligtvis inte begåvningsreserven, sa Berit och reste sig för att hjälpa Ellen som trillat och skrapat sig på ena handflatan.

Annika satt kvar. Hennes kropp var tung som cement, hon kände inte längre kylan. Vinden slet i hennes hår, men hon orkade inte stryka bort det från ansiktet.

– Det sista jag hörde när jag åkte från tidningen var att de misstänker Julia för mordet på sin man, sa Berit när hon satte sig igen.

– Verkligen? Hon som verkade så timid...

– Deras son är tydligen försvunnen också.

– Jaha, hon fick en pojke...

De satt tysta igen, tittade på barnen som hade hittat något intressant under en stor ek på andra sidan lekplatsen.

– Du, sa Berit sedan, har du någonstans att ta vägen?

Annika svarade inte.

– Din mamma? föreslog Berit. Thomas föräldrar?

Annika ryckte på axlarna.

– Vill du följa med mig ut till Roslagen? Thord är i Dalsland och flugfiskar med sin bror i helgen. Ni kan bo i bagarstugan, om du vill.

– Menar du allvar?

För ett par år sedan hade Berit och maken Thord sålt huset i Täby och flyttat ut till en hästgård mellan Rimbo och Edsbro. Annika hade varit där ute ett par gånger, på sommaren var det rena idyllen med sjön nedanför och hästarna i hagen.

– Klart. Stugan står ju bara där.

– Hemskt gärna, sa Annika.

– Jag måste upp till tidningen och skriva klart uppföljningen till terroristartiklarna, men senast åtta bör jag vara klar. Jag hämtar din mobil och så fiskar jag upp dig på hotellet, ska vi säga så? Annika nickade.

Nina stannade osäkert i dörren.

Det var ovanligt många uniformer i det trånga fikarummet. De stod i små grupper med ryggarna mot henne och huvudena tätt tillsammans. Deras mumlande röster lät som ett fläktljud, dovt och konstant.

Det är så här sorgen låter, tänkte hon utan att förstå varifrån reflektionen kom.

Klockan var kvart i två, själv började hon inte förrän klockan 16 men hon hade inte kunnat sova, inte *velat* sova. När hon slutligen glidit in i sömnen hade drömmarna varit så förvirrade och obehagliga att hon valt att vakna.

Hon trängde sig in bakom Pettersson, som blockerade dörröppningen, och tog sig bort mot kaffeautomaten. Bitvis fick hon gå sidledes för att komma fram, bad mumlande om ursäkt och klev över hjälmar och fötter och västar.

Ju längre hon kom, desto tystare blev det.

När hon hunnit fram till kaffemaskinen hade det blivit alldeles stilla runt omkring henne. Hon höjde på huvudet och såg sig omkring.

Alla i rummet stirrade på henne. Deras ögon var skeptiska, ansiktena slutna. Hon fick känslan att alla lutade sig bakåt, bort från henne.

– Är det något ni undrar över? frågade hon.

Ingen sa något.

Hon vände sig bort från kaffet, ställde sig med benen ganska brett isär, satte händerna bakom ryggen och tittade sina kollegor i ögonen.

– Finns det något ni vill ha förklarat som inte framgår av rapporten?

Blickarna började flacka och några av dem som stod närmast vände sig bort.

– Hur kommer det sig att det var du som var först på plats? var det plötsligt någon som hojtade längst bak i rummet.

Det blev med ens dödstyst igen.

Nina sträckte på nacken för att se vem som ropat.

– Varför jag var först på plats? upprepade hon klart och tydligt. Och varför undrar någon det?

Christer Bure klev fram, en av Davids gamla kollegor från pikettiden på Norrmalm. Han var mörk i ansiktet av sömnbrist och förtvivlan, axlarna var uppe vid öronen, den tunga kroppen rörde sig med svårighet.

– Jag tycker bara att det är jävligt konstigt, sa han och stannade en halvmeter ifrån henne. Jävligt konstigt tycker jag att det är, att det är just du som stormar in i lägenheten när David är skjuten, och jag tycker det är jävligt märkligt att det är just du som stoppar undan och gömmer hans galna jävla fru på hispan. Hur fan kommer det sig, kan du svara på det?

Nina såg på mannen och fick hejda en impuls att backa. Hon skulle ändå inte komma någon vart, kaffeautomaten stod i vägen. Han såg på henne med sådant oförställt förakt och sådan illvilja att hon fick dra hårt efter andan för att kunna tala.

– Det är väldigt enkelt att svara på den frågan, sa hon. Jag och Andersson satt i 1617 och var närmast. Var det något annat du undrade över?

Christer Bure tog ännu ett steg närmare henne och knöt nävarna. En rörelse uppstod runt omkring honom, som om flera andra män följde hans exempel.

– Hans galna fru, sa han, varför gjorde hon det?

Ska jag verkligen behöva acceptera det här?

– Julia Lindholm är huvudmisstänkt för mordet på David, sa Nina och hörde själv hur hennes röst började darra. Jag utgår från att brottsutredningen kommer att klarlägga mördarens motiv, oavsett om det är Julia eller någon annan som...

– Klart som fan det är hon! skrek Christer Bure och blev mörkröd i pannan. Vad fan låtsas du för?

Några droppar saliv hamnade i ansiktet på Nina. Hon vände sig om och trängde sig bort mot dörren. Tårarna hade börjat bränna i halsen och hon hade inte tänkt stå kvar och ge honom tillfredsställelsen att se henne bryta samman inför hela personalgruppen.

– Presskonferensen börjar! ropade någon över larmet som plötsligt återuppstått. Vinjetten till Sveriges Televisions nyhetsprogram rullade upp på tv-n strax framför Nina. Alla tystnade och uniformerna vände sig på given signal mot rutan. Nina stannade upp, tittade på tv-apparaten och såg hur någon i hawaiiskjorta sjönk ner bakom ett bord uppe på scenen i stora konferenssalen i polishuset på Kungsholmen. Två män och en kvinna satte sig vid sidan om honom, Nina kände igen Stockholmspolisens presstalesman och chefen för Rikskrim. Kvinnan hade hon aldrig sett förut. Fotografernas blixtar regnade över deras sammanbitna ansikten, presstalesmannen sa något i mikrofonen.

– Dra på ljudet, ropade någon.

– ... anledning av mordet på polisinspektör David Lindholm, sa talesmannen när volymen dragits upp. Jag lämnar över ordet till förundersökningsledaren, åklagare Angela Nilsson.

Kvinnan lutade sig fram mot mikrofonen. Hon hade blond page och knallröd dräkt.

– Jag har idag anhållit en person, sa hon, på sannolika skäl misstänkt för mordet på David Lindholm.

Hennes röst var sval och hade en lätt anstrykning av överklass.

På sannolika skäl, den starkare graden av misstanke.

– En häktningsframställan kommer att lämnas in till tingsrätten senast på söndag, fortsatte hon utan att ändra tonläge. Jag vill poängtera att jag som förundersökningsledare bibehåller en bred och öppen utredning som icke på något sätt låser sig vid ett scenario, trots att vi nått ett genombrott i spaningsarbetet under ett mycket tidigt skede.

Hon lutade sig tillbaka och visade att hon talat klart.

– Jaha, sa presstalesmannen och harklade sig. Då lämnar jag över ordet till kommissarien som leder arbetet på Rikskriminalen.

En stor polis med tjänstemössan på huvudet ställde sig precis framför Nina, hon var tvungen att ta ett steg åt sidan för att kunna se.

– David Lindholm hittades skjuten i sin bostad tidigt i morse, sa mannen i den färgsprakande skjortan. En person som återfanns vid liv på brottsplatsen fördes till sjukhus, och har under dagen alltså anhållits för brottet på sannolika skäl. Vi har säkrat en del teknisk bevisning, men det återstår ett mycket viktigt frågetecken i vårt utredningsarbete.

En stor bild på ett litet barn visades upp bakom människorna på podiet.

– Det här är Alexander Lindholm, sa kommissarien med skjortan. Han är fyra år gammal och son till David Lindholm. Alexander Lindholm är försvunnen och rapporterad saknad sedan i förmiddags. Pojken är officiellt hemmahörande i den lägenhet som också är den aktuella brottsplatsen, men han var alltså inte där vid tidpunkten för polispatrullens ankomst i morse. Vi är mycket intresserade av alla upplysningar kring Alexander Lindholm och var han befinner sig.

En febril aktivitet utlöstes på golvet, fotograferna började fotografera bilden på väggen.

Presstalesmannen rättade till sin mikrofon och talade skyndsamt, som för att lugna presskåren.

– Bilder på pojken kommer att distribueras till samtliga medier, sa han, både digitalt och på papperskopior...

Kommissarien rev sig i håret, chefen för Rikskrim såg obekväm ut.

Bilder och cd-skivor med bilder och pressmaterial delades ut till journalisterna och sorlet och trampet dämpades.

– Polismord är ytterst ovanliga i Sverige, sa chefen för Rikskrim långsamt och tystnaden lade sig tung både i konferensrummet på polishuset och i fikarummet på Södermalms polisstation. David Lindholm är det första offret sedan morden i Malexander i slutet av 1990-talet, och vi ska vara glada att vi ändå är, och har varit, så förskonade.

Chefen tog av sig glasögonen och gned sig i ögonen. När han talade igen var det med än större pondus och fokus.

– Men när en kollega blir dödad, sa han, så är det inte bara en människa som dör, inte bara en vän. Det är en del av själva samhällsstrukturen som attackeras, en del av vårt demokratiska fundament.

Han nickade eftertänksamt åt sina egna ord, Nina såg flera kollegor nicka med.

– David... var dessutom... speciell, sa han och sänkte rösten. Han var ett föredöme för medborgare långt utanför kåren, en inspiration för människor i alla samhällsklasser och alla läger.

Nu darrade nästan Rikskrimchefens röst.

– Jag hade själv förmånen att följa Davids engagemang, att få uppleva effekterna av hans kontakt med grovt kriminella personer, med narkotikaberoende och livstidsdömda, hur han fick dessa medmänniskor att känna hopp igen, att tro på framtiden...

Nina ville med ens inte höra mera. Hon vände sig bort, tryckte undan två kollegor och skyndade ut mot omklädningsrummet.

Thomas rattade sin tunga jeep längs gatorna i förortsidyllen och kände försommaren svepa in genom sidorutan, virvla runt i hans hår och slita i hans kläder. Sophias släta lår brände fortfarande mot hans hud, hennes doft fanns kvar i hans skäggstubb.

Han kände att han levde, *ja jävlar, vad han levde!*

De senaste tjugofyra timmarna hade han tillbringat i Sophia Grenborgs breda dubbelsäng. Hon hade ringt sig sjuk på jobbet: för Sophia fanns det saker som var viktigare än karriären. De hade ätit både frukost och lunch bland lakanen.

Var det bara ett dygn sedan han varit här ute? Bara en dag och en natt sedan han bodde här bland björkarna?

Han såg gräsmattorna flimra förbi, obekanta, som från ett annat land.

Alla de här åren med Annika kändes redan som en lång och dammig ökenvandring, ett utdraget vapenstillestånd med lokalt uppblossande strider och segdragna förhandlingar.

Att jag har stått ut. Varför har jag inte lämnat henne tidigare?

Barnen, förstås, han hade känt sitt ansvar.

Han kryssade mellan de parkerade bilarna utanför ICA, vinkade till en granne han tyckte sig känna igen.

Det första som hände i hans och Annikas relation var att hon blev gravid, så han hade ju faktiskt inte haft så mycket att välja på. Antingen kunde han prova att leva med sitt barns mor, eller så hade han blivit en sådan där frånvarande far vars barn föds till underläge och utanförskap.

Men nu var det över. Han skulle aldrig mer behöva acceptera hennes tvära ilska. Han skulle plocka ihop lite kläder, hämta datorn och sin skivsamling, och redan på måndag skulle han kontakta en riktigt bra skilsmässoadvokat. Sophia hade bra kontakter i den världen, bland läkare och jurister och akademiker, hon satte sig inte ner med Gula Sidorna som Annika hade gjorde så snart hon ville ha tag på någon kvalificerad yrkesperson.

Två kvinnor kunde knappast vara mer olika, insåg han. Sophia var allt som Annika föraktade, mest för att hon aldrig kunde bli så själv: bildad, feminin och verserad.

Och så uppskattade Sophia att ha sex, till skillnad från den frigida get som Annika utvecklats till.

Åh, det där var elakt. Fick han vara så elak?

Han svängde höger in till deras bostadsområde, lät blicken glida över ljusgröna lövträd och vitmålade staket. Husen tornade upp sig på bägge sidorna av gatan, patriciervillor och national-romantiska tegelkomplex, punschverandor, pooler och lusthus.

Hon får köpa ut mig ur huset, och det blir inte billigt.

Han var villig att ta strid, det var han faktiskt, för huset var minst lika mycket hans. Annika hade trillat över en del pengar när hon avslöjade den där terroristcellen i Norrbotten, men de hade inget äktenskapsförord så hälften var egentligen hans.

När han tänkte efter visste han egentligen inte hur mycket hon hittat. Hon hade lämnat in säcken till polisen, vilket innebar att hon bara fått tio procent i hittelön. Det handlade, med andra ord, inte om några fastigheter på Östermalm i alla fall. Sophia var född med pengar, fastigheten vars vindsvåning hon disponerade ägdes av hennes familj.

Han såg avfarten in till Vinterviksvägen framför sig och kände pulsen öka, det här kunde bli riktigt obehagligt.

Sophia hade frågat om hon skulle följa med, sagt att hon gärna ville stötta honom i den här jobbiga situationen. Han hade varit bestämd och sagt att det var han som hade satt sig i skiten, det var hans uppgift att tvätta byken.

Hon hade tyckt att han var väldigt ansvarstagande.

Jag ordnar det här. Det här grejar jag, grynet.

Han svängde upp på sin gata och suckade tungt.

Jag vill inte ha något bråk, bara hämta några saker...

Först förstod han inte vad som var fel med bilden han såg framför sig, vad det var i scenariot som inte stämde. Verkligheten tog någon sekund på sig innan den träffade honom som en örfil, innan lukten av brandrök och sur aska identifierades av hans hjärna, innan han fattade vad han såg.

Han stannade bilen ute på gatan, lutade sig fram över ratten och spanade ut genom vindrutan med öppen mun.

Hans hem var en rykande ruin. Hela fastigheten hade störtat samman. Resterna var becksvarta och förvridna, sönderbrända takpannor låg utspridda på gräsmattan, Annikas bil stod som ett förkolnat vrak på uppfarten.

Han slog av motorn och lyssnade till sin egen panikslagna andhämtning.

Vad fan har du gjort, din jävla häxa? Vad har du gjort med barnen?

Han öppnade dörren och klev ut på gatan, bilens pipande alarmsystem skrek åt honom att han lämnat nyckeln kvar i tändningslåset. Pipandet följde honom när han osäkert gick fram mot polisens avspärrningar och lamslagen stirrade på murstocken som reste sig mot himlen.

Åh Gud, var är barnen?

Halsen snördes samman och han hörde sig själv kvida.

Åh nej, åh nej, åh nej!

Han sjönk ner på knä, märkte knappt vätan som trängde genom byxorna. Alla hans saker, alla hans kläder, fotbollen han spelade med i den där turneringen i USA, studentmössan, gitarren från Sunset Boulevard, all hans referenslitteratur och alla vinylskivorna...

– Förfärligt, eller hur?

Han tittade upp och såg Ebba Romanova, deras närmsta granne, stå lutad över honom. Först kände han inte igen henne. Hon brukade alltid ha en hund med sig, utan kopplet och byrackan var hon liksom inte sig själv. Hon sträckte fram en hand och han tog den och drog sig upp, borstade bort lite våt aska från byxbenen.

– Vet du vad som har hänt? frågade han och torkade sig i ögonen.

Ebba Romanova skakade på huvudet.

– Det såg ut så här när jag kom hem.

– Vet du var barnen är? frågade han och rösten bröts.

Hon skakade på huvudet igen.

– De är säkert välbehållna, sa hon. De har inte hittat några...

Hon tystnade och svalde.

– Det är ju trots allt bara saker, fortsatte hon och såg ut över ruinhögen. Det enda som egentligen räknas är själva livet.

Thomas kände hur ilskan vaknade i magtrakten.

– Lätt för dig att säga.

Hon svarade inte, och han såg att hennes ögon fylldes med tårar.

– Förlåt, sa hon och snöt sig. Det är Francesco, han är död.

Francesco?

– Hunden, sa hon. Han blev skjuten igår. Han dog inne i salongen.

Kvinnan pekade bakåt mot sitt hus, och innan Thomas hittat något att säga hade hon vänt sig om och hulkande och svajigt börjat ta sig tillbaka mot sin tomt.

– Vänta, ropade han efter henne. Vad har hänt här egentligen?

Hon såg sig om över axeln.

– De grep Nobelmördaren, sa hon och fortsatte att gå.

Thomas stod kvar på gatan, förvirrad och villrådig.

Vad gör man? Vad är det meningen att jag ska ta mig till?

Han fiskade upp mobiltelefonen ur innerfickan och kontrollerade displayen, inga meddelanden, inga missade samtal.

Nu mår du, eller hur? Rätt åt mig, va?

Han hade visserligen haft telefonen avslagen inatt, bara för att hon inte skulle kunna ringa och skrika och grina, men hon hade kunnat lämna ett meddelande. Hon hade kunnat berätta för honom att hans hus hade brunnit ner.

Är det för mycket begärt?

Han höjde telefonen för att ringa henne och låta henne få veta att hon levde, men insåg att han inte kunde hennes mobiltelefonnummer. Han fick leta upp det i telefonboken, slog det och möttes av Telias telefonröst.

Inte ens ett personligt svarsmeddelande hade hon.

Han vände ryggen mot ruinhögen och gick tillbaka till bilen.

Arbetet på stationen hade långsamt rullat igång igen, men utsättningen klockan 16 hade skett utan någon större entusiasm. Nina hade blivit beordrad att åka med Andersson igen och fann ingen anledning att klaga. Ingen av de andra ungtupparna var särskilt mycket bättre.

Nu satt de ute i fikarummet och kacklade, ingen skulle komma iväg före den tysta minuten klockan 17. Nina gick ljudlöst längs korridoren, kastade en blick över axeln och smet in i ett tomt förhörsrum. Hon lyssnade vid dörren och hörde Anderssons basröst krypa längs väggarna.

Hur ska jag hantera det här? Hur ska jag balansera alltsammans?

Hon gick bort till telefonen, tog upp luren och lyssnade till summertonen några sekunder. Sedan slog hon det tiosiffriga numret och väntade stilla medan signalerna gick fram.

Till slut svarade någon med en kvävd hostning.

– Hej. Det är jag, Nina.

Hon hörde en människa som andades tungt och snörvlande i andra änden.

– Holger? Är det du?

– Jo, sa Julias far.

Nina kontrollerade att dörren var ordentligt stängd och satte sig sedan vid det tomma skrivbordet.

– Hur är det med er? frågade hon lågt. Hur är det med Viola?

– Förtvivlat, sa mannen. Fullständigt förtvivlat. Vi är... Han tystnade.

– Jag förstår, sa Nina när han inte fortsatte. Har ni hört något om Alexander?

– Ingenting.

Det blev tyst igen.

– Holger, sa Nina, jag vill att du lyssnar noga på mig. Det jag tänker säga nu får jag egentligen inte berätta, vare sig för dig eller någon annan. Du får inte föra vidare vad jag har sagt, inte till någon annan än till Viola. Jag var den som tog emot larmet. Det var jag som gick först in i lägenheten. Jag hittade Julia inne på golvet i badrummet, jag tog hand om henne och följde med henne upp till sjukhuset. Hon var inte skadad, Holger, hör du vad jag säger? Hon var inte fysiskt skadad på något sätt. Hon var väldigt chockad och inte riktigt kontaktbar, med det är inget fel på henne. Julia kommer att klara sig fint, hon kommer att bli helt återställd. Holger, förstår du vad jag säger?

– Gjorde du...? Vad gjorde du hemma hos Julia?

– Jag var i tjänst, hade gått in och tagit ett extrapass. Det var jag som var närmast när larmet kom, så jag gick in. Jag tyckte det var bäst så.

– Och Alexander, han var inte där?

– Nej, Holger, Alexander var absolut inte i lägenheten när jag kom dit.

– Men var är han då?

Hon kände gråten stiga upp i halsen.

– Jag vet inte, viskade hon och harklade sig sedan, ingen var betjänt av att hon satte igång att tjuta. Får ni någon hjälp? Har ni någon att tala med?

– Vem skulle det vara?

Nej, det var så sant, Holger och Viola räknades inte som anhöriga till ett brottsoffer, utan till en mördare. Det stod knappast några kristeam beredda att ta hand om deras sorg.

– Jag jobbar lördag och söndag, sa Nina, men på måndag kan jag komma ner till er, vill ni det?

– Du är alltid välkommen till oss, sa Holger.

– Jag vill inte tränga mig på, sa Nina.

– Du tränger dig aldrig på. Vi skulle uppskatta om du ville besöka oss.

Det blev tyst på linjen igen.

– Du, Nina, sa mannen sedan. Sköt hon honom? Var det Julia som sköt honom?

Hon tog ett djupt andetag.

– Jag vet inte, sa hon, men det verkar så. Åklagaren har anhållit henne.

Fadern andades tungt en lång stund.

– Vet du varför?

Nina tvekade, hon ville inte ljuga.

– Egentligen inte, sa hon. Men jag tror de hade det lite jobbigt. Julia berättade inte så mycket för mig på senare tid. Har hon inte sagt något till er?

– Ingenting, sa Holger. Ingenting som tyder på att något var riktigt galet. Hon sa för något år sedan att hon tyckte det var tråkigt att David inte tycker om Björkbacken, men något annat sa hon aldrig…

Hon hörde buller ute i korridoren och sedan Anderssons uppfordrande stämma.

– Jag måste gå, sa Nina hastigt. Ring mig när du vill på mobilen, hör du det, Holger. När du vill...

Det elektroniska blippandet trängde sig in i Annikas hjärna. Hon motstod en impuls att stoppa fingrarna i öronen.

Hon hade använt en del av Berits pengar till att köpa var sitt nytt Gameboy till barnen. De satt uppflugna mot sänggaveln, intensivt fokuserade på de små dataskärmarna. Ellen spelade Disney Princess och Kalle körde golfspel med Supermario, det plingade och jinglade och bluppade.

Hon kunde inte överblicka tillvaron mer än ett par minuter i taget. På något egendomligt sätt gjorde det henne lugn.

Nu köper jag den här plånboken. Nu äter vi den här varmkorven. Nu ringer jag det här samtalet...

I samma ögonblick ringde telefonen bredvid henne, hon hoppade till av förskräckelse. Gick in i badrummet och lyfte luren.

Det var kommissarie Q.

– Hur fasen visste du att jag var här?

– Jag pratade med Berit. Det gäller branden i ditt hus. Teknikerna har precis kommit tillbaka, de har en preliminär brandorsak. Den totala förödelsen och det explosionsartade förloppet tyder på att branden började på flera platser samtidigt, troligtvis också på flera våningsplan, och det i sin tur tyder på att den var anlagd.

– Men det var ju det jag sa, sa Annika hett. Jag såg honom ju, jag vet att han tuttade på.

– Vem?

– Hopkins. Grannen. Han stod i buskarna och spionerade på oss när vi hade tagit oss ut.

– Jag tror att du har fel, och jag tycker du ska akta dig för att peka finger. Mordbrand är ett allvarligt brott, ett av de värsta i brottsbalken. Det kan ge livstids fängelse.

– Vore rätt åt honom, sa Annika.

– Försäkringsbedrägeri är också allvarligt, sa Q. Sådana brott utreder vi grundligt.

Annika fnös.

– Kom inte med den, sa hon. Jag vet precis vad som hände. Och har inte du annat att syssla med än brasan i mitt hus? Nobelmorden, till exempel? Eller mordet på David Lindholm? Har ni hittat pojken förresten?

En duns hördes i andra änden av linjen, någon klev in i kommissariens rum. Annika hörde röster i bakgrunden. Luren lades åt sidan, det skrapade och rasslade.

– Jag hör av mig, sa Q och lade på utan att vänta på svar.

Hon satt kvar med telefonen i handen, hörde spelljuden leta sig in genom springan under dörren.

Med ens överfölls hon av en sådan förtvivlad längtan efter Thomas.

Du gav mig aldrig en chans. Varför sa du inget?

Hon vill att vi ska träffas igen. Jag är på väg dit nu.

Och han gick över parkettgolvet och tog upp portföljen, öppnade ytterdörren och såg ut över grådiset. Han klev över tröskeln och dörren gick igen efter honom och han såg sig inte om en enda gång.

– Mamma, ropade Kalle inifrån hotellrummet. Det är något konstigt med Mario. Han slår inte bollen.

Hon tryckte handflatorna mot ögonlocken några sekunder och andades hastigt med öppen mun.

– Kommer, sa hon och reste sig.

Hon spolade lite vatten i handfatet och gnuggade huden intensivt några sekunder.

Kalle öppnade badrumsdörren.

– Det går inte att trycka på "slå", sa han och höll fram dataspelet.

Hon torkade av sig med en tvättlapp och sjönk ner på badkarskanten, lät blicken flyta över apparaten, tryckte på olika knappar tills hon förstod vad som hade hänt.

– Du har tryckt på "paus", sa hon sedan och visade på kommandot för att ta bort spärren.

– Har jag inte alls, sa pojken förnärmat.

– Det kanske inte var meningen, sa Annika, men du hade råkat göra det.

– Det hade jag inte alls! skrek sonen, tårar steg upp i hans ögon och han slet åt sig spelet.

För ett ögonblick svartnade det för Annikas ögon, hon kände hur hon höjde armen för att slå till ungen rakt över munnen.

Hon hejdade sig med en flämtning, lät armen sjunka och såg pojken stå framför henne med darrande underläpp.

Gud, jag får inte gå sönder. Vad ska jag ta mig till om jag går sönder?

– Nu kan Mario svinga klubban i alla fall, sa hon kvävt.

FREDAG 4 JUNI

DÖRREN IN TILL KOMMISSARIE Q:s tjänsterum stod på glänt. Nina tvekade och visste inte om hon skulle trycka på knappen intill de tre lamporna på väggen som betydde Upptaget, Vänta eller Stig in eller om hon bara skulle knacka.

Innan hon hade bestämt sig drogs dörren upp med ett ryck och kommissarien stod där med håret på ända och sin färgglada skjorta slarvigt nedstoppad i jeansen.

– Va fan, sa han, står du här och smyger?

Han sträckte fram handen.

– Nina Hoffman, förmodar jag?

Hon såg rakt på honom.

– Ja, det stämmer. Och du är Q, förstår jag.

– Kliv på för tusan. Min blonda och långbenta sekreterare har ledigt idag så jag måste hämta mitt kaffe själv. Hur vill du ha ditt?

Nina stirrade på honom, vad pratade han om?

– Tack, det är bra för mig, sa hon och steg in i rummet.

Kriminalkommissariens tjänsterum, som låg på tredje våningen i polishuskomplexet på Kungsholmen, var opersonligt på gränsen till spartanskt. Rummet hade inte ens gardiner. En död krukväxt stod övergiven i fönstersmygen, hon antog att den ingått i möblemanget när han flyttat in.

Hon blev stående någon minut medan kommissarien gick bort till automaten längre bort i korridoren.

– Stolen är inte minerad, sa han och pekade när han kom tillbaka med den rykande plastmuggen i näven.

Nina slog sig ner i den nötta besöksstol som anvisats henne och kände sig extremt obekväm.

Hon hade hört talas om kommissarie Q, även om han inte alls var lika känd som David Lindholm. Till skillnad från David var han inte heller odelat populär. Många kollegor tyckte han var lite knäpp i sina konstiga kläder, och så var han tydligen expert på schlagers. Det gick ihärdiga rykten om att han var bög.

Q sjönk ner på andra sidan skrivbordet.

– Det var väl ett jävla sammanträffande, sa han och blåste på sitt kaffe.

– Vad? undrade Nina.

– Att just du skulle trava in på just den där brottsplatsen.

– Är det här ett förhör? frågade Nina och höjde lite på hakan.

Kommissarien slog ut med armarna.

– Absolut inte! sa han. Kalla det ett samtal kollegor emellan. Jag är bara nyfiken på dina intryck, de som inte har någon egen ruta i RAR.

Nina försökte slappna av, han var verkligen extremt udda för att vara högt uppsatt polis.

– Vad vill du veta? frågade hon.

– Hur reagerade du när du fick larmet?

Bondegatan är lång, det måste bo tusen människor där.

Hon tittade ut genom fönstret.

– Inte alls, sa hon. Varför skulle jag ha tänkt något speciellt?

Mannen på andra sidan skrivbordet fingrade på sin kaffemugg och betraktade henne under tystnad i en hel minut. Nina kände tungan växa i munnen och fick en obetvinglig lust att slicka sig om läpparna.

– Vet du vad? sa Q till slut och hans röst hade blivit trött och dämpad. Jag tror du ljuger. Jag tror du vet mycket mer än du hittills har rapporterat, för du vill skydda din bästa kompis. Men tro mig, du hjälper henne inte genom att tiga. Om jag ska ha en rimlig möjlighet att klara upp den här soppan så måste jag få reda på vad som har hänt.

Nina ansträngde sig att hålla ryggen rak och nickade, ja, det fattade hon ju.

– Jag kände David Lindholm, sa Q. Bättre än de flesta andra. Låt oss säga att jag inte odelat skriver under på den rådande hjälte-beskrivningen.

Hon tittade förvånat på kommissarien.

– Vad menar du med det?

– Vi gick polisutbildningen tillsammans. Att David sökte sig dit är ett av livets olösta mysterier. Han var inte ett spår intresserad av polisarbete, ville bara hålla på med extremsporter och jaga brudar.

Han iakttog Nina, ville väl se hur hon skulle reagera.

– Det hörde väl till åldern, sa hon.

– Han kunde vara våldsam ibland också, gick alldeles för hårt fram. Något du upplevt under din polistjänstgöring?

– Jag har aldrig jobbat med David. Han hade lämnat allt fält-arbete bakom sig långt innan Julia och jag lärde känna honom.

Q suckade och lutade sig framåt över bordsskivan.

– Ja ja, sa han. Men det finns något som är viktigare just nu än både David Lindholms karaktärsegenskaper och Julias skuld, och det är deras son. Har du någon aning om var Alexander kan vara?

Nina fäste en hårslinga bakom ena örat.

– Julias föräldrar bor i Sörmland, sa hon, på en gård utanför Katrineholm. De brukar ta hand om Alexander ibland, men där är han inte. Jag talade med dem igår...

– Det var Julias föräldrar som anmälde pojken försvunnen, sa Q.

Nina satt alldeles stilla.

– Davids pappa är borta sedan länge och hans mamma bor på ett sjukhem, henne har jag inte pratat med men där är han nog inte. Julia hade ingen närmare kontakt med sina grannar eller med dagismammorna, men han kan ju ha sovit över hos någon av dem ändå...

– Pojken har inte varit på dagis under hela den gångna veckan. Ingen har sett honom sedan förra fredagen, varken personal eller andra föräldrar.

Det här är värre än något annat. Hur kunde det gå så här långt?

– Så vad tror ni... har hänt?

– Hade paret Lindholm problem i sin relation?

Nina tittade ner i knäet.

– Det kan man nog säga, sa hon.

– Så stora problem att Julia kan ha varit på väg att lämna honom? Att hon förberedde en flykt av något slag?

– Jag vet inte, sa Nina.

Kommissarien lutade sig fram över skrivbordet och borrade fast sin blick i hennes.

– Kan hon ha gömt pojken? frågade han. Kan han vara vid liv, instängd någonstans?

Hon svalde hårt och såg ut genom fönstret. *Kunde Julia ha gjort det? Kunde hon ha spärrat in Alexander och sedan åkt hem och skjutit David?*

– Det har gått trettio timmar sedan mordet, sa Q. Det börjar bli ont om tid. Om pojken inte har tillgång till vatten så måste vi hitta honom inom ett dygn, högst två. Jag hoppas du inser hur allvarig situationen är.

En vindil från dörren fick henne att rysa.

– Julia disponerar en sommarstuga, sa hon. Det är ett litet

torp i skogen utanför Katrineholm, hon hyr det av föräldrarnas grannar. De brukar inte vara där så ofta, David tycker det är för primitivt, men Julia är väldigt förtjust i det...

Hon tystnade, upptäckte att hon talat i presens.

Kommissarie Q antecknade.

– Så hon hyr? Då är det därför vi inte hittat det i några fastighetsregister, sa han. Var ligger stället?

– I skogen ovanför Floda, halvvägs upp mot Granhed, sa Nina. Jag kan rita en karta...

Hon fick papper och penna och ritade en enkel och skakig vägbeskrivning till Julias ställe.

– Torpet heter Björkbacken, sa hon, men det finns ingen skylt. Huset syns inte från vägen, brevlådan är inne i Floda. Men strax intill infarten står en gammal milstolpe, det är egentligen en platta i järn som visar hur långt det är till Floda kyrka. Ni kan inte missa den.

Hon sköt pappret över skrivbordet och kommissarien tog upp det.

– Hur ofta brukar hon åka dit?

Nina tänkte.

– Vet inte, sa hon sedan. Vi har inte haft så bra kontakt på senare år...

– Varför inte? frågade Q snabbt.

Nina tvekade.

– David, sa hon. Vi... kom inte så bra överens.

– Och det berodde på...?

Hon såg bort mot den döda krukväxten, mindes första gången de träffat David.

Han kom som föreläsare till Polishögskolan, civilklädd i jeans och vit t-shirt och med kraftiga cowboyboots på fötterna. Håret var kortklippt och spretigt, han hade några dagars skäggstubb.

Hon mindes lärarens rödflammiga entusiasm.

Egentligen skulle vi ha studerat brottsförebyggande arbete med tyngdpunkt på rasism idag, men när vi nu fick chansen att lyssna till David Lindholm så är vi förstås väldigt glada för det...

Flera av de andra lärarna hade också sökt sig till föreläsningssalen, vilket var väldigt ovanligt.

David hade satt sig ner på bordet längst fram i salen med ena stöveln långsamt dinglande och den andra stadigt placerad på golvet. Han lutade sig lätt framåt med ena armbågen vilande på låret. Intrycket blev både nonchalant och auktoritärt.

Julias viskning var en varm fläkt i hennes öra.

Vilken kille! Han är mycket snyggare i verkligheten än på tv...

Föreläsningen var fascinerande, en av de bästa under hela utbildningen. David talade om konsten att förhandla med kriminella i extremt pressade situationer, exempelvis vid gisslantagningar. Han beskrev situationer och händelseförlopp så att folk gapade i bänkraderna, växlade mellan djupt allvar och halsbrytande lustigheter med samma självklara pondus. Hans leende var kritvitt och blixtrande, och han noterade Julia direkt. Nina märkte hur han vände sig särskilt mot henne vid flera av skämten, en gång blinkade han mot henne på skoj. Julia rodnade.

Efteråt flockades både lärare och elever kring den berömda polisen. Han skrattade och skämtade, men när Nina och Julia gjorde sig redo att lämna salen ursäktade han sig och kom fram till dem.

Det finns en framtid för Sverige, sa han. *Med er två inom poliskåren kommer buset att stå i kö för att bli gripna...*

Han låtsades tala till dem bägge, men det var Julia han vände sig till.

Julia log sitt fantastiska leende och hennes ögon glittrade.

Nina mindes fortfarande stinget av svartsjuka.

Hon tittade upp på kommissarie Q.

– Jag tror att David tyckte att jag stod Julia för nära. Vissa män kan ha svårt för sådant.

Q såg granskande på henne några sekunder.

– Det var du som förde fram uppgiften att Julia pratat om en annan kvinna i lägenheten.

Nina nickade.

– Ja, det är korrekt. Det fanns inte något som tydde på att så var fallet, men jag noterade naturligtvis vad hon sagt.

– Tror du hon kan ha talat sanning?

Nina satt tyst några sekunder.

– Jag har ingen uppfattning om det. Det är nog upp till teknikerna att konstatera om de påträffade några spår efter någon inkräktare...

– Det fanns ganska många olika fingeravtryck i lägenheten, sa Q. Måste ha varit ett tag sedan den städades. Du såg inga tecken på något inbrott eller forcering av dörren?

– Nej.

– Teknikerna har hittat blodspår på hallgolvet. Var det något du noterade?

– Nej. Men jag såg ett vapen på golvet i sovrummet, vid fotändan av sängen.

– Det var Julias.

Nina tystnade, såg ner i knäet.

– Kan den här andra kvinnan ha tagit sig in på något annat sätt? frågade Q. Genom ett öppet fönster?

Nina såg bort mot kommissariens smutsiga fönsterruta, *luftdraget inifrån sovrummet, ett fönster på glänt. Fördragna gardiner, ett rum i kompakt mörker. Skuggor men inga rörelser. Bara lukten, skarp och främmande.*

– Sovrumsfönstret var troligtvis öppet, sa hon. Jag tittade inte efter, men det kom ett luftdrag därifrån.

– Åt vilket håll vetter sovrummet?

– Mot Bondegatan.

– Är det möjligt att komma in och ut den vägen?

– Lägenheten ligger på tredje våningsplanet och fasaden är putsad. Det är förmodligen tekniskt möjligt att fira sig upp och ner med rep, men då måste man kunna fästa det på något sätt, antingen på huskroppen eller inne i våningen.

Q suckade.

– Och du är säker på uppgiften om den här andra kvinnan?

Nina stelnade till.

– Vad menar du?

– Du kan inte ha missuppfattat saken?

Vad tror de egentligen? Vilket är egentligen syftet med det här konstiga samtalet?

– Tror du jag har fabricerat utsagan för att hjälpa min kompis?

– Jag tror ingenting. Däremot skulle jag vilja ha din hjälp för att reda ut saken.

Q lutade sig framåt i stolen och höll hennes blick.

– Så här är det: Julia pratar inte med oss. Vi är extremt angelägna att få henne att kommunicera. Jag undrar om du skulle vilja göra ett informellt besök hos henne, höra vad hon har att säga.

Jaså, minsann. Det var hit vi var på väg.

Nina lade armarna i kors.

– Ska jag spionera på min bästa vän? Är det så du menar?

– Kalla det vad du vill, sa kommissarien lugnt. Jag erbjuder dig möjligheten att träffa Julia och höra efter hur hon mår. Om du finner det lämpligt kan du ju alltid fråga henne om den andra kvinnan och vad som hände i lägenheten igår morse.

– Jag ska alltså genomföra någon form av förhör utan att det är någon försvarare närvarande? sa Nina. Det här är ju oetiskt!

– Möjligt, sa Q och tittade på sitt armbandsur. Hon sitter på Kronobergshäktet från och med just nu, faktiskt. Jag kan utverka tillstånd så att du släpps in, om du tror det skulle underlätta, alltså.

– Så hon har fått lämna sjukhuset? Redan?

– Jag träffade henne igår kväll, sa kommissarien. Hon var frisk som en nötkärna.

– Men, sa Nina, igår morse var hon inte kontaktbar.

– Hon var inte särskilt pratglad, men det är ju inget ovanligt. Hon beter sig som de flesta häktade.

Kommissarien skrev ner något på en papperslapp och reste sig.

– Det är inget fel på Julia, sa han. Jag tror hon skulle uppskatta ditt besök. Här är mina telefonnummer. Ring när du har bestämt dig.

Nina tog lappen och reste sig hon också.

– En fråga bara, sa hon. Varför är det du som utreder det här?

– Jag jobbar här och hade inget bättre för mig, sa Q.

– När poliser är misstänkta för brott så ska det utredas på polisenheten, sa Nina. Varför gör man inte det i Julias fall?

Kommissarien höll upp dörren åt henne.

– Julia Lindholm sa upp sin tjänst inom polisen den 15 maj, sa han. Chefsåklagaren på polisenheten har beslutat att hon ska lagfaras som en vanlig dödlig. Hon kan ju inte utredas av sina gamla kollegor på Söder, det är därför det ligger hos oss på Rikskrim och inte på länet.

Nina stirrade på mannen.

– Det är inte möjligt.

– Jag försäkrar att jag tar rivaliteten mellan länspolismyndigheten och Rikskriminalpolisen på största allvar, men i det här fallet kan vi inte agera på något annat sätt.

– Hon kan inte ha sagt upp sig. Hon skulle ha pratat med mig först.

– Eftersom min sekreterare är ledig idag så är det jag som måste sätta mig och fila naglarna nu. Om du ville vara så vänlig...

Han sköt henne ut ur det kala rummet och lämnade henne stående ute i korridoren.

Annika lutade sig mot dörrposten med en kaffemugg i näven och såg barnen jaga Berits hund på gräsmattan framför det stora huset. Kalle var snabbare förstås, men Ellen hängde med bra på sina små ben. Flickan hade ordentligt klipp i steget, skulle kanske kunna bli en god sprinter.

Jag var en god sprinter en gång i världen. Långdistansare också förresten, jag sprang ifrån Sven...

Hon hejdade tanken och sköt den ifrån sig.

Utsikten från förstukvisten på Berits gäststuga var storartad. Uppe till höger låg det stora huset i två våningsplan med altan och snickarglädje. Till vänster sluttade hagen ner mot sjön och badplatsen, där grannens hästar brukade gå och bajsa på somrarna. Rakt fram, på andra sidan hagarna, började skogen.

Det kanske är så här man ska bo, med naturen inpå sig.

Fast hon visste att hon skulle få lappsjuka efter en vecka.

– Mamma, jag fångade honom!

Kalle hade kastat sig om halsen på Berits snälla gamla labradortik. Hunden och pojken rullade runt i gräset, Annika såg redan fläckarna av beständig grönska på hans nya kläder.

– Ta det lugnt! ropade hon. Och hunden är en hon!

Berit kom gående ner mot gäststugan med en egen kaffemugg i ena handen och Annikas mobiltelefon i den andra.

– Sovit gott?

Annika försökte le.

– Så där. Drömde jättekonstigt.

Berit satte sig på förstutrappan.

– Om branden?

– Om...

Annika hejdade sig. Hon hade inte berättat för Berit om Thomas otrohet. Makabra mardrömmar om Sophia Grenborg hade förföljt henne i flera månader, fått henne att vakna andfådd och kallsvettig.

– Det är glapp i Thords gamla laddare, sa Berit, så jag vet inte hur pass mycket ström det gått in i den.

Hon lade telefonen på förstukvisten. Annika satte sig ner bredvid henne och tittade ut över hagarna med kaffemuggen mellan handflatorna.

– Du har det fint här, sa hon.

Berit kisade mot solglittret på sjöns vattenspegel.

– Det var sista chansen för mig och Thord, sa hon och fortsatte att titta bort mot stranden. Vi tog den, och det lyckades.

Annika följde kollegans blick ner mot vattnet.

– Hur menar du?

Berit sneglade på Annika och log lite.

– Jag hade en affär, sa hon och Annika baxnade.

Berit? En affär?

– Jag var jätteförtjust i en annan man, fortsatte Berit, men det var förstås bara en illusion. Jag blev kär i kärleken, det var så fantastiskt att få känna allt det där glittret igen, att få vara så där himlastormande förälskad.

Hon skrattade lite generat.

– Fast det höll ju inte. När jag såg honom i fullt dagsljus så var han bara en karl som alla andra. Det fanns ingen anledning att slänga bort allt jag hade med Thord bara för att få bra sex ett tag.

Annika stirrade ner i sin kaffemugg och kunde inte hitta ett enda ord att säga.

Berit? En affär?! Bra sex ett tag? Hon var ju 52 år gammal!

– Jag vet vad du tänker, sa Berit, och jag kan lova dig en sak: det kändes exakt likadant som när jag var 18. På sätt och vis är jag glad att det hände, men jag kommer aldrig att göra om det.

Utan att Annika var medveten om sina rörelser ställde hon muggen ifrån sig, lade sina armar om Berits hals och började gråta. Hon grät tyst och skakande i flera minuter, kände kollegans fasta armar runt sin rygg.

– Han har en annan, viskade hon och torkade bort snor med baksidan av handen. Jag drömmer att jag dödar henne. Han lämnade mig och åkte till henne, och sedan brann huset ner.

Berit suckade och strök henne över ryggen.

– Och du har fortfarande inte pratat med honom?

Annika skakade på huvudet och torkade kinderna med koftärmen.

– Du måste igenom det här, sa Berit. Det finns ingen väg runt.

Annika nickade.

– Jag vet.

– Det står en telefon inne på byrån. Barnen kan vara här om du behöver åka iväg.

Berit reste sig, borstade bort lite grus från rumpan och gick upp mot huset med sin kaffemugg igen.

Annika såg efter sin kollega, försökte se henne med andra ögon, en mans ögon.

Hon var ganska lång och smal, med breda axlar och kortklippt hår. Hennes tröja var stor och svängde runt höfterna. Så brukade hon inte vara klädd på tidningen. Där hade hon oftast kavaj och mörka byxor, ibland med något dyrt och diskret smycke.

Tänk att det aldrig hade fallit henne in att Berit skulle kunna vänsterprassla!

Att hennes allvarsamma och allmänbildade arbetskamrat var en sexuell varelse.

Det var faktiskt lite jobbigt, ungefär som att inse att mamma och pappa knullat en gång i världen.

Sedan slogs hon av den mest självklara tanken av dem alla: *Med vem?*

Vem hade hon prasslat med?

Någon på tidningen?

Det måste det ju nästan vara.

Eller någon källa? Berit träffade ofta många olika uppgifts-lämnare.

Hon sa att gården var sista chansen för henne och Thord, när köpte de den? För några år sedan? Då jobbade ju hon själv på tidningen! Fast det kanske var när hon var barnledig, så då var det inte så konstigt att hon inte märkt något.

Bara det inte var Spiken!

Säg att det inte är Spiken!

På något sätt var tanken på Berits vänsterprassel egendomligt uppiggande. Annika ville ropa sin kollega tillbaka och fråga ut henne, få reda på mer.

Det gick att gå vidare, det var inte kört bara för att man hade haft det trassligt.

Hennes blick föll på mobiltelefonen, hon måste komma ihåg att köpa en laddare inne i stan.

Ångesten tog stryptag direkt och hon andades lätt och ytligt några gånger för att hålla den stången.

Måste igenom det här. Finns ingen väg runt.

Så hon gick in i huset och tog upp telefonluren och slog numret till Thomas mobiltelefon.

En signal, hon såg barnen rasa runt där ute.

Två signaler, vattenglittret stack henne i ögonen.

Tre signaler...

– Hallå Thomas...

Hon svalde ljudligt.

– Hej, fick hon fram och det lät som ett pip.

Hjärtat bankade så att hon nästan inte hörde vad han svarade.

– Var fan har du varit?

Hon darrade, var tvungen att hålla luren med bägge händerna.

– Jag har… huset har brunnit ner.

– Jaså du, du tycker det är läge att berätta det för mig, först nu?

– Det var igår morse som…

– Varför har du inte ringt? Varför har du inte berättat? Hur fan tror du det kändes för mig, att åka ut dit och se huset så där, i ruiner? Fattar du vilken chock det var?

– Jo, förlåt…

– Hur fan kunde det börja brinna på det där sättet? Hela huset är ju helt utbränt! Vad gjorde du egentligen?

– Jag gjorde inget, jag bara…

Han harklade sig ljudligt.

– Hur är det med ungarna?

– Bra. De leker. Vill du träffa dem?

Han lade ifrån sig telefonen och var borta en lång stund.

– Det passar inte särskilt bra just nu, sa han när han kom tillbaka. Vad säger försäkringsbolaget?

Han vill inte träffa barnen! Han bryr sig inte om Ellen och Kalle!

Tårarna vällde över och rann utmed käkbenet.

– Jag har inte fått någon handläggare ännu, viskade hon, det blir väl i nästa vecka.

– Fy fan, sa han. Hur lång tid tar det att få ut pengarna?

Hon torkade bort tårarna med koftärmen.

– Vet inte…

– Jag är angelägen att få det här ur världen så fort som möjligt, sa Thomas och lät som om han verkligen menade det.

– Jag är hemskt ledsen, sa Annika.

– Det är ingenting mot vad jag är, sa Thomas och tryckte av sin mobil.

Hon lade försiktigt ner luren i klykan och lät svallvågen av självmedlidande slå genom kroppen. Drog in snoret i näsan och torkade kinderna torra med fingertopparna. Stod kvar och såg ut genom fönstret på solglittret och barnskrattet.

Varför räcker inte det här för mig? Varför är livet aldrig nog?

Hon gick ut på förstukvisten igen och satte sig och såg på barnen.

Vart skulle hon ta vägen med dem?

De hade sin barnomsorg i Djursholm, men blotta tanken att lämna dem där gjorde henne illamående.

Aldrig mera förort.

Landet var fint, men hon trivdes bäst i stan.

De kanske skulle söka sig tillbaka till Kungsholmen. Där hade de haft det bra. Hade de tur så kanske deras platser på dagis och sexårs inte hunnit fyllas av andra barn, intagningen brukade bara ske vid terminens början.

Tänk om hon skulle ringa och fråga?

Hon tog upp sin mobiltelefon, tryckte på powerknappen. Thords gamla laddare hade lyckats peta in lite kräm i batteriet i alla fall. Hon slog direktnumret till föreståndaren och nåddes av meddelandet att dagis var stängt på grund av planeringsdag.

Hon kröp ihop och lade armarna om smalbenen.

Eller tänkte hon fel? Var det bättre att börja om på nytt? Söka sig till en helt ny stadsdel, eller kanske en ny stad? Hem till Katrineholm?

Mobilen satte igång att pipa, kontakten med operatören var etablerad och meddelandena droppade in.

Annika tittade på displayen.

De var inte särskilt många. Fem röstmeddelanden och tre vanliga sms.

Meddelandena i röstbrevlådan var, i tur och ordning, från Spiken, Schyman, Spiken, Thomas och Thomas. Sms-en kom från Thomas allihop, argare och argare i tonen.

Spiken ville först ha in henne för att skriva om David Lindholm, sedan ville Schyman samma sak, därefter undrade Spiken om hon ville skriva en ögonvittnesskildring av hur hennes hus brunnit ner, och slutligen hade hon sin make som framförde samma ilska som i sms-en.

Det här var egentligen ganska symptomatiskt för hennes liv, insåg hon. Det här var vad som hände när hon drabbades av en katastrof, det här var de som hörde av sig. Två arbetsgivare som ville att hon skulle tjänstgöra och en förbannad karl som inte tyckte att hon knullade tillräckligt ofta.

Hon gick in i huset igen och ringde till Schyman.

– Hur är det med dig? sa chefredaktören. Lever du? Hur mår du?

Hon satte sig ner.

– Det är okey. Berit hämtade upp mig igår kväll, jag är ute hos henne på landet nu.

– Vi har försökt ringa dig, men det går inte komma fram.

– Jag vet, men nu har jag fått igång mobilen igen. Var det något särskilt?

– Det var först det här med Julia Lindholm, visst kände du henne?

– Kände och kände, vi åkte patrullbil en natt för fem år sedan.

– De vill förstås kunna publicera den historien, sa Schyman, men jag förstår din situation. Hann du få ut någonting ur huset?

– Barnen.

Han tystnade och hostade besvärat.

– Fy fan, sa han. Svårt att tänka sig in i. Behöver du vara ledig?

– Jo, sa hon, det är ju en del att ordna upp.

– Tror du att du skulle kunna skriva den där grejen om Julia Lindholm? Natten med polismördaren? Du kan göra det hemifrån.

– Jag har ingen dator.

Hon hade inget hem heller, men det sa hon inget om.

– En ny laptop får du hämta ut här på redaktionen, jag skriver ett rek på en gång. När kan du komma in och hämta den?

Hon såg på sitt armbandsur.

– I eftermiddag, sa hon. Om jag ska skriva om Julia Lindholm så borde jag tala med den andra polisen som var med, Nina Hoffman heter hon. Det var henne jag porträtterade egentligen.

– Då räknar jag med dig.

Hon lämnade barnen på gräsmattan under Berits beskydd och satte sig vid busshållplatsen. Tog upp mobilen och slog upp sin telefonbok. Letade först på Nina, sedan Hoffman och hittade slutligen ett mobilnummer under Polis Nina H.

Tryckte *koppla*. Signalerna gick fram.

– Hoffman.

Hon svalde.

– Nina Hoffman? Jag heter Annika Bengtzon, jag är journalist på tidningen Kvällspressen. Vi träffades för fem år sedan, jag åkte med dig och Julia en kväll…

– Jo, jag kommer ihåg det.

– Ringer jag olämpligt?

– Vad gäller saken?

Hon såg ut över åkrarna och ängarna omkring sig, på molnen som långsamt gled norrut vid horisonten, på faluröda timmerhus med blänk i gammalt fönsterglas.

– Det förstår du nog, sa Annika. Tidningen vill ha en uppdatering av vad vi gjorde den där kvällen, vad Julia sa och gjorde, hur jag uppfattade alltsammans. Jag kommer att skriva det, men jag ville prata med dig först.

– Vi har en presstalesman som sköter kommunikationen med medierna.

– Det är klart jag vet det, sa Annika och hörde själv att hon lät irriterad. Men jag ville stämma av med dig innan jag skriver något om Julia, för som jag förstod det så står ni varandra väldigt nära.

Nina Hoffman var tyst en stund.

– Vad har du tänkt skriva?

– Julia pratade ju en hel del om David. Nu har vårt småprat den där kvällen förstås blivit högintressant. Har du tid att träffa mig?

Annika såg dammet från den annalkande bussen borta på krönet.

– Jag är inte ute efter att kränka någon, sa hon. Det är inte därför jag ringer, utan tvärt om.

– Jag tror dig, sa Nina Hoffman.

De bestämde att träffas på en pizzeria intill Nina Hoffmans bostad på Södermalm om en och en halv timme.

Bussen körde fram och stannade. Annika gick på och lade upp Berits sista femhundring på busschaufförens lilla bord.

– Har du inte mindre? sa mannen bakom ratten.

Annika skakade på huvudet.

– Jag kan inte växla en så stor sedel. Du får ta nästa buss.

– Då får du slänga av mig, sa hon, tog sedeln och gick bakåt i bussen.

Chauffören tittade efter henne några sekunder, lade sedan i växeln igen och körde iväg.

Hon satte sig längst bak vid en fönsterplats, såg landskapet flimra förbi. Allting var grönt i olika nyanser, bussens hastighet suddade ut konturerna och gjorde världen till en abstrakt målning.

Annika slöt ögonen och lutade huvudet bakåt.

Thomas gick in i Rosenbad med rak rygg och raska steg. Utan att se vare sig åt höger eller vänster gled han förbi en grupp medborgare som köade intill vaktluckan i den vita vestibulen och hoppades innerligt att hans passerkort fortfarande fungerade.

Officiellt hade hans förordnande gått ut i måndags och han hade inte fått något nytt, vilket kommit som en oväntad och obehaglig överraskning. Hittills i hans karriär hade han värvats från det ena uppdraget till det andra utan att behöva komma med några långa cv-n och ansträngda ansökningar. Det vore snöpligt om det skulle ändras nu, när han äntligen varit med om ett utredningsuppdrag åt regeringen.

Nåväl, igår hade hans enhetschef på justitie, Per Cramne, hört av sig och bett honom titta förbi, och Thomas hade varit noga med att inte verka alltför angelägen. Därför hade han påstått att han hade ett möte på förmiddagen, och det hade han ju också: med Sophia.

Hade han tur nu så fungerade fortfarande hans entrékod, och då slapp han stå och förnedra sig i vanliga besökskön. Han höll andan och slog siffrorna, porten surrade till och den gröna lampan började lysa.

Med lagom avvägd kraft drog han upp den vita ståldörren och klev in i maktens centrum. Han kände besöksköns blickar i nacken, *vem är det där? Vad jobbar han med? Det måste vara något viktigt!*

Han ställde sig givetvis att vänta på hissen till höger, eftersom den vänstra var en varuhiss som stannade på varje halvplan (att vänta på den vänstra var en riktig nybörjargroda).

Han klev av på fyran och gick raka vägen bort till enhetschefens rum.

– Jävla kul att se dig, sa Cramne och skakade hans hand som

om de inte setts på flera månader. Faktum var att de ätit middag ute i villan i Djursholm så sent som i måndags.

– Vilken historia med kåken, fortsatte chefen och pekade på en besöksstol. Hur går det, ska ni bygga upp den?

Lugn och fin, tänkte Thomas, bara andas lugnt och vänta på vad chefen har att säga.

– Ja, det antar jag, sa han och slog sig ner, lutade sig tillbaka och lät knäna falla lite utåt, det kändes lagom avspänt.

– Ja, buggningen går ju som tåget, sa Per Cramne. Alla är jävligt nöjda med ditt jobb som utredare där, det vill jag att du ska veta.

Thomas svalde och höjde handflatorna som för att stoppa lovorden.

– Det var ju egentligen bara en fortsättning på mitt uppdrag på Kommunförbundet...

Cramne rotade bland några papper i en hängmapp till höger om skrivbordet.

– Så nu är det påföljder som gäller, sa han. Regeringen kommer att tillsätta en parlamentarisk utredning som ska gå igenom alla straffsatser och föreslå hur de ska förändras.

– En riktig utredning? undrade Thomas. Eller en begravning?

Det som var så kluvet med utredningar var att de tillsattes både för att få något uträttat och för att man *inte* ville ha något gjort. Metoden var precis densamma om man ville begrava en fråga som när man ville besvara den.

Enhetschefen bytte låda och fortsatte att rota på andra sidan.

– Du har inte läst promemorian? Jag trodde den kom medan du var kvar här.

Thomas kämpade mot impulsen att lägga ben och armar i kors i en sorts grundmurad försvarsställning.

– Nix, sa han och satt kvar som tidigare. Vilka är förutsättningarna?

Cramne smällde igen en draglåda och tittade upp.

– Direktiven är jävligt tydliga, sa han. De eventuella reformerna får *inte* dra upp kostnaderna för kriminalvården. Vi behöver en ekonom i gruppen för att analysera konsekvenserna av förslagen, och det kommer att kräva en del politisk fingerfärdighet. Ett av våra uppdrag är att avskaffa livstidsstraffet, och vissa belackare skriker redan nu att det kommer att bli jävligt dyrt. Jag är bombsäker på att de har fel.

Han log och lutade sig bakåt i kontorsstolen tills ryggstödet slog i väggen.

– Det är här du kommer in i bilden, sa han.

– Som ekonom? sa Thomas och hjärtat sjönk ner i magen.

Det här hade han inte räknat med. Han hade hoppats på något annat, någon sorts position på departementet. Att vara ekonom på justitie lät inget vidare, bara snäppet över vaktmästaren.

– Vi behöver en sakkunnig i beredningen, sa Cramne och nickade.

– Med ekonomiska analyser?

– Exakt. Vi förlänger din projektanställning tills beredningen är i hamn, det kan ta ett par år.

Thomas kände blodet rusa till huvudet, ett par år! Hans omedelbara reaktion hade varit helt felaktig, det här var ju lysande! Det innebar att han skulle bli inlasad, han skulle få förtur till en fast tjänst och bli kvar på departementet. Regeringstjänsteman! Han skulle faktiskt bli det, på allvar.

Det gällde att ställa skärpan direkt.

– Att avskaffa livstidsstraffet, sa han, varför skulle det bli dyrt? Borde det inte bli billigare?

Cramne såg lite irriterad ut.

– Alla förändringar får kostnadsmässiga konsekvenser. Idag sitter en livstidsdömd i snitt tretton, fjorton år. De kommer ju ut efter två tredjedelar av strafftiden, det har du koll på? Tar man

bort livstid så måste det nya maxstraffet hamna på uppåt tjugo-
fem år.

– Jaha? sa Thomas.

– Det innebär så klart en jävla ansträngning på kriminalvår-
den. Men allt det där tar vi senare. Vi måste ju börja med att
gå igenom hur de faktiska påföljderna ser ut idag, se hur de har
förändrats över tid och i vilken mån straffskalan utnyttjas.

Han lutade sig framåt och sänkte rösten.

– Hittills har ju den här regeringen inte höjt några straff, utom
någon korrigering i sexualbrottslagen, så personligen tycker jag
det är hög tid att det här blir gjort.

Han lutade sig bakåt igen, stolstödet slog i väggen med en
liten smäll. Thomas lade upp ena foten på knäet och gned på
en fläck för att inte behöva höja huvudet och visa hur kinderna
brände.

– Så jobbet innebär att göra kostnadsberäkningar på framtida
lagförslag? sa han. Och bara fortsätta och köra som vanligt?

– Du sitter kvar i ditt rum och jobbar på precis som hittills. Jag
har redan dragit det här med Halenius, statssekreteraren, och han
har ok-at det. Välkommen i gänget!

Per Cramne höll fram kardan igen och Thomas tog den med
ett flin.

– Thanks, boss, sa han.

– För det här med siffror, sa Cramne och sänkte rösten när han
böjde sig framåt, det är ju ett jävla kattrakande.

Enhetschefen kom på fötter och visade med handen mot dör-
ren. Thomas reste sig klumpigt och märkte att han var lite osta-
dig på benen.

– När börjar jag? frågade han.

Cramne höjde på ögonbrynen.

– Ja, va fan, sa han. Det är väl inget att gå och dra på? Sparka
upp någon jävel på Brottsförebyggande rådet och be dem ställa

samman en analys över straffsatserna så att vi har något att gå igång på.

Thomas gick mot sitt gamla rum med fötter som inte riktigt nådde ner till golvmattan. Rummet låg bara på fjärde våningen, långt under makten uppe på sexan och sjuan, det var trångt och mörkt och vette mot Fredsgatan, men det låg trots allt i Rosenbad.

Tyst stannade han upp i dörren och tittade ut över möblemanget, tog ett djupt andetag och blundade.

Han hade haft sex så det värkte i ljumskarna, huserade i jättevåning på Östermalm och jobbade åt regeringen.

Det blir jävlar i mig inte mycket bättre än så här, tänkte han, steg in i rummet och hängde kavajen över stolsryggen.

En tvärbromsning fick Annika att kastas framåt och slå ansiktet i sätet framför. Förvirrat gned hon sig över näsroten och tittade ut genom fönstret. Bussen hade stannat vid ett rödljus strax före Östra Station.

Hon hoppade av och steg på tunnelbanan vid Tekniska Högskolan och kollade sitt armbandsur.

Om allt flöt på skulle hon ha tid att gå på banken innan hon träffade Nina Hoffman.

Vid Slussen steg hon av och gick nedför Götgatan, hittade ett lokalkontor till sin bank.

Hon fick vänta i tjugo minuter innan hon kom fram till kassan.

– Jag har ett problem, sa Annika och lade fram sin ifyllda uttagsblankett på disken. Mitt hus har brunnit ner. Jag har inget id-kort och inga bankkort, eftersom jag inte fick med mig någonting ut ur huset. Det är därför jag måste ta ut pengar på det här sättet. Jag hoppas det går bra.

Kassörskan tittade på henne med fullständigt neutral blick

bakom sina kraftiga glasögon.

– Jag kan naturligtvis inte lämna ut några pengar till någon om personen i fråga inte kan identifiera sig.

Annika nickade bekräftande.

– Jo, sa hon, jag förstår det. Men jag har alltså inga identitetshandlingar, eftersom alltsammans brann upp, och jag har inga pengar heller, det är därför jag behöver ta ut lite nu.

Bankkvinnan började se ut som om Annika luktade illa.

– Det kommer inte på fråga, sa hon.

Annika svalde.

– Jag kan mitt kontonummer utantill, sa hon, och jag vet exakt hur mycket jag har på lönekontot. Jag har bank på telefon också, med alla koder...

Hon höll upp sin mobil och log för att visa sin välvilja.

– Tyvärr, sa kassörskan. Jag får be dig stiga åt sidan.

Ilskan var ögonblicklig och vitglödgad.

– Du, sa Annika och lutade sig fram mot banktanten. Vems pengar är det egentligen, dina eller mina?

Kassörskan höjde på ögonbrynen och tryckte fram nästa nummer i kön. En man reste sig upp och ställde sig uppfordrande intill Annika.

– Jag har nästan tre miljoner på olika konton i eran jävla bank, sa Annika alldeles för högt. Jag vill omedelbart ta ut vartenda öre och avsluta vartenda konto.

Bankkvinnan såg på henne med ohöljt förakt.

– Du måste kunna legitimera dig för att avsluta ett konto, sa hon och vände sig mot mannen som irriterat trängde sig förbi Annika.

– Det är ju mina pengar! skrek hon.

Hon vände sig om och gick hastigt mot dörren, och i ögonvrån blev hon varse hur de övriga bankkunderna stirrade på henne med rädsla och obehag.

Gråtfärdig slet hon upp dörren **och** började springa Folkunga-gatan ner mot Danvikstull.

Jag måste lugna mig, annars tror de att jag rånat banken.

Hon saktade in sina steg och tvingade sig att gå i vanlig pro-menadtakt.

Fem minuter senare var hon framme vid Pizzeria Grodan.

Det tog ett tag innan hon kände igen Nina Hoffman. Polisen hade satt sig i ett hörn längst in i lokalen och studerade menyn intensivt. Utan uniformen såg hon ut som vilken södertjej som helst, med jeans och tröja och det ljusbruna håret utsläppt.

– Hej, sa Annika andfått och sträckte fram handen för att häl-sa. Jag är ledsen att jag är lite sen, jag försökte ta ut pengar från mitt bankkonto, men jag har inget id-kort…

Hon märkte att hon höll på att börja gråta av ilska igen och tog ett djupt andetag.

– Ursäkta. Förlåt. Så bra att du kunde träffa mig med så kort varsel, sa Annika och slog sig ner vid bordet. Mitt hus brann ner och jag fick inte med mig något.

Det glimmade till i polisens ögon.

– I Djursholm? Var det ditt hus?

Annika nickade.

Nina Hoffman såg granskande på henne några sekunder och tog sedan upp menyn.

– Äter du pizza?

– Absolut.

De beställde mineralvatten och var sin inbakad calzone.

– Det är ett tag sedan vi träffades, sa Annika när servitrisen försvunnit in i köket med deras beställning.

Nina Hoffman nickade.

– Nere på stationen, sa hon, inför publiceringen av artikeln. Du hade med dig utskrifter som jag fick gå igenom.

– Det var samma dag som den där finansmannen häktades, sa

Annika. Filip Andersson, jag minns att alla var så lättade över att de där gräsliga yxmorden kunde klaras upp så snabbt.

– Det är sällan jag känt sådant kollektivt förakt från poliskåren mot en enskild brottsling, sa Nina.

– Rik, feg och sadistisk, sa Annika. Ingen kombination av karaktärsegenskaper som ger några guldstjärnor i popularitetshimlen. Han sitter på Kumla, eller hur?

Nina Hoffman höjde på hakan.

– Vad vill du egentligen veta av mig?

Annika blev allvarlig.

– Jag vet inte hur mycket du minns, men Julia pratade en del om David den där kvällen. David ville inte att hon skulle vara i yttre tjänst medan hon var gravid. David tyckte inte om att hon hade klippt håret. David gillade inte att hon började bli rund om magen. David ville helst att det skulle bli en pojke. Han ringde tre gånger bara för att fråga var vi var. För mig andades det kontrollbehov.

Nina såg kyligt på henne.

– Hur kommer det sig att du minns det där så väl?

– David var ju tv-kändis redan då. Dessutom är jag allergisk mot kontrollbehov, jag får utslag direkt. Hur var deras äktenskap egentligen?

Nina lade armarna i kors.

– Tycker du inte att det är en väldigt personlig fråga?

– Man mördar inte sin man utan anledning.

Pizzorna kom in och de började äta under tystnad. Båda var hungriga.

Annika hejdade sig halvvägs, lade ifrån sig besticken och lutade sig bakåt.

– Att svälja en calzone är som att få en stenbumling i magen, sa hon.

Nina fortsatte att äta utan att se upp.

Det här går inget vidare.

– Hur har du haft det sedan sist? frågade Annika. Jobbar du kvar på Katarina?

Nina skakade på huvudet och torkade sig i ena mungipan med servetten.

– Nej, sa hon och såg hastigt upp för att sedan titta ner igen. Jag har blivit befordrad, är inspektör sedan ett år tillbaka.

Annika studerade henne, Nina Hoffman var en smart tjej som arbetade efter regelboken.

Jag tar den överpedagogiska vägen.

– Det är väldigt känsligt att skriva om relationsrelaterade tragedier som den här, sa hon. Samtidigt som det finns ett stort allmänintresse, så måste vi i media ta hänsyn till alla som är berörda. David var en av Sveriges mest kända poliser. Jag vet inte om du såg presskonferensen igår då de efterlyste Alexander, men chefen för Rikskrim sa rakt ut att mordet på David var ett mord på hela rättsstaten, ett angrepp på demokratin.

Nu tittade Nina upp med ett nyvaknat uttryck i ögonen.

– Han verkade personligt berörd på ett sätt jag inte noterat tidigare, fortsatte Annika. Chefen på Rikskrim brukar framstå som en ganska träig person. Om jag förstått saken rätt så delar han den reaktionen med ganska många poliser. Hela den svenska poliskåren verkar personligen kränkt och sårad över mordet på David. Det gör vårt jobb inom media extra krångligt.

Polisinspektören hade lagt ifrån sig besticken och lutade sig framåt.

– Hur menar du då?

Annika valde sina ord.

– Vi balanserar alltid på en slak lina när vi skriver om pågående brottsutredningar, sa hon långsamt. Vi vill ha ut så mycket information som möjligt till våra läsare, men måste samtidigt ta hänsyn till polisens arbete. Polisen har samma intressekonflikt, fast tvärt om. Man vill arbeta så ostört och effektivt som möjligt, och samtidigt kommer man ingen vart om man inte kommunicerar med allmänheten, vilket företrädesvis sker via medierna. Förstår du vad jag menar?

Nina Hoffman såg stint på henne.

– Uppriktigt sagt, sa hon, nej, det gör jag inte.

Annika sköt tallriken åt sidan.

– Vi behöver veta vad som har hänt i det här mordet, och vi behöver ha en öppen dialog om vad vi kan och bör skriva. Det kräver förtroende och lojalitet från bägge håll. Om vi kan etablera det så har vi en chans att lyckas, både ni och vi.

Nina blinkade några gånger.

– Vi vet alltid mycket mer än det vi skriver, fortsatte Annika. Det vet du också. Jag var ju med när du och Julia gick rakt in i yxmorden, och jag skrev inte en rad om det i tidningen dagen därpå. Däremot fick du godkänna formuleringarna om händelsen i personporträttet av dig. Det är så jag jobbar, och det är så jag menar att vi måste göra för att ta ansvar, åt båda håll...

Det var helt sant att Annika inte skrivit något om yxmorden dagen efter, eftersom hon lovat Nina att inte göra det. I stället hade hon givit alla detaljer till Sjölander, som på så sätt både fått en gratisbyline och ett gratislöp.

– Så vad vill du veta om Julia? frågade Nina.

– Var det hon som gjorde det?

– Utredningen har knappt börjat, svarade Nina.

– Finns det andra misstänkta?

Nina satt tyst.

– Det här måste ju försätta dig i en väldigt konstig situation, sa Annika. Även yrkesmässigt. Du kan ju inte delta i utredningen, det förstår jag, men samtidigt...

– Jag är indragen vare sig jag vill eller inte, bröt Nina Hoffman av. Det var jag som fick larmet, jag och min kollega gick in först i lägenheten.

Annika hajade till.

– Det måste vara svårt för dig, sa hon, att förhålla dig objektiv.

Ett par bredvid dem brast ut i ett unisont gapskratt. Ett annat par reste sig med skrapande stolar. Annika flyttade sina bestick på tallriken.

– Objektiv? sa Nina.

Annika väntade tills paret bredvid dem försvunnit mot utgången.

– Att inte ha någon förutfattad mening om vem som är skyldig.

– David sköts i sömnen, sa Nina. Vi hittade ett vapen alldeles intill sängen. Det har redan gått att knyta till gärningsmannen.

– Med fingeravtryck? Det gick snabbt.

– Det var enklare än så. Pistolen var Julias tjänstevapen.

Annika fick hejda sig för att inte dra efter andan.

– Hur vet man det? Ser de inte likadana ut?

– De flesta poliser har Sig Sauer 225-or. Men varje pistol har ett vapennummer som är knutet till en särskild polis, en speciell individ.

– Kan jag skriva det?

– Absolut inte.

Det blev tyst mellan dem. Sällskapen runt omkring dem reste sig och gick.

– Vad tror polisen om Alexander? Lever han? frågade Annika när tystnaden blivit alltför tryckande. Är det meningsfullt att allmänheten letar aktivt efter honom?

Nina Hoffman såg sammanbitet på henne i flera långa sekunder.

– Vi vet inte om Alexander lever, sa hon. Än så länge så utgår vi ifrån det. Det är alltså i allra högsta grad viktigt att allmänheten är uppmärksam.

– Om han är död, vad kan ha hänt honom?

– Han har inte varit på dagis på en vecka, Julia har ringt honom sjuk. Den sista som såg honom var grannen under, Erlandsson. Han kikade genom titthålet och såg att Julia gick hemifrån med pojken i tisdags morse. De hade en blommig tygväska med sig.

– Och det kan jag inte heller skriva?

De satt tysta en stund. Servitrisen tog bort deras tallrikar. Ingen av dem ville ha kaffe, bara notan.

– Förresten, sa Annika sedan hon betalat med Berits pengar och Nina Hoffman börjat samla ihop sina saker. Varför utreds inte det här av Rikskrim? Ska inte alla brott som begås av poliser skötas av den där särskilda polisenheten?

– Julia sa upp sig för ett par veckor sedan, sa Nina Hoffman och ställde sig upp.

Hon var lång, huvudet högre än Annika.

– Gjorde hon? sa Annika. Varför det?

Nina såg på henne.

– Jag kan följa med dig till banken om du vill. Det som brukar behövas är att någon intygar din identitet.

Annika stannade upp mitt i ett steg och gapade förvånat.

– Kan du göra det? Det vore ju kanonbra.

De gick bort till kontoret på Götgatan under tystnad.

Kön av lunchlediga bankkunder var borta. Annika fyllde i en ny uttagsblankett och kunde sedan gå direkt fram till kassörskan med de tjocka glasögonen.

– Hej, sa Annika. Det är jag igen. Jag vill ha ut mina pengar nu.

Nina Hoffman lade fram sitt körkort och sin polisbricka bredvid blanketten.

– Jag kan vidimera att personen i fråga är den hon utger sig för att vara, sa hon stadigt.

Bankkvinnan snörpte lite på munnen och nickade kort.

Hon räknade upp tjugofemtusen kronor i tusenlappar och räckte över dem till Annika med en liten knyck på handleden.

– Kan jag få dem i ett kuvert, tack? sa Annika.

Kassörskan hostade till.

– Så snart jag öppnat nya konton i en annan bank så kommer jag tillbaka och avslutar alla jag har här, sa Annika, vände sig om och gick.

När de kommit ut på gatan andades Annika ut, en djup och utdragen suck.

– Tack, sa hon och höll fram handen. Tänk att det plötsligt gick så lätt...

– Polisbrickan brukar hjälpa, sa Nina Hoffman, och för första gången drog hon lite på munnen.

– Du har kvar mitt mobilnummer? frågade Annika.

De gick åt var sitt håll, polisinspektören nedåt Danvikstull och Annika upp mot Slussen och tunnelbanan.

Schyman satt vid sitt skrivbord och stirrade lamslagen på protokollet från koncernledningens styrelsemöte, daterat dagen före.

Sextio anställda.

Sextio anställda skulle bort.

Han reste sig upp och gick en runda i sin minimala skrubb, ett steg åt ena hållet och ett åt det andra.

Vad har de tänkt att jag ska göra? Flytta ut redaktionen på trottoaren och göra hela tidningen alldeles på egen hand?

Han satte sig ner igen och rev sig i håret.

Om han valde att protestera så fanns bara ett enda framtidsscenario: att han tog sin hatt och gick. Något annat var inte möjligt, så mycket hade han lärt sig genom åren i Familjens hägn. Vem som helst kunde driva tidningen, han hyste inga illusioner om att vara oersättlig. Frågan var bara vilken journalistisk ambition en ny ledning skulle ha. Skulle man göra Kvällspressen till en riktig slaskblaska med nakna flickor på sidan tre? Skippa det politiska, undersökande och opinionsbildande materialet och enbart köra skvaller och kändisar?

Eller skulle man helt enkelt lägga ner den?

Kvällspressen var inte en av Familjens mest uppskattade publikationer, för att uttrycka saken milt. Om det inte vore för att tidningen mjölkade in pengar i koncernen så skulle den ha varit död och begraven för länge sedan.

Att gå med vinst hade varit ett av grundkraven när han accepterade uppdraget att bli chefredaktör och ansvarig utgivare för några år sedan, och Anders Schyman hade aldrig svikit, men *sextio anställda?*

Han måste givetvis diskutera saken med den nya vd-n, en grabb som tagit examen på Handels för några år sedan och fått jobbet på Kvällspressen för att han var bästa vän med någon av Familjens söner. Hittills hade finansvalpen inte gjort många knop (till allas lycka och belåtenhet).

Anders Schyman lade ner styrelseprotokollet på skrivbordet.

Det var förbanne mig ingen dum idé.

Var det inte dags för Valpen att ta sitt ansvar och göra lite nytta för sin miljonlön?

Å andra sidan: Valpen kunde inte bedöma vilka åtgärder som skulle till eller vilka anställda som kunde avvaras, det skulle oundvikligen bli han själv som gjorde prioriteringarna och därmed hela jobbet. Om han körde fram Valpen att ta striderna, och nedskärningarna lyckades, så skulle det vara Valpen som fick all cred. Själv skulle han framstå som feg och okunnig.

Så kan vi inte ha det.

Var någonstans låg egentligen konflikterna?

Facken så klart, det skulle bli ett jävla liv.

Tidningen hade ungefär 500 anställda, varav hälften var redaktionella medarbetare och därmed medlemmar i Svenska Journalistförbundet. (De som inte sökt medlemskap skulle göra det i samma ögonblick som varslen blev offentliga. Finns ingenting som stärker den kollektiva sammanhållningen lika effektivt som ett rejält hot mot den egna plånboken.)

De resterande 250 var framför allt HTF-are (annons, marknad, administration), och så fanns det något tjugotal stackars grafiker kvar.

Var kunde man skära?

Inte på annonsavdelningen, det var helt uteslutet. De måste gasa sig ur den här krisen, och annonserna var det ena sättet att kamma in vinsten. Upplageanalytikerna och distributörerna kunde inte heller röras. Tekniken var redan färdigslimmad.

Således återstod redaktionen och administrationen.

Anders Schyman suckade och funderade ett ögonblick om han skulle orka gå och hämta en plastmugg med automatkaffe. Han blundade och föreställde sig den lätt beska smaken mot tungan och avstod.

Det andra sättet att öka vinsten var att få upp lösnummerförsäljningen, vilket ställde stora krav på kompetensen i journalistkåren. Detta medförde i sin tur att alla nedskärningar på redaktionen måste göras med kirurgisk precision.

Därmed var han tillbaka på facken och konflikterna.

Han behövde behålla och sparka folk efter förmåga och verksamhet, medan facken garanterat skulle driva de gamla dogmerna "sist in, först ut".

Om klubbarna fick som de ville skulle alla nyanställda medarbetare kastas ut och de äldre bli kvar, vilket inte var möjligt om tidningen skulle överleva.

Det nya webbfolket behövdes, annars skulle hela internetsatsningen gå i stöpet. Men han måste också behålla erfarenheten och kompetensen bland de äldre medarbetarna, de som fortfarande visste vem och vad Justitiekanslern var.

Han stönade högt.

Handelstjänstemannaförbundet och journalistfacket var ganska svaga och snälla fackförbund. De tog sällan strid för något, och ännu mer sällan för något vettigt. Schyman mindes fortfarande med förundran hur SJF självmant föreslagit att man skulle tvinga alla journalistvikarier att ta andra typer av arbeten (diskare, städare, bandet på Volvo) så fort de blivit utlasade eller arbetslösa, ett förslag så kontroversiellt att inte ens staten eller arbetsgivarna kommit på att driva det.

Han rev sig lite i skägget.

Den lokala fackklubben hade årsmöte på måndag. Då skulle man välja ny ordförande, eftersom den förra var tjänstledig för studier från och med augusti.

Posten som fackklubbsordförande var eftertraktad, eftersom den innebar att man jobbade heltid med de fackliga frågorna och alltså inte deltog i det journalistiska arbetet på redaktionen. Dessutom fick man makt, i och med att man ingick i tidningens ledningsgrupp och deltog i delar av styrelsemötena såsom personalens representant.

Må det bli någon med hjärna, tänkte Schyman och bestämde sig för att trots allt gå och hämta den där kaffemuggen.

Annika tyckte folk tittade konstigt på henne när hon gick över redaktionsgolvet med sin alldeles nyinköpta bag på axeln. Kollegorna älskade förstås att skvallra, det ingick i yrkesrollen, och hon insåg att hennes nedbrunna hus varit gårdagens hit på den interna skvallerlistan.

Hon hissade upp axlarna lite och skyndade på stegen.

Först måste hon ha rekvisitionen för att få ut en ny dator på teknikavdelningen, kolla om hon kunde hitta sina gamla anteckningar på nätet och sedan sätta ihop en text om Julia Lindholm.

Fast allra först måste hon ha en kopp kaffe.

Hon släppte ner bagen och sin nya jacka på dagreportrarnas gemensamma långbord och gick bort mot automaten.

Där stod Anders Schyman och läste aningen närsynt på alla knapparna.

– Starkt och med socker fast utan mjölk, hur trycker man då? frågade han. Annika ställde raskt in plus styrka, plus socker, minus mjölk och tryckte *brygg*.

– Datorn, sa hon. Kan jag få den nu?

– Reken ligger ifylld och klar på mitt skrivbord, sa chefredaktören. Är det något annat du behöver?

Hon tvekade.

– En bil, sa hon, om jag kunde få låna en tidningsbil under helgen...

– Det ska nog gå att ordna, sa Anders Schyman och började gå mot sitt rum. Vet du förresten vad JK är?

– Justitiekanslern? sa Annika. En dinosaurie, hur så?

Chefredaktören stannade upp.

– Dinosaurie?

– Eller någon annan förhistorisk relikt, sa Annika. Det är ju helt sjukt att ett sådant uppdrag fortfarande tillsätts på livstid, bara för att det var praxis på 1700-talet. Alla i Sverige har rätt att byta advokat, utom regeringen. Det är faktiskt inte rimligt.

– Kan inte JK avsättas? sa Schyman.

– Nix, sa Annika.

– Följ med så får du din rekvisition.

Hon lommade efter chefredaktören bort till hans skrubb. Rummet var egentligen inte särskilt litet, men Anders Schyman var så yvig att det krympte när han klev in.

– Här, sa han och räckte henne datapappret. Har de haffat den som tände eld på ditt hus?

Hon skakade på huvudet och svalde.

Hopkins, den jävla gubben. Må han brinna i helvetet!

Schyman rotade runt i en låda och drog upp en annan rekvisition som han skrev under med en hastig kråka.

– Du kan ha bilen under nästa vecka, sa han. Om Tore gnäller så hänvisa till mig.

Hon stoppade ner pappren i bagen och gick bort mot vaktmästeriet. Blickarna följde henne när hon gick över redaktionen, hon såg ner i golvet för att undvika dem.

Hon fick vänta fem minuter medan Tore, vaktmästaren, avslutade ett viktigt telefonsamtal om Dagens Dubbel.

– Du kan ta den här, sa Tore och lade upp en repig laptop på disken sedan hon framfört sitt ärende.

– Funkar den? frågade Annika.

Tore såg på henne med kränkta ögon.

– Klart som fan att den funkar. Det är ju jag som gått igenom den.

– Hm, sa Annika och slog igång maskinen.

Programmen laddades. Explorer loggade genast in sig på tidningens trådlösa nätverk. Word visade sig vara fullt av Sjölanders gamla texter.

Hon suckade tyst.

– Jättebra, sa hon. Och så en bil, tack...

Hon lämnade fram pappret med Schymans underskrift.

Tore såg skeptiskt på dokumentet.

– Och vad ska du med en Volvo V70 till?

– Jag tänkte råna en bank och behöver en diskret flyktbil, sa Annika.

– Jättekul, sa Tore och gav henne nycklarna. Den är fulltankad. Se till att den är det när du lämnar igen den också.

Hon gick tillbaka till redaktionen och packade upp datorn på reporterbordet. Började med att läsa igenom alla uppgifter om polismordet på TT och i Kvällspressens internlista.

– Annika, sa Spiken och lade en hand på hennes axel. Har du lust att skriva the true story? Så flydde jag lågorna?

Hon tittade upp och såg att en trupp av medarbetare var på väg att samlas omkring henne.

– Är det sant att de vet vem som tuttade på? undrade kriminalreportern Patrik Nilsson, numera den enda med den titeln på tidningen tillsammans med Berit. Han kunde inte hejda sin entusiasm.

– Jag vill att du fyller i en förlustanmälan av datorn så fort du har en möjlighet, sa Eva-Britt Qvist, redaktionssekreteraren som befordrats till pappersvändare på administrationen. Hon såg nästan glad ut för första gången någonsin.

Till och med den piercade tjejen som satt och körde kommersiell reklamradio i Annikas gamla rum hade lämnat sitt näste och kommit ut för att stå och glo.

– Jamen Gud alltså, sa hon, stackars dig.

– Okey, sa Annika och rullade stolen bak mot bordskanten. Jag mår bra, allt är bra. Tack för omtänksamheten, men jag har lite att göra…

Alla stod kvar.

– Förstår att det är himla jobbigt för dig, sa tjejen med alla sakerna i ansiktet och klev ytterligare ett steg närmare.

– Gå och sätt er och jobba, sa Spiken lite för högt och folk började röra på sig igen, besviket mumlande.

– Jag vill ha din förlustanmälan senast på måndag, annars blir du skadeståndsskyldig, sa Eva-Britt Qvist över axeln.

Nyhetschefen vände sig mot Annika igen.

– Vi har inte haft något i tidningen, men om du känner för att skriva en ögonvittnesskildring så har vi ett hål på elvan.

Annika harklade sig.

– Tack men nej tack, sa hon. Schyman ville att jag skulle skriva om Julia Lindholm.

– Det är ju skitbra, sa Spiken. Exklusivt: Polismörderskans hemliga historia.

– Nåja, sa Annika. Hon är ju inte dömd än.

– Skrivteknisk fråga, sa Spiken och gick mot sin plats.

Hon släppte nyhetssidorna och loggade in sig på annika-bengtzon@hotmail.com, gick in i mappen märkt "arkiv". Långsamt började hon klicka sig fram bland flera år gamla anteckningar och dokument.

Där låg saker som var så gamla att hon nästan glömt dem, utkast från samtal med Patricia som jobbade på porrklubben Studio Sex, minnesanteckningar från hennes första möte med Rebecka som drev stiftelsen Paradiset, kopior av artiklarna hon skrivit på Norrlands-Tidningen när hon var uppe och grävde i ett gammalt sprängattentat på F21 och hamnade mitt i mordet på journalisten Benny Ekland.

Med ens slog det henne: *Det här är allt jag har kvar. Allt annat brann upp. Vilken osannolik tur att jag lade mitt arkiv på nätet.*

Hon strök håret ur pannan och klickade vidare, hade ett bestämt minne av att det skulle finnas här någonstans.

Så hittade hon dokumentet, lutade sig framåt och ögnade igenom den knappa A4-sidan.

Nina Hoffman och Julia Lindholm växte upp på landet i Sörmland, gick i samma klass från trean och framåt och var riktigt duktiga i friidrott. Turades om att vinna distriktsmästerskapens olika grenar. Gick med i SSU i Katrineholm när de var femton men gillade verkligen inte Göran Persson, kallade honom för Nivea (fet och dryg). De studerade på samhällsvetenskaplig linje på Duveholmsskolan, precis som hon själv. Om de varit något år äldre hade hon kanske kommit ihåg dem, men fyra år var mycket i den åldern. Efter gymnasiet reste Nina runt i Asien under ett halvår medan Julia jobbade som lärarvikarie på mellanstadiet i Stenhammarsskolan i Flen, icke behörig. När Nina kom tillbaka till Sverige sökte de tillsammans till Polishögskolan och kom in direkt. Den kvällen hon var ute och åkte med dem hade de jobbat på Katarina näpo i drygt fem år.

Båda tjejerna hade tyckt att det var rätt tröttsamt med den manliga jargongen på stationen. Det gällde att aldrig visa någon svaghet, då var man körd.

Ungefär som på tidningen Kvällspressen.

Hon gick ur sitt arkiv och satte sig att läsa igenom de artiklar som skrivits om David Lindholm, både i den egna tidningen och andra medier.

Samtliga runor var urskillningslöst hyllande och vördnadsfulla, precis som dramaturgin krävde. Hon antecknade namnen på några av de kollegor som uttalat sig om den döde: en Christer Bure på Södermalmspolisen och en professor Lagerbäck på Polishögskolan. Båda beskrev David Lindholm med egenskaper som gjorde honom till Kristi reinkarnation på jorden.

Hon tittade igenom de fantastiska samhällsinsatser som polismannen stått för. Där var naturligtvis det berömda gisslandramat i Malmö. Bilderna där David och gisslantagaren kom ut ur dagiset, arm i arm, var klassiska.

Sedan var det värdetransporten: han hade ensam klarat upp ett stort rån där två väktare skottskadats och dessutom sett till att bytet återfunnits. De avgörande uppgifterna hade han fått av en morddömd amerikan som satt på Tidaholm. Gripandena av de fem unga män från Botkyrka som utfört rånet var väl dokumenterat i alla medier.

Det här var inte hela bilden av David Lindholm, det visste hon.

Hjälten som löste alla de här spektakulära brotten hade blivit mördad i sin säng, skjuten av sin fru.

Det finns en annan sanning. Hon måste ha haft en anledning.

Hon slog ihop sin begagnade dator och gick bort till Patrik

Nilsson. Kriminalreportern satt med näsan tryckt mot sin data-skärm och läste intensivt.

– Funderat på glasögon? frågade Annika och sjönk ner på Berits plats.

– Rikskrim har sökt igenom en gård i Sörmland på jakt efter grabben, sa Patrik Nilsson utan att släppa skärmen med sin närsynta blick. Tecken tyder på att han har befunnit sig på platsen den senaste veckan.

– Jag hoppas att du inte kommer att skriva det, sa Annika.

Reportern såg förvånat upp.

– Så klart jag ska, sa han.

– "Befunnit sig på platsen" är polisiska, sa Annika. "Varit där" heter det på svenska. Varför tror de det?

Patrik läste intensivt.

– De har hittat spår som tyder på det, sa han. Framgår inte vad, måste kolla med min källa.

– Något som tyder på att ett barn har varit där, sa Annika dröjande. Kalle Anka-tidningar över hela golvet? Halvätna glasspinnar i soptunnan? Balja på köksbordet med fortfarande ljummet badvatten fullt av bubblor och plastankor?

Patrik tuggade på en kulspetspenna.

– Eller tydliga spår efter stövlar storlek extra small ute i sand-lådan, sa han.

– Jag gissar på soptunnan, sa Annika. Om någon slängt något i soporna så vet man praktiskt taget exakt när de varit där.

– Hur då? sa Patrik.

– Datummärkningen, sa Annika. Alla barnfamiljer köper och dricker mjölk. Alla mjölkförpackningar är märkta med bästföredatum.

– Men sopor töms hela tiden, sa kollegan.

– De låg nog kvar, sa Annika. Katrineholms kommun har fjortondagarshämtning. Dessutom kan man begära service enbart under sommarmånaderna, fast sopgubbarna är så schysta att de brukar tömma dem ändå...

Patrik tittade på henne med skepsis i blicken.

– Jag är gammal lokalredaktör från Katrineholms-Kuriren, sa Annika. Jag har skrivit tusen artiklar om sophämtningen i gårdarna mellan Floda och Granhed.

Hennes kollega lutade sig bakåt i stolen och lade armarna i kors.

– Hur vet du var polismörderskan har sitt sommarställe?

– Julia berättade det, sa Annika och reste sig. Jag vet inte exakt vilket av husen det är, men på ett ungefär. Det ligger utanför Floda, efter något som kallas Stöttastenvägen. Min mormor hade ett torp lite längre upp, strax utanför Granhed. Lyckebo heter det.

– Heter Julias ställe Lyckebo?

– Nej, mormors. Vad hennes heter vet jag inte.

– Det finns inte i fastighetsregistret.

– Jodå, men inte under hennes namn. Jag tror hon hyrde det. Har polisen släppt något om mordvapnet?

Patrik skakade på huvudet utan att släppa skärmen med blicken.

– Något om när Alexander senast sågs i livet?

Kollegan tittade upp.

– Hur så?

– Har det kommit fram något annat om David? Har du hört något skvaller om honom?

– Vad är det du fiskar efter? frågade Patrik och tittade misstänksamt på henne.

– Har vi slagit de vanliga kollerna på honom: pengar, bolag, fastigheter, bilar, båtar, tv-licensen, kronofogden...?

– Nej, men alltså, sa Patrik.

– Man vet aldrig, envisades Annika. Kanske kan det ge en

bild av hur han var bakom hjälteglorian, någon sorts ledtråd eller förklaring till att frun kunde spåra ur så där...

– Sådant hittar man inte i arkiven, sa Patrik och återgick till sin skärm.

Plötsligt klack det till i Annikas huvud.

– Personalansvarsnämnden vid Rikspolisstyrelsen, sa hon. Har någon kollat där?

Patrik gjorde en grimas.

– För att kolla om han har några åtal eller anmälningar på sig.

– Som om de skulle vara offentliga, sa Patrik.

– Alla deras ärenden går att kolla, sa Annika. Det är bara att gå upp till deras kanslist så får man ut uppgifterna.

– Sådant där mörkar de alltid, sa Patrik.

Annika gick tillbaka och öppnade sin dator igen, gick in på infotorg.se och slog en F8-fråga på Lindholm, David, Stockholm. Skrev upp hans personnummer i anteckningsblocket, hängde bagen över axeln och gick mot utgången.

Ingången till Rikspolisstyrelsen gick via stora entrén på Polhemsgatan, den del av polishuset som byggts på sjuttiotalet och vars fasad bestod av bajsbrun plåt. Taxin släppte av henne vid en rörig motorcykelparkering, hon kryssade sig fram till dörrarna och gick in till receptionen.

– Jag behöver kolla några uppgifter med personalnämnden, sa hon utan att presentera sig eller legitimera sig, hon var här för att ta del av offentliga uppgifter i egenskap av intresserad medborgare.

– Har du bokat tid? frågade receptionisten, en ung man med rocklugg och kraftiga glasögonbågar.

Annika bytte fot.

– Det behövs inte, sa hon. Jag ska titta på ett eventuellt åtal.

Receptionisten suckade och greppade telefonluren. Han vände sig bort och mumlade något i luren.

– Han kommer, meddelade han och återgick till sitt sudoku.

Annika tittade ut genom dörrarna och upp mot parken.

Där, på andra sidan kullen, låg begravningsplatsen där Josefin Liljeberg hittades mördad den där varma sommaren, det måste vara tio år sedan.

Hon gick fram till dörren och kikade nedåt vänster.

Där nere låg Studio Sex på den tiden, porrklubben som fick slå igen samma höst efter att ägaren dömts till fängelse för en rad ekonomiska brott.

Han åtalades aldrig för mordet på Josefin.

– Vad gällde saken?

En äldre man med kofta och skägg plirade vänligt på henne. Annika blev svarslös några sekunder innan hon mindes vad hon gjorde där.

– Jag skulle vilja veta om en särskild polisman varit åtalad för något brott, sa hon.

– Finns det anledning att tro att han har varit det?

– Finns det väl alltid, sa hon.

– Den här vägen, sa mannen.

Han gick före henne genom en glasdörr och in i en hiss, tryckte på våningsplan 11 och hissen susade iväg uppåt i huset.

– Du har personnummer på den här personen? frågade mannen och Annika nickade.

Hissen stannade med ett sugande läte, det svindlade till i Annikas mage. Hon följde honom genom polishuskomplexet, genom vindlande korridorer och låga dörrar och hamnade slutligen i ett trångt litet rum med strålande utsikt över parken. Hon sträckte på nacken.

Man ser ändå inte begravningsplatsen. Den ligger på baksidan, ner mot Fridhemsplan.

Hon lämnade fram blocket med Davids personnummer och mannen slog in det i datorn.

– Har ni alla uppgifter om alla åtalade poliser? frågade hon medan hårddisken tuggade.

– Inte alla, sa kanslisten. Bara de från 1987 och framåt. De som är äldre ligger hos Länsstyrelsen.

Han såg upp på henne.

– Vilket av åtalen ville du titta på?

Vilket av…?

Pulsen slog en kullerbytta.

– Finns det flera?

Mannen såg på skärmen.

– Två.

Hon svalde.

– Bägge.

– De måste sekretessprövas, så jag får be dig komma tillbaka på måndag.

Annika lutade sig fram över mannens skrivbord för att kika på hans skärm. Den stod vriden så att hon inte såg något.

– Kan ni inte pröva dem nu? bad Annika. Snälla?

Mannen tittade lite närmare på databilden.

– Intressanta åtal, sa han. De ligger långt tillbaka i tiden, men den åtalade har ju oförskyllt blivit tämligen aktuell.

Han log och såg sig om över axeln.

– Juristen är här, sa han. Målen ligger i vårt arkiv, jag ska gå och hämta dem och höra om vi inte kan pröva det här på en gång.

Han försvann tillbaka in i labyrinten av korridorer.

Annika motstod en impuls att gå runt skrivbordet och tjuvläsa på skärmen, ställde sig i stället vid fönstret och såg ut över Kronobergsparken.

Deras gamla lägenhet låg på Hantverkargatan, bara två kvarter härifrån. Här nedanför hade hon gått med både Kalle och Ellen varenda dag, i regn och sol och snöstorm. Hon hade stretat uppför backarna för att kunna släppa ut barnen på lekplatsen vid brandstationen. Själv hade hon landat på en stenhård parkbänk, omgiven av caffe latte-mammor som högröstat försökt bräcka varandra i renoveringselände och Frankrikeresor.

Hon sjönk ner i fönsternischen och lät tankarna vandra.

Egentligen hade hon inte trivts så bra i stan heller, men grannarna hade åtminstone inte försökt bränna ner hennes hus.

– Vi gjorde pinan kort, sa administratören och knäppte upp en knapp i koftan. Det finns inget sekretessbelagt i de här åtalen. Varsågod.

Han räckte över kopiorna till Annika.

Hon ögnade igenom åtalspunkterna och kände adrenalinet kicka in.

– Tusen tack, sa hon och rusade iväg mot hissarna.

HÄR LETAR POLISEN EFTER ALEXANDER, 4

* *Sökandet utökas*
* *Militären inkopplad*
* *Skallgång i skogen inatt*

Av Patrik Nilsson

Kvällspressen (Södermanland). Spaningarna efter den försvunne Alexander, 4, blir nu allt mer desperata.

– Genombrottet är nära, säger en poliskälla.

Det handlar inte längre om dagar, utan om timmar.

Den försvunne lille pojken måste återfinnas under lördagen, annars börjar hoppet rinna ut.

Mitt i den ljuvaste idyll, vid torpet Björkbacken i de djupa Sörmlandsskogarna, pågår därför ett intensivt letande efter den försvunne Alexander. Träden susar fridfullt, bara skallgångskedjornas rop bryter tystnaden.

Här, vid den anhållna Julia Lindholms sommartorp, har

polisen konstaterat att pojken befunnit sig så sent som för några dagar sedan.

– Det rör sig förmodligen om sopor som har beslagtagits, säger en väl insatt källa till Kvällspressen. Mjölkförpackningar är alltid ett hett spår i liknande efterforskningar, eftersom alla barnfamiljer köper mjölk. Med ledning av förpackningsdatum och bästföredatum kan polisen konstatera när barnet befunnit sig på platsen. I skogarna runt Katrineholm tillämpas 14-dagars sophämtning, vilket underlättat polisarbetet.

Dessutom uppges polisen ha funnit små fotavtryck i leran framför huset, vilket innebär att ett litet barn måste ha befunnit sig vid torpet efter skyfallet i tisdags.

Polisen i Södermanland har utökat sökandet till närliggande områden. I spaningarna deltar sedan igår eftermiddag även en helikopter med värmekamera.

– Den fyller bara sin funktion om pojken lever, säger en källa i spaningsledningen. Om han är död så har hans kropp samma temperatur som omgivningarna.

Tror ni att pojken är vid liv?

– Att vi letar med värmekamera visar att vi betraktar pojken som försvunnen och levande.

Med början idag, lördag, deltar även militären i sökandet. Det är värnpliktiga från Skaraborgs regemente P4 i Skövde som deltar i insatsen.

Från Rikskriminalen kommer samtidigt signaler som säger att misstankarna mot Julia Lindholm har stärkts. Enligt uppgift kommer hon att begäras häktad inom kort. Förhandlingen kan komma att hållas redan under helgen, eller allra senast på måndagen.

Allt sammantaget visar polisens analyser att ett genombrott i spaningarna är nära.

– Vår förhoppning är givetvis att finna gossen vid liv.

Upplysningar om den försvunne Alexander Lindholm, 4, kan lämnas till Rikskriminalpolisen i Stockholm eller närmaste polisstation.

LÖRDAG 5 JUNI

NINA GICK GENOM DEN långa glasgången som utgjorde den formella entrén till poliskomplexet på Kungsholmen. Trots att hon jobbat på Stockholmspolisen i snart ett decennium hade hon nästan aldrig använt den här ingången. Glasväggarna och det sneda glastaket gav henne en dubbel känsla av att vara både fångad och utsatt, skyldig på något sätt.

Hon skyndade på stegen.

Mannen i receptionen lät henne vänta en hel minut innan han tog någon notis om henne. Eftersom hon var civilklädd förstod Nina att han tog henne för en vanlig, besvärlig allmänhet.

– Jag ska träffa Julia Lindholm, sa hon och lade fram polisbrickan.

Mannens ögon smalnade och munnen blev hård. Trots 301 intagna visste han exakt vem Julia var.

– Lindholm har totala restriktioner, sa han. Det är inte aktuellt med något besök där.

Nina höjde aningen på hakan och gjorde blicken stadig när hon svarade.

– Det här handlar givetvis inte om något besök utan om ett informellt förhör, sa hon. Jag utgick ifrån att det var överenskommet och sanktionerat.

Han såg skeptiskt på henne, tog hennes polisbricka och försvann in på ett kontor.

Hon väntade vid disken i tio långa minuter.

Jag går. Jag struntar i det här. Julia, jag kan inte hjälpa dig...

– Nina Hoffman?

Hon vände sig om och såg en kvinnlig vakt stå i dörren som ledde in till komplexets innandöme.

– Jag måste be dig låsa in alla personliga tillhörigheter som ytterkläder och mobiltelefon innan du kan få tillträde till häktet. Den här vägen.

Nina placerade sjal, jacka och handväska i ett låst skåp till vänster om receptionen. Hon fick en bricka som skulle bäras väl synlig under besöket på häktet och släpptes sedan innanför grindarna.

Hon följde efter vakten i en korridor. Den slutade i en vestibul med hissar, bjärt blå till färgen.

– Ska vi inte till ett besöksrum? frågade Nina.

– Mina order var att släppa in dig i Julia Lindholms cell på kvinnoavdelningen, sa vakten och rasslade med en nyckelknippa i änden av en lång kedja.

Nina svarade inte. Hon hade aldrig varit uppe på själva Kronobergshäktet.

De klev in i hissen, vakten tryckte på en knapp. Det dröjde en stund innan mekanismen gick igång, Nina sneglade upp mot ena kameran.

– Hissarna är övervakade, sa vakten. Alla transporter upp och ner i byggnaden styrs utifrån.

På tredje våningen stannade de. Nina gjorde en ansats att gå mot dörren men vakten hejdade henne.

– Här slutar polisens lokaler, sa hon. Vi behöver ny bekräftelse för att komma upp till häktet.

Några sekunder senare skakade hissen igång igen.

De steg ur på sjätte våningen, passerade genom tre låsta dörrar och kom in på en sluten avdelning.

– Om du väntar här ett ögonblick så får matvagnen gå förbi, sa vakten.

Nina såg in i en lång korridor, en grå linoleummatta som sträckte sig genom hela huskroppen och slutade i ett gallerförsett fönster. Solljuset där ute bildade reflexer på mattan tillsammans med lysrören från taket. Gröna metalldörrar, försedda med informationsskyltar kring de intagna, boxnummer, restriktioner, diarienummer, kantade väggarna. Varje dörr hade en lucka för att personalen skulle kunna kika in, låsen var bastanta. Hon hörde någon hosta bakom den närmaste dörren.

– Har ni fullt här? frågade Nina.

– Skojar du? sa vakten.

Två män travade förbi dem med en kärra full av staplade brickor och försvann in i korridoren bredvid.

Vakten gick bort till slutet av korridoren och låste upp en av de gröna dörrarna med sina rasslande nycklar.

– Julia Lindholm, sa hon. Du har besök.

Nina tog ett djupt och lugnt andetag när hon steg in i cellen, kände att hon var lite torr i munnen. Väggarna slöt sig om henne och hon insåg hur trångt här var.

Det här är inte människovärdigt! Hur kan man behandla dig så här?

Julia satt uppkrupen på det väggfasta skrivbordet och tittade ut genom cellens lilla fönster, upp mot himlen. Hon var klädd i häktets grå och gröna kläder, höll armarna i ett fast grepp runt knäna och gungade hastigt fram och tillbaka. Tårna arbetade intensivt i raggsockorna. Håret var uppsnurrat i en blond knut mitt på huvudet. Hon verkade inte märka att någon stigit in i cellen.

– Julia, sa Nina lågt för att inte skrämma henne. Julia, det är jag.

Celldörren gick igen bakom Nina. Den hade inget handtag på insidan.

Julia reagerade fortfarande inte, fortsatte att stirra ut genom fönstret.

Nina blev stående med ryggen mot dörren i några långa sekunder och såg sig försiktigt omkring. Det väggfasta skrivbordet i furu satt ihop med en väggfast säng. Träytorna var gulnade av gammalt lack och fulla av brännmärken från cigaretter. En stol, två smala hyllor, ett tvättställ i plåt. Det luktade rök.

– Julia, sa hon igen och tog två steg fram till skrivbordet, lade försiktigt sin hand på kvinnans axel. Julia, hur är det?

Julia släppte himlen med blicken, vände sig mot Nina och sken upp i ett lyckligt leende.

– Nina, sa hon och lade armarna runt hennes hals, kramade henne gungande. Vad snällt att du kommer och hälsar på mig! Vad gör du här?

Nina lösgjorde sig från väninnans armar och tittade granskande på henne. Ögonen var rödsprängda och utslagen på hennes kinder hade blivit värre, men leendet var öppet och vänligt. Hon verkade vaken och energisk.

– Jag ville se hur du mår, sa Nina. Hur har du det?

Julia ryckte på axlarna, trängde sig förbi Nina och hoppade ut på golvet. Hon gick bort till dörren, kände på den med handflatorna.

– Vad gör du? frågade Nina.

Julia gick tillbaka till skrivbordet igen, satte sig på det, ställde sig upp igen och satte sig sedan på sängen.

– Julia, sa Nina. Jag hörde att du har sagt upp dig. Varför det?

Julia tittade förvånat upp på henne, hon bet intensivt på ena tumnageln och såg sig sedan omkring i cellen.

– Jag måste köpa diskmedel, sa hon. Pulvret tog slut. Jag har sådana där små tärningar men de löser inte upp sig ordentligt…

Nina kände halsen dra ihop sig.

– Hur känner du dig? Kan jag hjälpa dig med någonting?

Julia reste sig igen och gick bort till dörren, lät händerna planlöst vandra över den gröna metallen.

– Nina, sa hon sedan och lät med ens rädd och orolig. Tycker du verkligen att vi ska söka till Polishögskolan? Kan vi inte gå sopis i stället?

Något är riktigt fel här.

– Vad pratar du om?

Julia klev upp på sängen och trampade oroligt med fötterna, hennes blick vandrade ut genom fönstret och flackade rastlöst över den bruna fasaden på andra sidan innergården.

– David har inte kommit hem än, sa hon ängsligt. Han skulle hämta Alexander på vägen, dagis stängde för flera timmar sedan.

Hon såg hoppfullt på Nina.

– Har han ringt till dig?

Nina öppnade munnen men kunde inte svara, gråten steg upp i halsen och gjorde henne stum. Julia såg hennes reaktion och blinkade förvånat.

– Sätt dig ner här hos mig, sa Nina, tog tag i Julias hand och drog sin vän intill sig. Kom, så pratar vi…

Hon placerade Julia framför sig på britsen och lade händerna på vardera kinden, såg henne i ögonen.

– Julia, viskade hon, var är Alexander?

Julia spärrade upp ögonen, ljusa stråk av förvirring gled genom dem under några långa ögonblick.

– Kommer du ihåg vad som hände med David? sa Nina lågt. I ert sovrum? Minns du skotten?

Något mörkt landade i botten av Julias blick, hon verkade titta på något som fanns strax ovanför Ninas huvud. Hon flämtade till och hennes ansikte förvreds.

– Ta bort henne, viskade hon.

– Vem?

– Den andra. Hon är ond.

Nina vände sig om och tittade på väggen ovanför sig, där fanns skrapmärken efter en tidigare intern som förevigat sina initialer.

– Pratar du om den andra kvinnan? Hon som tog Alexander?

Julias kropp ryckte till och hon slog sig lös, underarmen träffade Nina över näsan. Utan ett ord stapplade Julia fram till dörren och började banka på den, först med knytnävarna och sedan med huvudet. Ett kvidande ljud kom från hennes hals.

Åh nej, vad har jag gjort?

Med två långa steg var Nina framme vid dörren och tog ett stadigt tag om Julia bakifrån för att lugna henne, men omfamningen fick motsatt verkan. Julia började skrika, ett ilsket vrål som dämpades när hon försökte bita Nina.

– Julia, jag lägger ner dig på britsen nu, i framstupa sidoläge, sa Nina och vred upp hennes armar på ryggen.

Hon placerade den skrikande kvinnan med ansiktet ner i kudden.

Luckan gick upp och den kvinnliga vakten tittade in i cellen.

– Hon måste få något lugnande, sa Nina.

Julia grät hysteriskt, hela kroppen skälvde. Nina höll fast henne, försökte lugna henne med sin kroppstyngd och sin kroppsvärme.

– Sjukvårdare är på väg! ropade vakten in i luckan.

Långsamt ebbade konvulsionerna ut och Julias kropp stillnade. Skriken blev till en ylande liten gråt.

Till sist tystnade hon, låg alldeles stilla och andades flämtande.

– Det var mitt fel, viskade hon. Det var mitt fel.

Nina ringde kommissarie Q i samma sekund som hon klev ut i glasgången utanför receptionen.

– Ni kan inte ha henne inlåst på det där sättet, inte i en häktes-cell, sa hon kort när han svarade. Hon är på gränsen till psykotisk och behöver adekvat, psykiatrisk vård.

– Varför tror du det?

– Hon ser syner och lider av klara vanföreställningar.

Nina gick med snabba steg mot utgången, ville slippa den otäcka glastunneln.

– Och så förvandlades den informella förhörsledaren till ex-pert på psykiatri, sa kommissarien i andra änden. Fick du ur henne något?

Nina sköt upp dörren och steg ut i blåsten på gatan, *quisling, quisling.*

– Hon talade osammanhängande om irrelevanta saker, att hon glömt köpa diskmedel, att hon tvekade inför att söka till Polishögskolan. Hon verkade desorienterad i tid och rum, är inte medveten om vad som har hänt. Hon frågade var David höll hus med Alexander.

– Sa hon något om den andra kvinnan?

– Ja, att hon var ond. Hon bad mig ta bort henne. Jag tycker att Julia borde skickas på en paragraf sju-undersökning, omedel-bart.

– Så hon uttalade sig inte alls i skuldfrågan?

Nina andades in och ut två gånger.

– Jag kanske inte uttryckte mig tillräckligt klart. Julia var så förvirrad att hon inte visste var hon var. När jag försökte fråga om mordet blev hon väldigt upprörd. En sjukvårdare fick kom-ma och ge henne en lugnande spruta. Hon sover nu.

Kommissarie Q suckade högt.

– Det är väl ändå någon sorts framgång, antar jag, sa han. Hon har inte pratat med oss överhuvudtaget.

– Inte alls?

– Inte ett ljud. Inga diskmedel heller.

Nina stannade och tittade upp mot polishusets fasad, försökte föreställa sig trådburarna uppe på taket där fångarna fick luft en timme om dagen.

– Då visste du ju hur störd hon är, sa hon. Du visste hur illa det är ställt, men du talade inte om det för mig innan du bad mig att förhöra henne.

– Hey hey, sa Q. Hon vägrade snacka. Det är inget ovanligt.

– Om ni ska kunna hålla ett någorlunda vettigt förhör med Julia måste hon först få någon form av behandling, sa Nina. Jag vet inte hur det går till, men folk utsätts för traumatiska upplevelser varje dag och tas omhand av psykiatrin.

– I den bästa av världar, sa Q. Fast det blir ju svårt just här.

Hon började gå mot tunnelbanan.

– Och varför skulle psykvården inte ha resurser i det här fallet?

– Det är inte vården jag pratar om, utan viljan. Låt mig uttrycka saken så här: Det finns ett visst motstånd i kåren att dalta med Davids mördare.

Nina stannade mitt i ett steg.

– Dalta med…?

– Om allt går enligt planerna så kommer Julia att häktas på måndag eftermiddag. Det är naturligtvis bara formalia, men jag vill att du är där. Det är möjligt att det uppstår frågetecken kring gripandet som rätten behöver räta ut.

Nina ställde sig bredbent med tyngden på bägge fötterna. Två tonårsgrabbar gick förbi henne och fnittrade, hon brydde sig inte om att sänka rösten för deras skull.

– Låt oss göra en sak alldeles klar, sa hon. Jag gjorde det här för Julias skull, inte för din. Jag tänker inte bli inblandad i den här utredningen.

– Just nu handlar det om att hitta pojken.

Hon gungade lite fram och tillbaka på fotsulorna.

– Du har ingen lätt uppgift, sa hon. Antingen gör du kollegorna till lags eller så löser du de här brotten. Lycka till.

Hon knäppte av telefonen och klev ner i tunnelbanan med skakiga steg.

Det var först i rulltrappan ner som hon insåg vad hon sagt.

Brotten, i pluralis.

Jag utgår från att du dödat Alexander också.

Hon skyndade iväg på perrongen.

Barnen satt parkerade i vardagsrumssoffan i Berits hus och såg på Mumintrollen på tv. Annika plockade in frukostdisken i diskmaskinen, torkade av köksbordet och köksbänkarna och tog sedan fram kopiorna av misshandelsåtalen mot David Lindholm. Hon sjönk ner vid slagbordet och lät blicken vandra ut genom fönstret och bort mot sjön.

Folk gjorde varandra så vansinnigt illa. Fanns det verkligen något hopp om mänskligheten med så mycket ondska överallt?

Hon hörde Lilla My skrika något åt Muminmamman på tv-n och höll händerna för öronen.

Berit hade åkt till affären för att köpa middagsmat, hon hade varit borta en evighet.

Varför blir jag så uppriven av att vara ensam? Varför är jag så rastlös?

Hon tog tag i papperskopiorna från Rikspolisstyrelsens personalnämnd och läste igenom förundersökningarna en gång till.

Det första fallet gällde en 21-årig man som hette Tony Berglund. Anmälan hade lämnats in av en akutläkare på Södersjukhuset. Intyget som beskrev mannens skador var tre sidor långt och mycket detaljerat. Läkarens bedömning var att skadorna uppkommit genom en omfattande och utdragen misshandel med fyra frakturer och extensiva inre blödningar som följd.

Den misshandlade mannen hade redan i ambulansen uppgivit

att "en snut" hade sparkat honom. På akutmottagningen hade han sedan beskrivit polismannen som kraftig och blond med markerade ögonbryn.

Beskrivningen stämde onekligen väl in på David Lindholm.

Genom alla förhör hade Tony Berglund bibehållit exakt samma version av händelseförloppet på Luntmakargatan.

Han och två kompisar hade varit på väg till en tjej borta på Frejgatan, uppe vid Stefanskyrkan, när fem grabbar med kepsar hoppat på dem i hörnet Rehnsgatan. Killarna hade mest skrikit och knuffats, det hade inte blivit något direkt handgemäng, men ändå dröjde det knappt en minut innan Norrmalmspiketen kommit farande med skrikande däck uppifrån Norra Real. Fyra snutar hade hoppat ut, och det var den stora blonda som gick i täten.

"Är det du som är Tony?" hade han frågat och när Tony svarat "ska väl du skita i", så började misshandeln.

Tony Berglund kunde inte bedöma hur länge misshandeln pågått, han hade tappat medvetandet när käkbenet krossades och inte vaknat upp förrän i ambulansen. Beskrivningen av polismannen hade han gjort skriftligt, eftersom hans käke fixerats. Den skrynkliga lappen låg med i förundersökningen.

Sedan hade killen ändrat sig vid rättegången.

Väldigt konstigt.

David själv uppgav att piketbussen anlänt till brottsplatsen när misshandeln redan var i full gång och att poliserna troligtvis räddat livet på Tony Berglund genom sin snabba insats.

De bägge kompisarna som Tony haft med sig hade jagats iväg av två andra poliser och hade inte kunnat styrka några uppgifter överhuvudtaget.

De övriga poliserna i piketbussen instämde i Davids version.

I personalian uppgavs Tony Berglund ha en tämligen gedigen kriminell bakgrund. Fosterhem, ungdomsvårdsskola, skyddstillsyn för ringa narkotikabrott.

Annika suckade, *stackars kille*.

Hon lade bort fallet Tony Berglund och koncentrerade sig på det andra fallet.

En kille vid namn Timmo Koivisto (*heter han verkligen Timmo? Jo, tydligen*) hade varit på väg för att göra en mindre amfetamin-affär i Ropsten. Först skulle han bara slå en drill på T-centralen, men precis när han var på väg in på herrmuggen hade dörren slitits upp och en stor, blond karl i polisuniform hade klivit in på toaletten. Timmo hade först trott att det var något skämt, att någon klätt ut sig till polis, men sedan hade karln tagit tag i hans öron och frågat "Är det du som är Timmo?", och Timmo hade blivit rädd och försökt vrida sig loss. Då hade karln börjat dunka hans huvud i kaklet inne på toaletten, och sedan visste han snart inget mer.

Ambulansen hade larmats av David Lindholm, som uppgav att han hittat den svårt skadade mannen liggande medvetslös på toaletten och därmed troligtvis räddat hans liv med sin snabba insats.

Timmo Koivisto vidhöll sin version av händelsen ända fram till tingsrättsförhandlingen, då han plötsligt ändrade sig.

Också Timmo Koivisto visade sig i personalian vara ett av samhällets olycksbarn, med en liknande bakgrund som Tony Berglund. Tre kortare fängelsedomar för knarklangning.

Han är skyldig. Han gjorde det. Han slog de där småbusarna sönder och samman, av vilken anledning? På vems uppdrag?

Annika reste sig upp och gick bort till Berits elektriska kaffe-bryggare. Hon fattade aldrig hur de funkade. Hemma hade hon alltid haft en fransk pressobryggare, en sådan där man hällde i kaffe och kokande vatten och sedan tryckte ner ett filter och så var det klart. Här skulle man hålla på och fylla vatten i olika be-hållare och passa in pappersfilter i andra behållare och mäta upp kaffe och sedan vänta i en evighet.

Hon gick in till barnen i vardagsrummet i stället.

– Hej, sa hon. Är Mumin bra?

Ellen lutade sig åt ena sidan.

– Du står i vägen, mamma.

Annika gick ut i köket igen. Fingrade på åtalen. Gjorde ett tafatt försök med kaffebryggaren men gav upp.

Hon funderade på om hon skulle packa upp sin dator, men ville inte ockupera hela Berits köksbord med sina prylar. I stället ringde hon nummerbyrån och frågade efter numret till en Tony Berglund.

– Hade du någon postadress?

Nej, det hade hon ju inte.

– Jag har sextiotre träffar från Stockholm och norrut.

– Timmo Koivisto, då?

– I Norrtälje? På Vårtunahemmet? Han är den ende jag har i hela landet. Det är ett mobilnummer, ska jag koppla?

Annika tackade ja och hamnade direkt i en röstbrevlåda med ett ganska långt och personligt svarsmeddelande. Mannen som talade hade en ordentlig finsk brytning och berättade lite omständligt att man kommit till Timmo och att han gärna ringde upp så fort han fick tid. Han önskade Guds frid till alla och envar, och Jesu kärlek och förlåtelse innefattade alla människor på hela jorden.

Pipet kom och Annika tvekade.

– Eh, sa hon, ja, jag ringer från tidningen Kvällspressen, Annika Bengtzon heter jag. Jag undrar om jag kommit till den Timmo Koivisto som hade ett ganska otrevligt... möte... med en polisman som heter... eller hette... David Lindholm för arton år sedan... för *om* jag har kommit rätt, och *om* du vill prata om det som hände då för så länge sedan, då får du gärna ringa mig...

Hon rabblade sitt mobiltelefonnummer och tryckte bort samtalet.

Reste sig och tittade upp mot vägen, ingen Berit i sikte.

Hon gick tillbaka till köksbordet, tog upp mobilen igen och ringde Nina Hoffman.

Polisinspektören svarade efter fyra signaler.

– Stör jag? frågade Annika.

Hennes svar lät trött och ledset.

– Vad gäller saken?

– Jag har några funderingar när det gäller David, sa Annika. Jag har förstått att han har varit åtalad för misshandel, och jag vet att det var länge sedan, och jag vet att han aldrig fälldes, men jag undrar om du vet något mer om de här målen…

Det blev tyst i andra änden, hon hörde ett svagt brus av trafikljud så linjen var inte bruten.

– Hur fick du reda på det? frågade Nina till slut.

Hon vet alltså.

– Varför ställer du den frågan? Är det konstigt att jag känner till åtalen?

Ny tystnad.

– Jag vill inte diskutera det här på telefon.

Annika sneglade bort mot vardagsrummet, hon fick väl ta med sig barnen.

– Jag kan komma in till pizzerian, sa hon.

– Nej. Det går för många kollegor där. Du vet var Nytorgsgatan ligger? Fiket i hörnet Bondegatan?

De enades om en tid och lade på.

Berit kom in i köket och ställde tre stora ICA-kassar på diskbänken.

– Det kommer att bli regn i eftermiddag, sa hon. Molnen hänger precis ovanför grantopparna.

– Visste du att David Lindholm åtalats för misshandel? sa Annika. Inte bara en utan två gånger?

Berit lutade sig mot bänken och tänkte efter.

– Har jag faktiskt inte hört. Fälldes han?

Annika reste sig upp för att hjälpa henne tömma kassarna.

– Så klart inte. Första gången var för tjugo år sedan, på den tiden var han ordningspolis på piketen på Norrmalm. Jobbade bland annat med en Christer Bure, som verkar ha varit en av hans bundisar.

Hon öppnade kylskåpsdörren och ställde in mjölken och en förpackning kycklingklubbor.

– Enligt åklagaren så sparkade David Lindholm av käkbenet och tre revben på en ung kille som greps för ett gängbråk på Luntmakargatan. Killen ändrade sig i tingsrätten och sa att han anklagat David bara för att jävlas med polisen. I själva verket måste det ha varit någon i gänget de bråkade med som sparkade honom, han såg bara inte vem.

– Kan ju mycket väl vara sant, sa Berit.

– Visst, sa Annika. I det andra åtalet ska David ha misshandlat en pundare på en toalett på T-centralen. Dunkat hans huvud mot väggen med kraftig hjärnskakning som följd. Pundaren fick bestående men av misshandeln, bland annat dubbelseende och nedsatt hörsel på vänster öra.

– Kunde kanske komma sig av hans omfattande narkotikamissbruk också...

– Förvisso. Det konstiga är att samma sak händer här som förra gången: killen ändrar sig i tingsrätten. Säger att det var en knarkpolare som spöade upp honom, att han skyllde på David bara för att jävlas med polisen.

– Vad sa David själv?

– Exakt samma sak som brottsoffren till slut hävdade i tingsrätten: att de misshandlats av andra kriminella och skyllt på polisen i syfte att skada kåren.

– Så David frikändes?

– Åtalen ogillades. Och även om han hade fällts så hade han fått behålla jobbet, det hade personalnämnden redan bestämt.

Berit nickade eftertänksamt.

– Han var tydligen en kontroversiell men populär polis redan från början, sa hon. Hur gammalt är det senaste åtalet?

– Arton år.

– Så han har skött sig prickfritt sedan dess?

Annika vek ihop ICA-påsarna.

– Han har åtminstone inte åtalats. Var har du plastkassarna?

Berit pekade på kökslådan längst ner.

– Har du sett tidningarna? Vi kör din Julia-artikel på sidan tolv. Den är riktigt bra.

Hon räckte över bägge tabloiderna till Annika som sjönk ner vid köksbordet med tidningarna framför sig. Både Kvällspressen och deras konkurrent körde exakt samma bild och rubrik på ettan:

VAR ÄR ALEXANDER, 4?

Fotot som dominerade förstasidorna föreställde en liten pojke, osäkert leende mot kameran. Den klassiska marmorerade bakgrunden skvallrade om att bilden var ett dagisfoto, ett sådant som togs på alla daghemsgrupper och skolklasser i hela Sverige varje år.

Så det var sådan han blev, den lille pojken som föddes halvåret efter Ellen.

Han var blond och rufsig och hade smala, finskurna anletsdrag, var nästan lite flicksöt. I bildens underkant skymtade en skjortkrage, säkert en eftergift åt fotograferingstillfället.

Bilden gjorde henne illa till mods. Han såg så värnlös ut, så utsatt, och rubriken utgick på något sätt från att han redan var död.

Tänk om det var mitt barn! Tänk om Ellen eller Kalle var försvunnen!

Hon ruskade på sig och slog upp tidningen. Berit tog på sig läsglasögonen och slog sig ner mitt emot henne.

– Löpade man på pojken också? frågade Annika.

– Bägge tidningarna, sa Berit, med samma rubrik.

De läste tysta en stund. Mumin hade ersatts av Pingu, den lille pingvinen, vars klämkäcka signaturmelodi letade sig ut i köket. Vinden ven i en otät fönsterspringa.

– Jag förstår inte det här, sa Berit. Vart kan pojken ha tagit vägen? Om mamman inte har gömt undan honom någonstans så måste hon ju ha dödat honom, men när gjorde hon det?

Annika slog upp Konkurrenten och bläddrade fram till sidorna sex och sju, det tyngsta nyhetsuppslaget. Sidorna täcktes av en tiospaltig bild, en skogsglänta med ett rött litet torp i mitten, vita knutar och vattenpump på gården. Det var en stämningsfull bild, ljuset silades mellan trädkronorna och ner på de vitmålade fönsterluckorna, och tvärs över hela scenen löpte polisens blåvita avspärrningstejp.

HÄR LETAR POLISEN EFTER ALEXANDER, 4, läste Annika.

– De har exakt samma vinkel som vi, sa hon.

Berit skakade på huvudet och suckade.

– Jag förstår ändå inte hur det här hänger ihop. Om mamman nu tagit ut sonen och mördat honom vid sommarstället, åkte hon hem direkt efteråt? Eller väntade hon möjligen en dag eller två? Och tyckte inte pappan att det var konstigt att mamman kom hem utan pojken?

– Hon kanske ljög om var han befann sig? föreslog Annika. Sa att han sov hos en kompis, eller hos mormor och morfar?

Berit läste en stund.

– Men varför göra sig ett sådant besvär med att gömma undan honom? Hon var ju inte ett dugg angelägen om att dölja mordet på maken.

– Hon kanske har skickat bort pojken, sa Annika. Utomlands, till några avlägsna släktingar.

Berit skakade på huvudet.

– Vad är det för mamma som gör något sådant här?

– Eller kanske snarare: Vad är det för människa? sa Annika.

– Något kanske gick snett när hon skulle skjuta pappan, resonerade Berit. Hon kanske hade planerat att döda honom och gömma undan honom också. Jag tror det är din telefon som ringer.

Annika satte sig käpprak upp och lyssnade.

Ja, det var hennes mobil som tjöt.

Hon sprang bort till skänken vid ytterdörren, tittade tveksamt på displayen. Telefonen fortsatte att ringa.

– Ska du inte svara? frågade Berit och vände blad i tidningen.

Annika lade ifrån sig mobilen på skänken, den hoppade och vibrerade mot träskivan.

– Det är Anne Snapphane. Jag har absolut ingen lust att prata med henne.

– Jaså, sa Berit. Jag trodde ni var kompisar.

– Trodde jag också, sa Annika.

Telefonen tystnade och stillnade, bara för att sätta igång och hoppa och tjuta igen ögonblicket därpå. Annika stönade, tog upp apparaten igen och tittade på displayen.

– Jeezez, sa hon. Det är morsan. Måste ta det här.

Hon gick ut och ställde sig på Berits förstukvist.

– Annika? sa modern upprört i andra änden. Annika, är det du?

Hon sjönk ner på ett trappsteg och lät vinden slita i kläderna.

– Ja, mamma, det är jag. Hur är det med dig?

– Vad är det jag hör? sa mamman. Har det *brunnit i ditt hus?*

Annika blundade och lade handen över ögonen.

– Ja mamma, vårt hus har brunnit ner. Det finns ingenting kvar.

– Men varför har du inte ringt och *sagt* något? Va? Jag fick höra det i affären, av en jobbarkompis, vad är det för sätt?

Annika suckade ljudlöst.

– Jaa du, sa hon.

– Ska man behöva höra sådant skvallervägen, va? *Om sina egna barn!* Förstår du hur det får mig att framstå?

Annika kunde inte hejda ett elakt skratt.

– Så det är *dig* det är synd om?

– Var inte oförskämd, sa modern. Förstår du inte hur kränkande det är att få sådant kastat i ansiktet? Som om jag inte vet vad som händer med mina egna ungar.

– Det vet du ju inte heller.

– Jag tycker i alla fall...

Annika reste sig upp och stirrade ut över sjön.

– Nu när du har mig på tråden så kan du ju fråga hur vi mår, sa hon. Du kan också fråga vad som egentligen hände. Du kanske till och med vill erbjuda dig att ställa upp på ett eller annat sätt, med bostad eller barntillsyn eller pengar...

Nu var det moderns tur att fnysa.

– Ska du ha pengar, av mig, som är på väg att bli sjukpensionär? Försäkringskassan håller på att utreda, jag är på Mälarsjukhuset en gång i veckan nuförtiden, inte för att det spelar någon roll för någon som bor i Stockholm och...

– Hej då mamma.

Hon tryckte bort samtalet, och i tystnaden som följde hörde hon sitt eget hjärta rusa.

Berit kom ut på förstukvisten med en mugg i varje hand.

– Kaffe?

Annika tog tacksamt emot drycken.

– Får man byta ut sina föräldrar? frågade hon.

Berit log.

– Var inte så hård mot henne, hon gör så gott hon kan.

Annika sjönk ner på trappan igen.

– Hon ser alltid bara sig själv. Det spelar ingen roll vad som händer mig, det är hon som är intressant.

– Hon är en liten människa med trånga referensramar, sa Berit. Hon har inte förmågan att se dig som du är, och det är en brist hon inte är medveten om.

Tårar steg upp i Annikas ögon.

– Det känns så jävla... trist, sa hon. Varför kan inte jag ha en morsa som alla andra, som stöttar och hjälper och bryr sig om?

Berit satte sig bredvid henne.

– Alla andra har inte sådana mammor, sa hon. Många har inga mammor alls. Jag tror du måste inse att du inte kan förändra henne. Hon kommer aldrig att bli en sådan mamma som du vill ha. Du måste helt enkelt acceptera henne som den hon är, precis som hon måste göra med dig.

De satt tysta en stund och såg upp mot skogen. Det hade blåst upp, granarna vajade i vinden. Annika tittade på klockan.

– Kan barnen stanna här med dig medan jag åker in en sväng till stan? Jag ska träffa Nina Hoffman igen.

Berit nickade.

– Jag kan inte släppa det här med den försvunna pojken, sa hon. Hela historien är verkligen väldigt konstig.

– Vem som helst kan bli galen, sa Annika. Om allting går åt helvete så tror jag att människan är kapabel att göra precis vad som helst.

Berit tittade fundersamt på henne.

– Det tror inte jag, sa hon. Alla kan inte döda sitt barn. Man måste ha en brist någonstans, sakna en spärr av något slag.

Annika såg på vattnet som glimmade grått nere på sjön.

– Jag är inte alldeles säker på det, sa hon.

I nästa ögonblick började det regna.

Nina Hoffman väntade på henne vid ett solkigt kafébord på Nytorgsgatan. Polisinspektören märkte inte att Annika kommit, hon satt med ryggen mot dörren och tittade oseende ut genom det immiga fönstret. Hon hade håret i hästsvans och var klädd i en grå munkjacka, ljuset föll in över hennes slutna profil. Hon lutade hakan i ena handen och verkade långt, långt borta.

Annika gick runt bordet.

– Hej, sa hon och sträckte fram handen.

Nina Hoffman reste sig upp, de tog i hand.

– En kaffe, svart, beställde Annika vid disken innan hon gick och satte sig.

Lunchgästerna hade börjat fylla det lilla fiket. Våta ytterkläder spred en lukt av fuktigt ylle i lokalen. Nina tittade ut genom fönstret.

– Du undrade över något? sa hon. Något med misshandelsåtalen mot David?

Inget småprat, alltså.

Annika lyfte upp sin bag i knäet, rotade runt i väskan och fick upp en påse skumbilar och mappen med dokument från Rikspolisstyrelsens personalnämnd.

– Du känner alltså till vad David anklagats för? sa hon och stoppade ner godiset i bagen igen.

Nina Hoffmans blick blixtrade till.

– Hur fick du reda på det?

Annika stannade upp och lät händerna stillna ovanpå kafébordet.

– Jag kollade uppe på RPS, sa hon. Varför låter du så förvånad?

Nina såg ut genom fönstret igen.

– Jag visste inte…

Hon tystnade och satt alldeles stilla en lång stund. Annika väntade. En kvinna med en barnvagn trängde sig förbi dem för att komma till bordet bakom, Nina reagerade inte. Till sist vände sig polisen mot Annika, drog in stolen och lutade sig fram över bordet. Hon hade mörka ringar under ögonen.

– Jag har inte berättat det här för någon, sa hon, för jag vet inte riktigt vad det betyder. Kan jag lita på dig?

Annika kvävde en sväljreflex.

– Jag skriver ingenting utan ditt godkännande, det vet du. Du är min källa, och du är skyddad enligt grundlagen.

– Jag blev lite perplex när du ringde mig, för jag trodde de där gamla åtalen var glömda och begravda.

– Så hur fick *du* reda på dem?

Nina rättade till sin hästsvans.

– Julia visade dem för mig. Sista gången vi träffades före mordet. Hon hade hittat dem i Davids arkiv nere i förrådet.

Annika bekämpade en impuls att sträcka sig efter pennan och börja anteckna, *jag får försöka minnas.*

– Varför visade hon dem för dig?

Nina tvekade igen.

– Jag har alltid försökt stötta Julia, och det har inte varit så lätt alla gånger. Men när det verkligen gällde, då visste hon att hon kunde komma till mig. Jag tror hon var på väg att bryta upp. Hon sa det aldrig, men jag fick den känslan...

Hon flyttade sig ännu närmare bordet och sänkte rösten ytterligare.

– Såg du några poliser på vägen in?

Annika granskade kvinnan framför sig.

– Skulle jag det?

– Jag valde det här stället därför att inga kollegor brukar komma hit. David betedde sig ofta väldigt illa mot Julia, resten av kåren är inte ett dugg bättre. Sättet de behandlar henne på just nu är förskräckligt. Oavsett vad hon har gjort så har de bestämt sig för att döma henne, hon kommer aldrig att få en rättvis rättegång.

Espressomaskinen bakom disken fräste och tjöt, Nina väntade tills den slutat väsnas.

– Du hade rätt i det där med kontrollbehovet. Julia var alltid tvungen att passa sig när David hörde på. Hon kunde aldrig vara uppriktig då.

– Slog han henne? frågade Annika.

Nina skakade på huvudet.

– Aldrig, han var inte dum. Men han hotade henne, också så att jag hörde det. Sa att hon skulle få ett helvete om hon inte pallrade sig hem och sådant. Han var väldigt gullig och kärleksfull ena sekunden, kramade och pussade henne också när folk såg på. Nästa stund kunde han säga elaka och föraktfulla saker så att hon nästan började gråta. Han skrämde henne, sedan ångrade han sig och bad om förlåtelse. Julia är ingen stark människa, hon kunde inte stå emot något sådant. Och det blev ännu värre när hon kom på att han var konstant otrogen...

Juicepressen satte igång med ett vinande ljud, Annika flyttade irriterat på sig när kvinnan med barnvagnen skulle ut på toaletten med bebisen.

– Konstant? sa hon.

Nina suckade tyst och väntade tills mamman krånglat sig förbi.

– Jag vet inte riktigt hur jag ska förklara så att du förstår, sa hon sedan. David var en notorisk kvinnokarl innan han träffade Julia. Det berättas fortfarande historier om hans eskapader på stationen, ja, det är mest Christer Bure och hans grabbar som ser till att hålla dem vid liv. Mest för att det också handlar om hur populära de själva var en gång i tiden. Men när Julia kom in i bilden så tog ju det där slut, åtminstone det offentliga skrytandet om alla uppraggningar, och grabbarna var inte särskilt glada över det...

– De förlorade sin sexikon, sa Annika.

– Åtminstone utåt, men bara för ett tag. Han måste ha vänsterprasslat hela tiden, men Julia förstod det inte förrän efter flera år. En av dem ringde hem till Julia och sa att det var henne han älskade egentligen, att hon måste inse det och släppa honom fri. Det var när Alexander var nyfödd.

– Jeezez, sa Annika.

– Hon hittade ett brev till David med en ultraljudsbild på ett litet foster. "Jag har dödat vår dotter, hon hette Maja. Nu är det din tur", stod det i följebrevet. Då trodde jag faktiskt att det skulle slå över för henne.

– Vad gjorde hon?

– Jag antar att hon försökte prata med David, men jag vet inte riktigt. Det var inte så lätt att hålla kontakten med henne. David arbetade väldigt okonventionellt. Ibland var han utlandsstationerad. En gång bodde de i ett radhus utanför Malaga i ett halvår.

– Malaga?

– Spanska sydkusten. Huset låg i Estepona, strax öster om Gibraltar. Jag var nere och hälsade på dem. Julia såg ut som ett spöke. Hon hävdade att hon mådde bra, men jag såg ju att hon ljög…

Ett gäng tonårsgrabbar bullrade in på fiket, knuffades och brölade och fick caffe latte-mammorna att snörpa på munnen av ogillande.

– När Alexander kom blev det riktigt illa, fortsatte Nina utan att ta någon notis om grabbarna. Han föddes för tidigt och Julia fick en förlossningsdepression, det var som om den aldrig riktigt släppte. När hon kom tillbaka till jobbet så klarade hon inte att barn for illa. Det kunde handla om misshandelsfall eller trafikolyckor eller olika typer av övergrepp. Hon blev sjukskriven för utbrändhet, det är över två år sedan. Sista året har hon inte jobbat alls…

Annika såg på polisen och försökte intensivt strukturera informationen hon fått.

Han plågade Julia tills hon blev sjuk.

Han var en notorisk vänsterprasslare.

Och var kom misshandelsåtalen in i bilden?

– Om jag backar bandet lite, sa Annika. Kan du berätta något mer om Julia? Vad hände med henne när hon träffade David?

Polisinspektören harklade sig.

– Vi var ett litet tjejgäng från Polishögskolan som höll ihop efter utbildningen, men Julia drog sig undan. Hon ändrade klädstil, slutade gå i jeans. Vi var ju aktiva i SSU, men plötsligt började hon rösta på moderaterna. Vi hade en diskussion om det som slutade med att hon grät. Från början var det bara sådana småsaker...

Annika väntade tyst.

– Efter att Alexander fötts så blev det alltså värre? frågade hon till slut när Nina inte fortsatte.

– Jag visste att något var fel, men jag förstod inte vidden av det förrän de sista veckorna före mordet. David var extremt svartsjuk, en gång hörde jag honom kalla henne för både "hora" och "slampa". Minst sju gånger har han låst in henne i lägenheten, det verkar som om hon tappat räkningen. En gång var hon troligtvis inspärrad i en hel vecka. En annan gång kastade han ut henne i trapphuset utan kläder. Hon blev så nedkyld att hon fick åka till sjukhus. På akuten sa hon att hon gått vilse ute på landet.

– Och det här fick du reda på ganska sent?

– Julia har varit väldigt skör de senaste åren, hon låg inne på psyket också vid ett tillfälle. Hon har inte tagit så mycket kontakt med mig, men jag har sett till att hälsa på henne när jag visste att David var i tjänst eller bortrest. Det var en sådan gång jag kom hem till henne och upptäckte att hon var inlåst. Då först gick det verkligen upp för mig hur hon hade det.

– Varför anmälde hon honom inte?

Nina log faktiskt lite.

– Du får det att låta så enkelt. Jag ville att hon skulle göra det förstås, jag erbjöd mig att stötta henne hela vägen. Kanske var det därför hon började rota i hans gamla papper och hittade misshandelsåtalen, hon gjorde sig redo att bryta upp.

– Och hur var det med otrohetsaffärerna? Upphörde de någonsin?

– Nej, tvärtom. De blev allt jobbigare. Till och med David tyckte tydligen att de var besvärliga på slutet. Han hade bett Julia om förlåtelse, sagt att han ångrade sig, men det var ju sådant han sa...

– Och vad tror du om misshandelsåtalen? Gjorde han det?

Nina fnös.

– Vad tror du själv? frågade hon.

Annika funderade.

– Jag tycker det är konstigt att två obetydliga smågangsters råkar ut för exakt samma sak med precis samma resultat.

Nina studerade henne tyst, så Annika fortsatte.

– De misshandlades svårt, sa i alla förhör att det var David som gjort det, vidhöll sin historia ända fram till rättegången då de plötsligt slog till full reträtt. Deras historier är dessutom identiska i flera detaljer, exempelvis att David tilltalar dem bägge två med att fråga efter deras namn.

Nina såg in i fönsterdimman.

– Jag reagerade också över det, sa hon lågt. Sannolikheten att båda skulle ha hittat på precis samma lögn håller jag för minimal.

Så såg hon på Annika.

– Du skriver väl inget om det här?

Annika granskade hennes trötta ansikte.

– Varför berättade du det, om du ville att det aldrig skulle komma fram?

Nina tittade bort.

– För min del får du gärna skriva det på löpsedeln, men det måste vara Julias beslut. Jag vet inte om hon vill att det ska komma ut, hur hon har haft det...

Nina reste sig, krängde på sig en mörkgrön regnrock.

– Du kan använda uppgifterna, om du får dem bekräftade på annat håll. Men då vill jag att du berättar det för mig först.

– Självklart, sa Annika.

Nina Hoffman gick ut ur lokalen utan att säga hej och utan att se sig om.

Annika satt kvar med sitt kalla kaffe.

Nina tyckte inte om David Lindholm, så mycket var kristallklart. Om det stämde, det hon sa, så var det fullt förståeligt. Det måste vara förfärligt att se sin bästa vän dras in i ett destruktivt förhållande och inte kunna göra något åt det.

Det måste vara förfärligt att sitta med all den här vetskapen, och sedan tvingas läsa spaltmil om vilken hjälte han var.

Annika samlade ihop sina pinaler och gick ut till bilen som hon felparkerat på Bondegatan, inga böter. Alltid något.

Hon hade precis startat motorn när mobiltelefonen ringde. Suckade, tvekade, men fiskade sedan upp den ur väskan. Granskade displayen, inget nummer hon kände igen. Svarade i alla fall.

– Annika Bengtzon? Det är Timmo. Du hade sökt mig.

Timmo? Den misshandlade!

– Hej, sa hon och lade ur växeln igen. Så bra att du ringde. Skulle du vilja träffa mig och prata?

– Om David Lindholm? Mer än gärna. Jag har den mannen att tacka för allting i livet.

NINA LÄT PATRULLBILEN RULLA långsamt över Djurgårdsbron. Andersson satt bredvid och stirrade surmulet ut genom passagerarrutan, lät blicken glida över skaran av regnvåta medborgare som var på väg upp till Skansen för att fira nationaldagen.

– Alla de här mänskorna skiter egentligen i Sverige, sa han. De är bara ute efter att synas i tv och glo på kungafamiljen.

Nina bet ihop käkarna och tänkte *tålamod, tålamod.*

Regnet hade vräkt ner när hon gick till jobbet och fortsatt likadant genom hela passet. Tidvis hade det varit så kraftigt att hon inte haft någon sikt överhuvudtaget. Vindbyarna tvingade henne att hålla hårt i ratten.

Det här ovädret överlever han inte. Om han varit utomhus sedan i torsdags så är han död nu.

Nina bromsade in vid korsningen till Långa gatan. En äldre kvinna på cykel hade blivit påkörd av en bilist, hon satt på trottoaren och höll sig om vänstra fotleden. Bilisten satt i bilen strax intill och såg både skamsen och irriterad ut.

Hon öppnade bildörren men hejdade sig innan hon klev ut.

– Jag har inte för avsikt att bli blöt på egen hand, sa hon. Du förhör bilisten, jag tar hand om tanten.

– En sådan här jävla dag hade man gott kunnat vara utan, sa Andersson och steg ut i hällregnet.

Kollegan hade varit på uselt humör redan vid utsättningen klockan 06.30 i morse. De hade bara varit sex stycken plus yttre befäl, resten var satta på SPT-kommenderingen som alltid följde vid nationaldagsfirande, Karl XII:s dödsdag och andra laddade datum.

– Hur gick det här till då? frågade Nina när hon satt sig ner på huk intill kvinnan. Tanten hade en poncho med kapuschong av impregnerat tyg, men regnet hade trängt igenom och hon var alldeles genomvåt. Nina såg att hon grät.

– Det gör så ont i foten, sa hon och visade på sin ankel.

Fotleden låg i en så udda vinkel att Nina genast insåg att den var bruten.

– Du behöver komma till sjukhus på en gång, sa hon. Den där foten måste gipsas, och här kan du inte bli sittande. Du drar ju lunginflammation på dig!

Hon anropade 70 över radion och bad om en ambulans till korsningen Djurgårdsvägen och Långa gatan.

– Han körde som en dåre, sa damen och pekade på mannen i bilen. Här kommer man och cyklar i fred och ro och så blir man påkörd bakifrån, vad är det för sätt?

Nina lade ena handen på kvinnans överarm och log mot henne.

– Var inte ängslig, sa hon. Vi ska reda ut vad som hände. Nu måste du först och främst komma till en läkare...

Andersson kom fram till henne och höll fram sållningsinstrumentet som bilisten fått blåsa i.

– Verkar som om vår grabb börjat fira fosterlandet redan till lunch, sa han.

– Vi tar in honom för provtagning, sa Nina, och ögonblicket därpå såg hon ambulansen komma glidande bland regnskyarna.

Sedan damen tagits omhand av sjukvårdspersonalen placerade Andersson den misstänkte rattfylleristen på höger sida bak i bilen och sköt sedan tillbaka sätet så mycket det gick för att inte ge honom något manöverutrymme.

– Kärringen vinglade över hela vägen, sa bilisten. Det var helt omöjligt att inte köra på henne.

Jag undrar hur det går, jag undrar om de hittat honom.

Vid utsättningen i morse, när befälet gått igenom vilka som skulle åka i vilka bilar under passet, hade de gått igenom nya efterlysningar och kända händelser. *Sökandet efter Davids pojke skulle ha återupptagits klockan sex i morse, men man väntar och avvaktar att regnet ska lätta innan man ger sig ut...*

– Om jag vore som du, sa Andersson, så skulle jag hålla käften jävligt stängd tills jag skaffat mig en jävligt bra advokat.

Nina kastade en blick på sitt armbandsur, deras pass slutade om en timme och de hade inte hunnit in på stationen för att avrapportera på hela dagen.

Det tog en bra stund att tråckla sig tillbaka till Torkel Knutssons-gatan. Nina körde in bilen direkt i garaget, tog med sig rattfyllot upp till vakthavande där han fick blåsa två gånger med samma resultat.

0,8 promille.

– Då är det ju inte grovt, sa rattfyllot lättat.

– Du hade kunnat döda någon, sa Nina. Den där tanten kanske aldrig blir bra i foten. Du kan ha förstört hennes liv.

Killen såg surt på henne.

– Jag går och skriver, sa hon till Pelle Sisulu och lämnade fyllot åt sitt öde.

Nina kände sig trött trots att passet varit lugnt. Gråten låg nere i svalget hela tiden.

Det skulle bli skönt att vara ledig några dagar.

Hon skyndade sig att rapportera och loggade ut.

På vägen bort till omklädningsrummet stannade hon till vid vakthavandes rum igen och ställde sig i dörröppningen. Fyllot var borta.

Pelle Sisulu var en svart man i 40-årsåldern som hade jobbat på stationen så länge hon kunde minnas.

– Något särskilt att avrapportera? undrade han.

Nina trampade lite i dörren.

– Nej, inget särskilt, några trafikincidenter med två lättare personskador och så den här rattfyllan... Har det hänt något i sökandet? Efter... Alexander?

Hon hade hållit på att säga "efter Julias pojke".

Vakthavande såg upp på henne.

Han måste ha varit den första svarta polisen i Sverige.

– Sökandet ligger nere idag, sa han. Sikten är för dålig. Helikoptern kom inte upp.

Han vände sig mot sin dataskärm igen. Nina stod kvar.

– Men skallgångskedjorna? sa hon. Man kan väl leta på marken?

Mannen tittade upp igen.

– Det är tydligen några lokala förmågor utifrån busken som går och petar i leran, sa han, men vi har ingen personal på plats.

Nina nickade för sig själv.

– Det är förmodligen byalaget i Valla, sa hon.

Vakthavande såg frågande på henne.

– Julia kommer därifrån. Hennes pappa är ordförande i intresseföreningen.

– Jag tvivlar på att de kommer att hitta något.

Han återgick till sin dator.

Nina gick mot den bakre delen av stationen som låg tom och övergiven. Gula tegelväggar och röda dörrar sög upp det mesta av ljuset från lysrören i taket och lämnade personalkorridoren mörk och dyster. Ventilationsanläggningen susade dovt och rörde upp damm på golvets grå linoleumplattor, det luktade sopor från miljöstationen intill.

Hon knäppte upp jackan och lättade på skyddsvästen, undslapp sig en tung suck.

Än idag mindes hon första gången hon gick här, hur nervöst och laddat det var. Under fjärde terminen på utbildningen hade hon och Julia gjort sin SAO här, sin *studieintegrerade arbetsplatsorientering*, Julia hade varit alldeles upprymd.

Tänk att det här är vår verklighet, vårt yrkesliv, vilka möjligheter vi kommer att få att förändra...

Det var nästan tio år sedan nu.

Nina öppnade dörren längst in till vänster med sin bricka och steg in i damernas trånga omklädningsrum, tog sig genom labyrinten av blå plåtskåp fram till sitt eget och lät väskan dunsa mot golvet. Med tunga armar krängde hon av sig uniformsjackan, plockade av sig bältet med pistolhölster och handfängsel, magasinshållare och batongfäste, tog av den skottsäkra västen, kängorna och uniformsbyxorna. Snabbt lät hon blicken glida över kläderna, de var leriga och bar spår av kräk och snor från ett av trafikoffren. Måste alltså tvättas. Hon suckade.

Nåja, hon hade tre dagar på sig.

Hon öppnade sin väska och kastade en blick på hjälm, benskydd, mössa, halsduk, visitationshandskar och russin, turistkarta och undertröja, nej, det var inget annat som behövde tvättas.

Hon duschade och tvättade håret, torkade sig tills det glödde i skinnet och drog på sig sina civila kläder, jeans och grå collegetröja. Hon låste sitt skåp och borstade till håret hjälpligt, gick bort till vapenrummet och låste in sin Sig Sauer på rätt plats. Egentligen skulle hon ha gjort det först av allt, men hon var ju ensam här.

Hon blev stående och såg på raderna av inlåsta vapen.

Jag vet inte, Nina, åh Gud, jag vet inte, jag är säker på att jag lade in pistolen bredvid Davids...

Hon gick mot ytterdörren med en stark känsla av att vara på väg att släppas ut ur tvång och fångenskap när hennes mobiltelefon ringde.

– Nina? Det är Holger.

Julias pappa.

Hon tvärstannade mitt i ett steg.

– Har ni hittat honom?

– Nej, men jag skulle vilja tala med dig. Nina, har du möjlighet att komma ner till oss?

Hon kunde höra regnets rytande i bakgrunden, han måste stå utomhus någonstans.

– Javisst, sa hon och försökte få hjärtat att lugna ner sig. Jag är ledig några dagar nu, så jag kan ta tåget direkt i morgon bitti...

– Jag skulle vilja att du kommer nu, Nina. Vi har hittat något.

Hon tog stöd med handen mot tegelväggen.

– Vad? sa hon. Vad har ni hittat?

Någon sa något i bakgrunden, hon uppfattade inte vad.

– Holger? sa hon. Var är du? Är ni flera stycken? Vad har ni hittat?

Julias far kom tillbaka på linjen.

– Vi är fyra stycken och vi står vid Sågkärret. Vet du var det ligger?

– Nej, sa Nina.

– Trehundra meter sydost om Björkbacken, du svänger av mot Nytorp men tar direkt första till vänster. Vägen går ända fram. Vi väntar på dig här.

– Holger, sa Nina, kan du berätta för mig vad ni har funnit?

Det susade på linjen, regnet skvalade. Julias far hade ett stort hål i rösten när han talade.

– Vi tar det när du kommer fram, sa han. Vi vill inte slå på trumman i onödan. Det är bättre att du tar beslutet.

– Och det är inte pojken? frågade hon.

– Nej.

– Men ni måste ringa till polisen, sa Nina.

– Det är ju det jag har gjort, sa Holger. Vi går ingenstans. Kör försiktigt.

Han lade på.

Hon satt kvar och kände pulsen rusa.

Måste till Sörmland, måste dit NU!

Jag tar 1930, den är närmast.

Hon började springa mot garaget, visste precis var nycklarna till patrullbilen låg.

Sedan hejdade hon sig.

Jag är inte klok. Jag kan inte stjäla en polisbil.

Hon tvärstannade och blev stående i korridoren.

Var får jag tag i ett fordon, vilket som helst?

Hon rusade in på stationen igen, bort till vakthavandes rum.

– Pelle, sa hon flämtande, har du bil?

Chefen såg förbluffat på henne.

– Vad?

– Det är väl din blåa Merca i garaget? Kan jag få låna den? Jag är tillbaka innan du slutar.

Han såg på henne i flera långa sekunder.

– Jag antar att det inte är någon idé att jag frågar vad du ska ha den till, sa han och fiskade upp bilnycklarna ur byxfickan.

Nina svalde.

– Jag kan berätta senare, sa hon. Tror jag.

Han reste sig och gick runt skrivbordet, höll nycklarna framför sig.

– Det är nästan värt det, sa han, bara för att få se dig civilklädd och med vått hår.

Så släppte han nycklarna i hennes handflata.

– Jag slutar klockan 22, sa han. Om du inte är här då så får du betala min taxi hem.

Hon slöt fingrarna om nyckelknippan, vände på klacken och

gick snabbt bort mot garaget.

Annika hade passerat Norrtälje och fortsatt E18 ut mot
Spillersboda när regnet brakade lös. Hon hade inte haft mage att
utnyttja Berit som barnvakt idag igen. Kalle och Ellen var där-
för placerade i baksätet och spelade gameboy, temporärt mutade
med var sin ask Tutti Frutti. Hon hade tvekat att ta dem med till
ett hem för unga narkomaner, men samtidigt ville hon inte vara
fördomsfull.

Vårtunahemmet skulle ligga strax utanför samhället. Hon
ökade farten på torkarna och kikade genom vindrutan efter
rätt avtagsväg. När husen började tätna tog hon till höger
mot Klemensboda, fortsatte förbi Gravrösen och körde ut på
Måsholmen.

Just nu ångrade hon intensivt att hon alls givit sig iväg hit ut.
Natten hade varit förfärlig, hon hade drömt mardrömmar och
vaknat gråtande två gånger och kände sig slutkörd in i märgen.
Hus brann omkring henne och barnen skrek och Thomas skrek
och hon var alldeles ensam och övergiven i hela världen.

Egentligen visste hon precis vad hon behövde: ligga i Berits
vardagsrumssoffa och se på söndagsmatinéer med barnen.

I stället var hon på väg i störtregnet för att träffa en pånytt-
född gammal pundare som skulle sjunga lovsånger över David
Lindholm.

Jag vill inte. Jag åker hem.

Hon övervägde att vända och köra tillbaka när hon insåg att
Vårtunahemmet låg precis framför henne.

– Måste vi vara här? frågade Kalle när hon parkerat bilen mel-
lan en gammal Volvo och en krokig björk.

Hon suckade djupt.

– Jag är jätteledsen att jag släpade med er hit ut, sa hon. Jag ska
försöka få det överstökat så snabbt som möjligt.

Hon hade läst om stället på nätet. Det var egentligen en gammal campingplats med vandrarhem som köpts upp av ett frikyrkoförbund och gjorts om till vårdhem för unga narkomaner. Ett flertal byggnader låg utspridda på sluttningen ner mot havet. Till vänster fanns ett större hus som Annika antog var någon sorts samlingssal. Rakt fram låg flera småstugor med små förstukvistar som förmodligen fungerade som bostäder för klienterna, eller kallades de för patienterna?

– Jag vill åka hem, sa Ellen.

– Ja, men nu går inte det, sa Annika alldeles för hårt och för högt. Jag har lovat en farbror att jag skulle komma och nu är vi här. Kom nu!

Hon kastade sig ut ur bilen med en gammal Kvällspressen som skydd över huvudet, slet upp bakdörrarna och ryckte ut barnen, sprang sedan med dem runt benen bort mot huvudbyggnaden.

De var genomvåta alla tre innan de kom fram till förstukvisten. Dörren hade svällt av regnet, de fick pressa sig mot den tillsammans och när den slutligen gick upp så ramlade de in i en stor gammal kaffeservering. Annika hjälpte barnen på fötter och stampade av sig, det bildades omedelbart en liten vattenpöl runt hennes gymnastikskor.

– Vad blöt man blev, sa Ellen och blinkade mot regnvattnet som rann från hennes lugg och ner i ögonen.

Sju personer befann sig i det stora rummet. Kalle drog sig närmare intill henne och tog tag i hennes jackärm.

– Hej, sa Annika och höjde ena handen till en liten vinkning.

Fyra unga grabbar satt och spelade Texas Holdem-poker vid ett fönsterbord. Samtliga stirrade intensivt på dem, dealern hade frusit mitt i en rörelse.

Annika såg sig osäkert omkring.

Möblemanget i rummet var mycket enkelt, pinnstolar och köksbord med perstorpskivor. Golvet var av gult linoleum, väggarna hade många lager färg.

Hon strök bort håret ur ansiktet.

Rakt fram fanns en disk för bakverk och värmeplatta för kaffekannan. Där stod en medelålders man, bakom honom skymtade ytterligare två killar.

– Är det här knarkare? viskade Kalle.

– Japp, viskade Annika tillbaka. Allihop.

– Är de farliga?

– Nej, det tror jag inte. De är friska nu.

Den medelålders mannen kom dem till mötes.

– Vilket väder, sa han. Välkomna! Det är jag som är Timmo.

Den finska brytningen var skarp och uttalad. Mannen själv var blid och lite kutryggig med skallig hjässa och en krans av ljusblont hår.

Annika ansträngde sig för att le.

– Så bra att du kunde ta emot oss med så kort varsel.

– Nå, inte är det någonting, sa han. Det är så trevligt med besök. Här är matsalen, här äter vi och har aktiviteter. Ska vi gå in på kontoret? Hacka inte fingrarna av er nu.

Det sistnämnda var riktat till grabbarna som uppenbarligen höll på att lära sig hantera en hushållsassistent.

– Anläggningen köptes av förbundet för snart fyra år sedan, sa Timmo Koivisto och krånglade sig igenom en smal korridor med läskedrycksbackar och femtiokilossäckar med jasminris längs väggarna. Jag har fungerat som föreståndare ända från början. Återfallsfrekvensen bland våra grabbar (han uttalade ordet *krappar*) är mycket låg... Den här vägen.

Han slog upp dörren och visade Annika att de skulle gå in i rummet längst in.

Barnen trampade henne i hälarna och följde efter.

– Mamma, sa Kalle och ryckte henne i ärmen. Jag glömde mitt gameboy i bilen. Tror du knarkarna tar det?

— Man kan aldrig vara för säker, sa Timmo Koivisto och böjde
sig ner över Kalle. Lämna aldrig värdesaker i bilen, för tillfället
gör tjuven.

Pojken höll på att börja gråta.

— Det är inga tjuvar ute idag, sa Annika snabbt. Det regnar
alldeles för mycket. Tjuvar tycker inte om att bli blöta.

Timmo Koivisto nickade.

— Det är faktiskt sant, sa han. Brottsfrekvensen går ner vid då-
ligt väder. I smällkalla vintern är det sällan några överfallsvåldtäk-
ter, för sexualförbrytarna tycker inte om att frysa om rumpan.

Herregud, varför tog jag med mig barnen hit?

Hon log forcerat.

— Ska vi kanske klara av det vi är här för? Jag vill inte uppehålla
dig längre än nödvändigt.

— Åh, sa Timmo Koivisto gentilt. Vi har hela eftermiddagen
på oss.

Det fanns bara en besöksstol, Annika satte sig i den och pla-
cerade ett barn på varje knä. Föreståndaren satte sig försiktigt på
sin sida av skrivbordet.

— Det är en sak jag måste be dig om, sa han. Du får inte skriva
något som identifierar några av våra klienter. Alla var inte glada
när jag sa att Kvällspressen skulle komma hit. Fast jag tycker för-
stås det är väldigt roligt att ni vill skriva om vår verksamhet.

Annika kände desperationen stiga i takt med att blodtillförseln
ströps i hennes ben.

— Ursäkta, sa hon, men du kanske har missuppfattat mig. Er
verksamhet är säkert mycket intressant, men jag undrade om du
skulle vilja prata med mig om David Lindholm. Jag ska skriva en
artikel om honom…

Timmo Koivisto höjde ena handen och nickade.

— Jag vet, sa han. Vad jag ville förklara är att Vårtunahemmet
är det viktigaste i mitt liv. Att få tjäna Jesus och hjälpa mina

olycksbröder ger mål och mening åt min vandring, och det var David Lindholm som ledde mig in på den rätta vägen.

Annika flyttade på barnen så att de stod bredvid henne i stället, tog upp penna och anteckningsblock ur väskan och böjde sig över pappret.

– Jag visste inte att David var religiös, sa hon.

– Nå, sa mannen, det har jag ingen uppfattning om. Jag kände inte David Lindholm, men efter mitt möte med honom så kom jag till insikt. Jag hade ett val, och jag valde Kristus.

Hon skrev *valde kristus* i blocket och kände regnvattnet rinna nedför ryggraden.

Ska jag be barnen gå ut? De borde inte höra på det här. Men kan man lita på grabbarna där ute?

– Så det var efter misshandeln på T-centralen som du bestämde dig för att… byta bana?

Timmo Koivisto nickade.

– Jag var en syndare, sa han. Jag har svikit många i min omgivning, min mamma kanske mest av alla. Mödrarna här i världen får aldrig sitt rättmätiga erkännande.

Han nickade eftertänksamt för sig själv.

– Jag var en småfisk till tjackpundare som försörjde mig genom att sälja knark till andra småfiskar. Jag såg till att fler unga människor blev narkomaner, men mina inkomster räckte ändå inte till att finansiera mitt eget missbruk. Jag började förskingra lite vid sidan om, spädde ut tjacket med druvsocker, men de kom på mig, och de gav mig en varning som jag aldrig kommer att glömma.

Han vred på huvudet och visade en hörapparat på vänster öra.

– Jag ser dubbelt, sa han. Har fel i ögats ljusbrytning. Jag har specialglasögon, men de gör mig yr.

Åh, varför tog jag med dem? Jag är en usel människa! Om Thomas får reda på det här så tar han dem ifrån mig.

Hon svalde.

– Varför gjorde han det? Varför misshandlade David dig på det där sättet?

Timmo Koivistos blick var redig och lugn.

– De ville visa mig att jag aldrig skulle komma undan. Vart jag än vände mig kunde de nå mig. Om till och med polisen gick deras ärenden så fanns det ingenstans att fly.

– Och "de", sa Annika, innebär vilka? Knarkmaffian?

– Så kan man kanske beskriva dem.

– Mamma, sa Kalle, jag måste kissa.

Timmo Koivisto reste sig genast.

– Jag kan visa honom.

Annika flög upp.

– Nej! sa hon. Det… behövs inte. Jag följer honom…

De gick ut från kontoret, Ellen följde med, de förflyttade sig snabbt några meter till höger.

– Kan ni vänta här medan jag pratar klart med farbrorn? viskade hon när de kommit in på den lilla toaletten.

– Men jag vill vara med dig, mamma, sa Ellen.

– Jag kommer snart tillbaka, sa hon, stängde dörren och skyndade sig in i kontoret igen.

– Så du säger att David Lindholm gick ärenden åt något knarksyndikat? Varför?

Hon sjönk ner på stolen.

– Det vet jag inte, men jag var inte den enda han dunkade på.

– Tony Berglund, sa Annika.

Timmo Koivisto nickade.

– Bland annat. Det fanns fler som aldrig anmälde. Tony har jag träffat, det gick inte så bra för honom. Sist jag såg honom var han hemlös, sålde Situation Stockholm vid Medborgarplatsen.

– Och skälet att han slog ner Tony?

– Samma som med mig.

– Ändå är du tacksam mot honom, sa Annika. Du säger att han räddade ditt liv.

Timmo Koivisto log.

– Det är sant. Jag vaknade upp på sjukhuset och befann mig i dödsskuggans dal. David Lindholm hade visat mig den enda vägen ut, och jag tog den.

– Varför tog du tillbaka alltsammans under rättegången?

– Det förstår du väl ändå?

Hon hörde Kalle gråta ute i korridoren.

Annika reste sig.

– Jag är hemskt ledsen, sa hon, men jag får nog lov att åka nu, sa hon.

Jag har dåligt omdöme, genuint dåligt omdöme.

Mannen reste sig upp.

– Fast en sak måste jag erkänna.

– Vad? sa Annika i dörröppningen.

– Jag är väldigt glad att han är död.

Stormen och regnet hade gjort skogsvägen framför henne till ett lerfyllt dike. Nina stannade bilen och tittade in i mörkret mellan granarna.

Pelle Sisulus bil var en tvåsitsig cabriolet med en frigång på ungefär fem centimeter. Om det stack upp en stenbumling i leran så skulle hon riva upp hela underredet.

Hon tvekade, hur långt kunde det vara kvar? Ett par hundra meter? En kilometer? Det hade nästan slutat regna, och vinden hade mojnat. Skulle hon parkera bilen och gå?

Hon tittade upp mot himlen, järngrått var ordet.

Sågkärret borde ligga precis framför henne. Hon hade kört motorvägen till Åkers styckebruk, genat över Berga till 55:an och sedan följt riksvägen till avtagsvägen i Sköldinge, tagit Stöttastenvägen till avfarten mot Nytorp.

Därefter första till vänster, och det var här hon var nu.

Hon lade i ettan och gasade försiktigt. Hjulen slirade lite i blötan, men sedan fick de fäste och bilen stack iväg.

Hon hade aldrig kört en sådan följsam bil, den låg som en kloss på vägen.

Det måste vara här någonstans!

Hon hade knappt tänkt tanken färdigt innan väggen av granar öppnade sig och avslöjade en större glänta inne i skogen. En grumlig vattenspegel skymtade mellan vass och mossa, några förkrympta björkar kämpade mot blåsten på en holme längre ut.

Hon lade ur växeln, drog åt handbromsen och lutade sig framåt och kisade mot det tilltagande mörkret.

Är detta rätt?

Där, till vänster om holmen med björkar, inte alls särskilt långt bort, stod en liten grupp män. En av dem vinkade, hon såg på hatten att det var Holger.

Hon slog av tändningen, öppnade bildörren och klev ut. Foten sjönk omedelbart ner i sankmarken, hon flämtade till när väten trängde genom gymnastikskon och träffade huden. Vinden knuffade till henne bakifrån och fick henne nästan att ramla.

Holger höll fast hatten med högerhanden och kämpade sig fram emot henne med tunga kliv. Nina höll sig fast i bildörren medan hon väntade på att han skulle nå fram.

Hans ögon var rödkantade när han ställde sig intill henne, men det var svårt att avgöra om det berodde på ovädret eller något annat.

– Så fint att du kom, sa han, och trots avgrunden i rösten kände hon igen sin Holger, styrkan och det stabila.

Hon tog ett steg mot mannen och omfamnade honom, höll honom tätt intill sig i en hel minut.

– Jag är så ledsen, viskade hon.

Holger nickade.

– Det är vi också, sa han. Har du inget bättre på fötterna?

Nina såg på sina Nikeskor och skakade på huvudet.

– Håll i mig, sa han och sträckte fram sin arm.

Tillsammans började de gå ut på kärret. Ibland bar marken alldeles utmärkt, andra gånger sjönk Nina ner till fotlederna i gyttjan. Holger klarade sig bättre i sina stora jaktstövlar. Vinden sköt på dem i ryggen och fick dem att ta långa steg. Regnet friskade i och började piska igen, snart kände Nina hur fukten trängde genom jeansjackan och klibbade mot ryggslutet. Björkarna ute på holmen vred sig i vinden.

De kom snart fram till de andra männen, Kaj från granngården och två andra som hon inte kände igen. Hon räckte fram handen och hälsade, märkte att hon redan blivit iskall medan deras händer var torra och varma. Deras ögon var stora och stumma, ingen av dem sa någonting.

Hon insåg att de nu stod på något fastare mark, en liten holme liknande den som fanns längre ut, den med björkarna. Underlaget var av sten och hårt packad jord, regnet rann ner mot kanterna.

– Här, sa Holger och pekade på en stör som stack upp ur vattnet alldeles intill. När Kaj drog upp pålen så flöt det här upp.

Han pekade på ett bylte vid sidan om stören, precis där den fasta marken tog vid.

Nina tog några steg bort till det lilla byltet, böjde sig ner och tittade på det.

Tyg. Lerigt, men inte trasigt.

Hon trevade med handen på marken och fick fatt i en kvist. Försiktigt rörde hon i byltet för att se hur stadigt det var.

Rämnar inte, har alltså inte legat länge i blötan. Men vad är det?

Hon ville inte ta i tyget, även om det knappast skulle innehålla några spår. I stället tog hon tag i en träpinne till och petade ut tyget för att se vilken form det hade.

Det delade sig i två. Hon sträckte ut den mindre biten.

Det var en liten skjorta.

En barnskjorta.

Hon böjde sig alldeles nära tyget och skrapade i kanten med ena nageln.

Nej, inte en skjorta, tyget var för tjockt, det var...

– Flanell, sa Holger.

En pyjamas!

Hon sträckte ut det andra stycket.

Ett par små byxor.

Ett par pyjamasbyxor i flanell.

Hon drog ner sin ena tröjärm över handleden, struntade i eventuella spår och torkade bort leran för att se tygets original-färg och mönster under leran.

Ljus med blå och gröna ballonger.

– Är de blå och gröna? undrade Holger.

Nina nickade.

– Känner du igen den? frågade han.

– Inte på rak arm, sa hon.

– Den där då? sa Holger och pekade på en trädrot intill stö-ren.

Nina reste sig och tog ett steg bort till roten. Den var drygt två decimeter lång, lerig och förvriden med konstiga utväxter. Hon petade på den med kvisten och förundrades över hur mjuk den var.

– Vi trodde också att det var en träbit, sa Kaj.

Nina släppte pinnen och tog tag med bägge händerna, torkade med ärmen över änden på trädroten.

Ett ljusblått öga tittade upp mot henne.

Hon torkade andra sidan.

Ett öga till.

Hon krafsade bort gyttjan och öronen och nosen kom fram.

– Är det han? undrade Holger.

Nina nickade.

– Det är Bamsen, sa hon.

– Är du säker? undrade Holger.

Hon vände på nallen och granskade ena tassen. Sömmen på benet var lagad med mörkblå tråd, fast i vätan såg den svart ut.

– Ja, sa hon. Det är jag som har sytt det här.

– Viola köpte en flanellpyjamas till Alexander i julas, sa Holger. Jag vet inte om det var just den där. Men du är säker på nallen?

Nina svalde, kände vatten rinna nedför ansiktet.

Det är bara regn, det är bara regn.

– Ja, sa hon. Det är Alexanders. Han gick ingenstans utan Bamsen.

De fyra männen runt omkring henne böjde sina huvuden mot marken.

KONTORET LÅG PÅ TRETTONDE våningen med utsikt över Skanstullsbron och Hammarby fabriksområde. Inredningen var grå, väggarna vita, golven blanka. Besöksstolarna i korridoren var av svart läder, designade för att vara obekväma.

Annika kände sig noppig och svettig i sin stickade kofta, jeansen hade blivit leriga längst ner när hon gick över Berits gräsmatta. Hon drog in fötterna under stolen och tittade på klockan.

Thomas borde vara här nu.

Deras skadereglerare pratade i telefon bakom den stängda dörren framför henne, hon kunde höra hans kluckande skratt sippra ut genom dörrspringan.

För honom är det här ytterligare en dag på kontoret. För mig är det Gehenna.

Hon hade sovit dåligt inatt igen. Besöket ute på vårdhemmet brände fortfarande i henne. Hon hoppades innerligt att barnen aldrig skulle nämna för Thomas att hon släpat med dem dit ut.

Kontorsdörren gick upp.

– Fru Samuelsson? Varsågod och kom in.

Försäkringstjänstemannen sträckte fram sin hand och log brett och oärligt.

– Bengtzon, sa Annika, reste sig och tog hans hand. Det är min man som heter Samuelsson.

Hissen plingade till bakom dem, dörren gick upp och Thomas klev ut. Annika vände sig mot honom och kände hur det klack till i bröstet, *åh Gud, så fin han är!*

Portföljen dinglade i hans stora hand, håret hade ramlat ner i pannan och han måste ha köpt en ny kostym i helgen, för den där hade hon aldrig lämnat in på kemtvätt.

– Förlåt att jag är sen, sa han och hälsade lite andtrutet på skaderegleraren.

Han kastade en snabb blick på Annika, hon vände sig hastigt bort.

– Zachrisson heter jag, sa gubben och hans leende var aningen hjärtligare nu. Om ni ville vara så vänliga...

Annika tog upp sin bag och klev in i kontorsrummet, noterade att hela ytterväggen bestod av glas. Molnen tryckte mot rutan och vattnet skymtade långt där nedanför. Hon kände Thomas närvaro bakom sig, hans långa hårda kropp i ny kostym och struken skjorta och han luktade *annorlunda*, han luktade *henne*, och hon drabbades av en impuls att springa rakt igenom rutan och *flyga flyga flyga* bort över Hammarbykanalen och in i himlen.

– Det här är ju en ny situation för de flesta, sa Zachrisson och fortsatte att le förbindligt. Jag förstår att det är en chockartad upplevelse att se sitt hem brinna ner, med alla de minnen och...

Annika lät blicken sväva ut i tomma intet, i gråheten ovanför mannens huvud. Hon hörde hur han malde på med samma ramsa han dragit för hundratals försäkringstagare genom åren, om bolagets förståelse och praktiskt taget obegränsade hjälpsamhet. Och hon kände Thomas sitta bredvid sig och insåg att hon inte skulle kunna bo med honom på Vinterviksvägen igen, inte där, inte i det området.

– Måste huset byggas upp? sa hon tvärt.

Skadereglaren kom av sig, leendet ramlade av.

– Öh, nej, sa han. Er försäkring täcker återuppbyggnad och

lösöre, men om ni väljer att inte återställa huset i ursprungligt skick så finns andra alternativ...

– Vänta lite nu, sa Thomas och böjde sig fram mot tjänstemannen. Kan vi ta det från början? Hur ser det ordinarie förfarandet ut i ett fall som vårt?

Han kastade ett irriterat ögonkast på Annika.

Zachrisson fingrade på några papper och rättade till glasögonen.

– Det vanligaste är att huset byggs upp som det var. Man tar fram ritningar, söker bygglov, påbörjar upphandling av ett nyuppförande av huset. Det här arbetet inleds vanligtvis så snart som möjligt, oftast direkt.

– Och om vi inte vill det? sa Annika och vägrade att se på Thomas.

Tjänstemannen hummade.

– I sådana fall görs en värdering av huset så som det var tidigare, samt en värdering av fastigheten så som den står idag, alltså nedbrunnen. Den går ju, trots allt, att sälja. Tomten har ett värde. Försäkringstagaren får mellanskillnaden insatt på sitt konto. Dessutom får försäkringstagaren betalt för lösöret, möbler, kläder, tv, dvd och så vidare.

– Jag tycker det är ett tänkbart alternativ, sa Annika.

– Det vet jag inte alls om jag håller med om, sa Thomas och började se ursinnig ut. Även om vi inte vill bo där så finns det ju ett mycket större värde i att sälja en nybyggd fastighet än en rykande ruinhög...

Zachrisson höjde bägge händerna som för att hejda dem, han verkade ganska ansträngd.

– Det finns ett problem i det här fallet, sa han, som vi måste ta hänsyn till innan vi alls kan inleda diskussionen om några penningutbetalningar. Inget försäkringsbolag betalar ut något skadestånd om man är misstänkt för mordbrand i sitt eget hus.

Tystnaden som landade i rummet kändes i hela Annikas kropp. Plötsligt hörde hon luftkonditioneringen surra och trafikens brus långt nere på Götgatan. Hon tittade snabbt på Thomas och såg att han hade frusit mitt i en rörelse, framåtlutad och med munnen halvöppen. Skadereglerarens satt också och gapade, förvånad över att orden faktiskt lämnat hans läppar.

– Vad? sa Thomas. Vad är det du säger?

Zachrisson lättade på slipsknuten, med ens lite svettig i pannan.

– Som vi har förstått det, sa han, så pågår det en polisutredning i ert fall. Det finns misstankar om att branden var anlagd.

– Den var definitivt anlagd, sa Annika, men det var ingen av oss som tuttade på.

Skadereglaren lutade sig bakåt, som om han aktade sig för att komma i kontakt med något smittsamt.

– Vi kan inte betala ut någonting förrän polisutredningen klarlagt omständigheterna kring branden, sa han. Och även om förundersökningen läggs ner kan vi komma att hålla inne skadeståndsbeloppet. Vi gör egna undersökningar också...

Annika såg på den glasögonprydde mannen på andra sidan sitt tjusiga skrivbord och fick samma känsla som med bankkvinnan häromdagen.

– Det här är ju inte klokt! sa hon och hörde att hennes röst var alldeles olämplig, för hög och för gäll och för känslosam. Någon har försökt mörda oss, och nu kommer ni och insinuerar att det var vi själva som tände på. *Vi själva! Skulle vi ha försökt mörda våra egna barn?!*

– Vi måste ta hänsyn, sa Zachrisson. Vi kan inte hålla på och betala ut pengar till mordbrännare.

Annika reste sig upp så hastigt att skinnstolen höll på att välta bakom henne.

– *Hänsyn?* sa hon. Till vem då? Aktieägarna? Vi då, som betalat din jävla utsikt i alla år, har du tänkt på hänsynen till oss? Och du kallar oss *mordbrännare?*

Thomas reste sig också och tog ett hårt tag om hennes överarm.

– Jag ber om ursäkt å min... hustrus vägnar, sa han sammanbitet och drog henne med sig ut ur rummet.

– Aj, sa Annika och följde med som en viljelös docka i hans väldiga näve, bagen slog mot hennes ben.

De kom ut i korridoren och in i hissen, Thomas tryckte på E för Entré och släppte inte hennes arm förrän metalldörren gått igen. Annika andades snabbt och märkte att hjärtat skenade i bröstet.

– Förlåt, sa hon. Det var inte meningen att brusa upp.

Thomas stod lutad mot hissväggen, framåtböjd, hans hår hade ramlat fram och han stirrade ner i golvet.

Hon ville sträcka fram handen och stryka undan hans hår, smeka hans kind, kyssa honom och säga att hon älskade honom.

– Förlåt, viskade hon igen.

Hissen stannade med en liten duns och dörrarna gled upp. Thomas tog ett bättre grepp om sin portfölj och gick snabbt mot huvudentrén. Annika följde efter, småspringande, med blicken på hans blonda bakhuvud.

– Vänta, sa hon, vänta så får vi prata...

De steg ut i grådiset, trafikljuden slog emot dem tillsammans med avgaserna.

– Thomas, sa hon, vill du inte träffa barnen, hur ska vi göra med barnen...?

Han stannade och vände sig om och stirrade på henne med sina nya ögon, de svullna rovdjursaktiga.

– Vad fan håller du på med? fick han fram.

Hon sträckte upp handen för att stryka hans kind men han ryggade tillbaka, såg ut som om han skulle spotta på henne.

– Thomas, sa hon och världen omkring henne löstes upp och ljuden försvann. Handen som försökt smeka honom landade på hennes eget bröst.

– Du är ju helt besinningslös, sa han och backade ett steg till.

Hon ställde sig intill honom och ville röra vid hans hår.

– Jag gör vad som helst, sa hon och märkte att hon grät.

– Var är barnen nu?

Händerna började skaka okontrollerat, hon kände igen tecknen på ett annalkande panikanfall. *Lugn och fin, det är ingen fara, det är ingen fara.*

– De är hos Thord, han erbjöd sig att ta hand om dem medan jag...

– *Thord?* Vilken jävla Thord? Jag åker och hämtar dem på en gång.

Hon lät hans ilska skölja över henne, vad var det han sa? Vad var det han ville?

Han är arg och kränkt och vill jävlas.

Världen kom tillbaka med sitt duggregn och trafikbrus.

– Det gör du inte alls, sa hon och märkte att pulsen faktiskt gick ner.

Han vände sig bort och tog några steg mot Götgatan, vände sedan tillbaka och ställde sig framför henne med ögonen lågande.

– Mina barn ska inte tas omhand av en sådan som du, sa han. Jag ska ha ensam vårdnad om dem.

Hon såg in i hans blick och mötte totalt främlingskap.

– Du klarar inte av att ta hand om Kalle och Ellen, sa hon. Det har du aldrig gjort.

– De ska åtminstone inte bo hos en jävla *mordbrännare!*

Det sista ordet skrek han.

Så det var hit de hade nått.

Hon blev med ens alldeles lugn.

Nå, men då så.

Hon släppte hans ögon och kände sorgen sprida sig i kroppen.

– Jag tar kontakt med en advokat idag, sa Thomas. Jag vill skiljas så fort som möjligt och ungarna är mina.

Hon såg på honom genom tårarna.

Jag har varit här förut. Det här har hänt en gång tidigare, med Sven.

Hon flämtade till, kände kroppen spännas och göra sig redo för flykt. Thomas ansikte svävade ovanför henne, käkarna sammanpressade så att de vitnade.

Det är inte samma sak, han kommer inte att försöka hugga ihjäl mig.

– Jag tycker vi har dem varannan vecka så länge, fick hon fram. Du kan hämta dem på fredag.

Han tog ett stadigare tag om portföljens handtag, släppte hennes blick och vände sig bort, började målmedvetet stega iväg bort mot Götgatan, framåtlutad, med axlarna uppdragna mot blåsten.

Jag dör inte, jag dör inte. Det bara känns så.

Nina kom in på stationen med en naggande oro i magen. Visserligen hade hon ringt under natten och meddelat att hon inte skulle hinna tillbaka med bilen innan vakthavande slutade, men då hade Pelle Sisulu redan gått av sitt pass och åkt hem.

Hon gick fram mot vakthavandes rum men hejdade sig någon meter före dörröppningen.

Christer Bure var där inne och höll på att dra ett ärende med ett dödsfall för stationsbefälet, det fanns något frågetecken kring läkarrapporten och ett beslag av receptbelagd medicin från platsen.

Nina tvekade, skulle hon vända och komma tillbaka vid ett senare tillfälle?

– Du behöver inte tänka på dödsbudet, hörde hon Pelle Sisulu säga. Det tar jag hand om.

Christer Bure steg ut ur vakthavandes rum, såg hastigt åt hennes håll och lät ögonen smalna.

Nina slätade till håret och steg fram till dörrposten. Befälet stod med ryggen mot dörren, höll på att ställa upp en pärm högt upp i en bokhylla. Hans rygg täckte nästan hela fönstret.

Hon knackade på dörrkarmen, han såg sig om över axeln.

– Åh, sa han och vände sig mot skrivbordet, är det du.

– Jag måste tacka så hemskt mycket för lånet, sa Nina och kände sig egendomligt generad. Jag förstår att du var tvungen att ta taxi hem, så den betalar jag naturligtvis...

– Det var en skämt, sa stationsbefälet, stoppade in sin skjorta som åkt upp lite. Gick allting bra med bilen?

– Absolut, sa hon, men den är oerhört lerig och jag tordes inte köra den genom en biltvätt för jag visste inte om en cabriolet klarar automattvättar, för det är ju tygtak menar jag, men jag kan hyra in mig på Statoil och tvätta den för hand om du vill...

– Tack, sa han och satte sig i sin stol. Det får du gärna göra.

Hon nickade.

Vakthavande granskade henne några ögonblick, nickade mot hennes uniform.

– Är inte du ledig idag?

– Jo, sa Nina, men jag måste gå på häktningsförhandlingen.

– Häktas Julia idag? frågade han.

Som om han inte visste.

– Klockan tre, sa Nina.

Han reste sig igen och ställde sig framför henne.

– Det finns en omständighet som jag är lite fundersam över, sa han lågt. Jag har förstått att du var närvarande på platsen när polisen i Katrineholm hämtade upp fynden efter pojken Lindholm, sa befälet. Hur kommer det sig?

Hon såg ut genom fönstret och avstod från att svara.

Mannen suckade.

– Jag är inte ute efter att sätta dit dig, sa han. Låt mig i stället säga att jag är lite imponerad över dina kontakter. För jag antar att du inte åkte till Sågträsket på måfå?

Nina satte sig på en stol vid väggen.

– Sågkärret, sa hon. Julias pappa ringde. Han och de andra männen från byn hade letat i sankmarken runt omkring Björkbacken hela dagen. Det var bonden i granngården som hittat sakerna. Holger ville vara säker på att de verkligen kunde vara Alexanders grejer innan han slog larm.

– Och hur kommer det sig att han trodde du kunde bedöma det, bättre än vad han kunde?

– Holger är färgblind, sa hon. Han tyckte sig känna igen Alexanders pyjamas, men nallen var han inte säker på. Den heter för övrigt Bamsen Lindholm. Holger ville inte skrämma upp sin fru, om det nu inte var Alexanders saker, men genom att ringa till mig så tog han ju faktiskt kontakt med polisen...

Hon tystnade, tyckte att hon babblade.

Pelle Sisulu såg på henne några sekunder.

– Och vad sa frun? Det var hon som gjorde den definitiva identifieringen?

Nina nickade igen.

– Hon köpte pyjamasen på H&M i julas, 110 centilong, lite för stor men hon tänkte att han skulle växa i den...

– Har du någon uppfattning om hur grejerna kan ha hamnat ute i sjön?

Nina funderade, såg terrängen framför sig.

– Det är ingen sjö, utan mer sankmark. Före regnet gick det nog att gå torrskodd till fyndplatsen.

– Hur långt från allmän väg?

– Det går en skogsväg ända fram till kärret.

– Så någon kan alltså ha kört ett fordon till strandkanten, dumpat kroppen och sedan lämnat platsen. Fanns det några hjulspår?

Nina såg på sin chef.

– Nu var det inte kroppen som hittades, sa hon, utan en pyjamas och ett gosedjur.

– Såg du möjligen om det var några journalister där?

Nina rynkade ögonbrynen.

– Jo, sa hon, lokalredaktören från Flen kom dit. Oscarsson, han bor i Granhed och hörde om fyndet på polisradion. Om jag gjort något formellt fel så vill jag att du talar om det.

– Jag tycker du handlat alldeles korrekt, sa han. Du gjorde den preliminära bedömningen att fynden var intressanta och uppmanade upphittaren att ta kontakt med den lokala polismyndigheten.

Han tvekade.

– Och jag inser att det här naturligtvis inte är ett vanligt polisärende för dig.

Hon lade armarna i kors och lutade sig bakåt.

– Hur tänker du då? undrade hon.

Stationsbefälet drog på munnen en aning och vände sig mot fönstret så att Nina såg hans ansikte i profil.

– Jag minns fortfarande när du och Julia dök upp här första gången. Man kollar alltid in SAO-tjejerna, och jag kan väl knappast påstå att jag kommer ihåg alla, men er två minns jag.

Nina satt kvar med armarna i kors och visste inte om hon skulle bli kränkt eller smickrad.

Han tittade hastigt åt hennes håll.

– Så engagerade, och så storögda och långhåriga…

Han såg ner på händerna och reste sig sedan upp.

Nina följde hans exempel.

– Så du kommer inte att rapportera att jag gjort något galet?

undrade hon stelt.

Vakthavande skakade på huvudet.

– Varför skulle jag göra det? sa han. *Go and sin no more.*

Hon såg förvånat på honom.

– Du pratar amerikanska? Jag trodde du var helsvensk.

Den store, svarte mannen brast ut i ett hjärtligt gapskratt.

– *Oh man*, sa han, så genuint uppriktigt! Blatte och neger och apa har jag kallats, men aldrig helsvensk!

Hon kände hur blodet rusade upp i huvudet och gjorde hennes kinder knallröda.

– Förlåt, sa hon och såg i golvet.

– Farsan är från Sydafrika och morsan är född i USA. Jag är uppvuxen i Fruängen. Ställ tillbaka bilen i garaget när du har tvättat den.

Han skrattade fortfarande när han satte sig bakom skrivbordet och Nina försvann ut genom dörren och bort mot huvudentrén.

Anders Schyman stirrade på Kvällspressens förstasida.

Den dominerades av en kornig bild på ett kärr med pojken Lindholms porträtt infällt i högra hörnet.

ALEXANDERS GRAV löd den föga subtila rubriken.

Inga frågetecken, ingen tvekan.

Är det här bra? Är det inte bara spekulativt och obehagligt?

Av ettapuffen framgick att pojkens pyjamas och nallebjörn återfunnits nedkörda i en sumpmark strax intill den misstänkta mördarens sommarställe.

”Nu är det bara en tidsfråga innan vi hittar pojken”, sa en källa.

Sista raden berättade att Alexanders mamma skulle häktas under eftermiddagen.

Chefredaktören rev sig i håret.

Nej, det här är inte bra. Vi kommer att få fan för det här.

Han släppte fram en djup suck.

Genom glasväggen såg han Journalistfackets medlemmar dra sig bort mot dagreportrarnas långbord för att ha sitt årliga klubbmöte. Genom att betrakta deras loja kroppshållning kunde han dra slutsatsen att inga större frågor skulle komma att avhandlas.

Konkurrenten hade missat hela grejen med fynden i kärret, hade inte ens lyckats få med uppgifterna i sin skogsupplaga och bara haft en text utan bild till trekryss och ettkryss, så på så sätt fick han ju vara nöjd...

Interntelefonen sprakade till.

– Anders, du har samtal.

Växeltelefonistens nasala stämma lät snorigare än vanligt.

– Jamen, koppla in det då!

– Det är Stockholmspolisens presstalesman.

Åh nej!

Anders Schyman blundade två sekunder innan han lyfte luren.

– Ja? sa han kort.

– Jag forskar inte efter källor, sa presstalesmannen med sin karaktäristiska trötta röst. Jag har inte heller några pressetiska synpunkter på era vilda spekulationer kring brott och skuld. Däremot vill jag framföra informationen att ni publicerar sekretessbelagda uppgifter ur förundersökningen i tidningen idag.

– Det kan jag inte hålla med om, sa Schyman. Vi har bara bedrivit vanlig journalistisk verksamhet, precis som alltid.

– Det där är skitprat och det vet du, sa presstalesmannen. Men jag ska inte bråka med dig, jag vill bara klargöra vissa omständigheter i våra gemensamma förehavanden.

– Jaha?

– Både jag personligen och polismyndigheten rent generellt har länge varit angelägna om att ha en öppen och ärlig relation till medierna, en sorts ömsesidig lojalitet och respekt för varandras lite speciella arbetsvillkor.

Schyman stönade inombords.

Han är mig en jävel till att vara omständlig.

– Javisst.

– När ni medvetet bryter mot våra samfällda överenskommelser så måste jag reagera, det förstår du ju. Ni skriver om våra fynd efter pojken i tidningen idag, vilket gör dem fullständigt värdelösa som faktorer i framtida förhör. Det är möjligt att vi inte löser de här brotten nu på grund av er.

Anders Schyman suckade ljudligt och djupt.

– Nämen, sa han, det var väl ändå en lätt överdrift. Ska ni inte häkta en människa senast i eftermiddag för just de här brotten?

– Det hör inte till saken. Att hon är gripen är verkligen inte medias förtjänst. Därför har jag beslutat att fortsätta på den inslagna vägen och omvärdera våra unisona projekt, vilket givetvis får konsekvenser inte bara för oss utan också för er.

– Och...?

– Den artikelserie som Patrik Nilsson planerar från södra Spanien under arbetsnamnet "Kokainkusten" bygger ju på ett nära samarbete mellan Stockholmspolisen, Justitiedepartementet och tidningen Kvällspressen, men nu nödgas jag alltså riva upp våra överenskommelser i frågan och vända mig till någon annan tidning...

Anders Schyman satte sig rakare upp i stolen.

– Sakta i backarna, sa han. Det där är vårt artikeluppslag, det är vår vinkel och vår research som ligger bakom...

– Jag är hemskt ledsen, men det är inte jag som beslutat att avbryta samarbetet oss emellan.

– Nej men..., sa Schyman.

– Och förresten så ska jag passa på och ta några samtal med några av de poliser som jag vet brukar hålla er med lite mer informella uppgifter av utredningskaraktär. Det får vara slut med det nu. Det finns andra tidningar att informera. God eftermiddag, redaktörn...

Jösses, vilken pretentiös skithög!

Schyman lade ner luren och sjönk tillbaka mot stolsryggen igen, höll upp tidningen framför sig.

Så farligt var det väl inte?

Han granskade artiklarna igen med mer kritiska ögon.

Det var Patrik Nilsson som skrivit artiklarna om fynden i kärret igår kväll.

HJÄLTARNA ropade rubben över sexan och sjuan. Bildredaktionen hade köpt in ett kort från Katrineholms-Kuriren där den försvunne pojkens morfar och några andra gubbar stod och såg molokna ut på fyndplatsen. Nedryckaren gick på förstasidans spekulationslinje: *Har de hittat Alexanders grav?*

Här hade man åtminstone lyckats peta in ett litet frågetecken på slutet.

Texten gick ut på att gubbarna trotsat väder och vind och givit sig ut att leta när alla andra givit upp. De hade genast känt igen Alexanders kläder och favoritnalle. Nu koncentrerades sökandet till den aktuella sumpmarken, hela Södermanlands poliskår var engagerad och armén skulle sättas in.

Beskrivningen av kärret var bitvis målande och dramatisk, om sugande stillastående vatten och svärmar av surrande mygg.

Det här var väl inte så mycket att hetsa upp sig över?

Tidningen fick sjunka ner i knäet med en prasslande protest.

Varför göra kopplingen mellan en framtida artikelserie och ett eventuellt journalistiskt övertramp? Var det inte lite långsökt? Hade presstalesmannen en dold agenda?

Han lät blicken flyga ut genom glasväggen och landa på redaktionsgolvet. Några eftersläntrare var på väg till fackmötet.

En gång i världen hade han själv varit fackligt aktiv. Riktigt stridbar, om han inte missminde sig. Var han inte fackklubbsordförande på någon av lokalradiostationerna, Radio Norrbotten kanske? Eller Radio Gävleborg?

På den tiden, före de kommersiella etermedierna, fick journalisterna åka runt ute i busken i evighet. På åttiotalet var las-reglerna stenhårda: elva månaders vikariat, sedan åkte man ut med skallen före. Till sist kunde folk bli kvar någonstans i obygden, men Stockholm och SVT var bara att glömma. Några fasta anställningar hade inte funnits sedan våren 1968 då TV2 slog upp portarna och släppte in ett helt demonstrationståg.

Det var tider, det. Anställningar var på livstid och alla visste vad JK var. Och ingen reporter satt någonsin i knäet på polisen.

Nåja, det där sista var det väl si och så med förut också, tänkte han och såg Berit Hamrin gå bort mot mötesplatsen.

Om Berit gick dit så måste det vara något hyfsat viktigt på gång, vad kunde det vara?

Just det, ny fackklubbsordförande skulle de välja, det hade han nästan glömt.

Han reste sig upp, greppade tag i den skrynkliga tidningen och gick ut och satte sig mitt emot Spiken.

– Ska du inte vara med på fackmötet? frågade chefredaktören och lade upp fötterna på skrivbordet.

– Utesluten, sa nyhetschefen. Missade att betala fackavgiften.

– Så ogint av dem, sa Schyman.

– Sexton år i rad, sa Spiken, så jag måste säga att jag förstår dem.

– Vad har vi på pojken i morgon? frågade chefredaktören och pekade på dagens förstasida.

– Vi letar efter en ny bild på ungen, helst iförd pyjamasen och kramande nallen.

– Och hur går jakten?

– Ingen lycka än så länge. Släktingarna bara fräser och slänger på luren.

Schyman slog upp tidningen igen, såg på bilden av kärret. Rösterna bortifrån fackklubbsmötet studsade mellan skrivborden och bort till honom, man var inne på godkännande av dagordningen.

Han sjönk djupare ner i stolen och försökte stänga öronen.

– Hur fick vi reda på exakt vad de hittade i kärret? frågade han.

– Hur då menar du?

– Vem läckte?

– Äh fan, det var ingen som läckte. Gubbarna pratade med Katrineholms-Kuriren igår kväll. Det är därifrån vi har det. KK körde ut det på sin hemsida strax efter midnatt.

– Då får vi tacka lokalpressen, den nya tekniken och Konkurrentens klantighet i nämnd ordning, sa Schyman. Men sådana här gånger vill jag vara med i diskussionen. Jag har precis haft ett samtal med polisens presstalesman, han var inte särskilt glad.

Spiken himlade med ögonen.

– Långrandigare gubbjävel finns inte.

Schyman vände blad. Revisionsberättelsen var under behandling på fackmötet.

– Han rev upp överenskommelsen om Patriks artikelserie om Kokainkusten. Antingen så var han lika sur som han spelade eller så behövde han en anledning att kasta ut oss från operationen.

– Jag tyckte alltid det där var en jävligt konstig grej, sa Spiken. Varför ska vi skicka folk över hela Europa för att skriva om hur jävla bra den svenska polisen är?

Styrelsen beviljades ansvarsfrihet borta vid dagreporterbordet. Valberedningen hade två förslag till ny ordförande. Då man inte kunnat enas om en kandidat fördes båda fram för medlemsomröstning. Den första nominerade var den politiske reportern Sjölander, den andra redaktionssekreteraren Eva-Britt Qvist.

Minsann, tänkte Schyman och spetsade öronen lite. Undrar

varför Sjölander plötsligt fått fackliga böjelser?

Reportern, som var före detta chef över kriminalredaktionen, tidigare USA-korre och numera politisk kommentator, hade inga av de egenskaper man brukade associera med fackliga förtroendemän. Sjölander var smart, drivande och uppskattad. Sådana var aldrig fackpampar särskilt länge. De som gjorde facket till en karriär var oftast de gnälliga, obegåvade och arbetsskygga.

Eva-Britt Qvist, däremot, uppfyllde med råge de kriterier man vanligtvis förknippade med lokala fackombud. Han hade lyckats få bort henne från redaktionen genom att göra henne till ansvarig över kontorsbudgeten och närvarorapporterna, och faktum var att hon stod bland de allra översta på listan av personal han ville bli av med.

Inte konstigt att hon kandiderar, tänkte han. Som fackklubbsordförande skulle hon äntligen få lite makt och inflytande.

– Lindholms fru häktas i eftermiddag, sa Spiken. Har vi tur så ger det något.

– Knappast, sa Schyman. Åklagaren kommer att spika igen, hänvisa till förundersökningssekretessen.

– Ja, och mörderskan är tydligen spritt språngande, sa nyhetschefen.

Tore i vaktmästeriet tog till orda.

– Vi är ganska många här på redaktionen som känner att vi vill ha en annan typ av fackboss. Någon som lyssnar på oss. I år är det orkesterns år, inte solisternas. Det är dags att vi på golvet får lite inflytande.

Ett gillande mummel hördes. Handuppräckning begärdes.

Varför är Tore med i journalistfacket? tänkte Schyman. Är han inte gammal grafiker?

– Jag räknar tjugosju röster för Sjölander, sa Tore ... och tjugoåtta för Eva-Britt Qvist. Vi har en ny fackklubbsordförande!

Spridda applåder.

Anders Schyman suckade.

Nu skulle han få sitta och förhandla nedskärningar med sin gamla brevöppnare.

– Åkte Patrik ner till Sörmland inatt? frågade han och nickade mot texten med den målande beskrivningen av sumpmarken.

– Nej för helvete, sa Spiken. Varför tror du det?

– Sugande vatten och myggornas surr, sa Schyman.

– Det vet man väl hur det luktar i ett kärr. Har du sett det här?

Spiken pekade på skärmen.

– Det kommer antydningar från UD att Viktor Gabrielsson är på väg att släppas.

Viktor Gabrielsson? Vem fan var det nu igen?

– Jaså minsann, sa Schyman. Hur kommer det sig?

– Man är på väg att nå en "diplomatisk lösning". Så här skriver TT: "Efter att ha suttit femton år i ett fängelse i New Jersey såsom medskyldig i ett mord på en polis på Long Island antyder nu Utrikesdepartementet i Stockholm att Viktor Gabrielsson kan vara på väg att utlämnas till Sverige..."

Just det, den där gamla polismördarhistorien.

– Tror jag när jag ser det, sa Schyman.

Spiken klickade sig vidare och läste nästa meddelande.

– Tjejen som vann Big Brother för några år sedan ska operera bort sina silikontuttar, upplyste han. Hon ska begrava dem symboliskt i en plexiglaskista och sedan sälja dem på auktion på nätet. Pengarna ska skänkas till barnen i krigets Rwanda.

Anders Schyman reste sig.

– Kolla med personalen på Alexanders daghem om vi kan få komma in och titta på bilderna på väggarna, sa han. Nuförtiden tar de alltid en massa kort på barnen som de hänger upp på anslagstavlorna.

Nyhetschefen tittade upp med höjda ögonbryn.

– Var fan tror du vi har fått tag i bilderna på ungen som vi har i tidningen idag? sa han.

Anders Schyman gick tillbaka till sitt rum, stängde ordentligt efter sig och suckade tungt. Han var på väg att sätta sig i stolen när det knackade på glaset.

Där utanför stod Annika Bengtzon. Hon drog upp dörren innan han hunnit vinka att hon skulle komma in. Håret stod på ända och hon uppvisade det där terrieraktiga ansiktsuttrycket som inte brukade båda gott.

– Vad? sa han trött.

– Jag har fått fram jätteintressanta grejer om David Lindholm. Han har varit åtalad för misshandel, två gånger till och med, för att han gick knarkmaffians ärenden och spöade upp smågangsters som försökte blåsa dem på pengar.

Schyman ansträngde sig för att hålla anletsdragen på plats.

– Åtalad? När då?

– Arton år sedan. Och tjugo år sedan.

– Du säger "åtalad", fälldes han i domstol?

– Nej, det är också jätteruttet. Han friades i bägge fallen.

– Och det här vill du skriva?

– Jag tycker det ger en helt annan bild av David Lindholm.

– Och uppgifterna kommer från…?

– Förundersökningarna, och så har jag träffat en av de misshandlade. Han är glad att David är död.

Han var tvungen att lägga händerna för ögonen för att hämta kraft.

– Så du vill att jag ska publicera uppgiften att en mördad hjältepolis i själva verket var torped åt knarkmaffian, och det bygger vi på det faktum att han *friats* från anklagelser om misshandel? För tjugo år sedan?

Hon bet sig i läppen.

– Nu vrider du till allting…

– Förtal av avliden, sa han. Det är ett allvarligt brott. Chefredaktörer har suttit i fängelse för det.

– Jamen...

– Jag har redan blivit utskälld för våra publiceringsbeslut en gång idag. Det räcker. Jag vill inte höra talas om det här mer. Gå och skaffa dig ett hem.

– Ja ja ja, sa Annika Bengtzon och gick ut.

Han slog sig ner på stolen och lutade huvudet i handflatorna.

Det kan inte bara vara som jag inbillar mig.

Det här jobbet har blivit oändligt mycket rörigare de senaste åren.

Häktningsförhandlingen ropades ut i en av säkerhetssalarna och Nina reste sig hastigt, före alla andra. Hon kände sig obekväm i sin uniform, något hon egentligen borde ha vant sig av med, men den här situationen var utsatt och exceptionell.

Det var många journalister i hallen utanför salen, reportrar från både press och radio och minst två tv-team. Hon såg att de studerade henne, undrade vad hon gjorde där.

Hyenor! Är här för att slita till sig en munfull av köttet.

Hon skakade av sig tanken och gick bort mot rättssalen.

Kommissarie Q gled upp bredvid henne och höll upp dörren åt henne.

– Sätt dig längst fram, sa han lågt.

Hon såg frågande på honom.

– Vi kommer att bli ensamma på åskådarplats, sa han.

Hon gjorde som hon blivit tillsagd och satte sig på första bänkraden. Domarens plats var rakt fram, åklagarens till vänster och försvarets till höger.

Nina hade varit i den här salen flera gånger förut, hon hade vittnat i många häktningsförhandlingar.

Men ingen som den här.

Hon tittade mot dörren bakom försvarets plats. Den ledde in till ett väntrum som i sin tur hade direktaccess till Kronobergshäktet via Suckarnas gång. På så sätt kunde man slussa häktade personer direkt in i säkerhetssalen utan att behöva ta omvägen genom folkhopen utanför.

Där innanför sitter du nu. Förstår du vad som händer?

Det blev snabbt fullt i salen, reportrar med bandspelare och tecknare med stora block. De stökade och skrapade och prasslade, deras mummel lät som ett förväntansfullt och ohejdbart vattenfall.

Nina böjde sig mot kommissarie Q.

– Vem har hon fått som offentlig försvarare? frågade hon viskande.

– Mats Lennström, sa Q lågt.

Vem?

– Vem är det? Vad har han gjort tidigare?

Innan Q hann svara gick dörren bakom domarpulpeten upp och lagmannen och tingsnotarien intog sina platser. Sekunden därpå steg en mörkhårig kostymkille in från väntrummet, bakom honom kom en häktesvakt som ledde Julia fram till hennes stol.

Nina lutade sig omedvetet framåt, *så hon såg ut.* Håret var tovigt och otvättat, häkteskläderna var skrynkliga som om hon sovit i dem.

Halsen blev trängre och Nina svalde högt.

– Varför fick hon inte en annan advokat? sa hon. Klarar han verkligen det här målet?

Q viftade åt henne att hålla tyst.

Åklagare Angela Nilsson kom också in, satte sig ner och rättade till kjolen under låren. Hon hade bytt dräkt, den här var blå med dragning åt grått.

Rättens ordförande dunkade med sin klubba i bordet och det blev dödstyst.

Nina stirrade på Julia. Hon kunde se henne snett framifrån, blicken verkade blank och tom. Det fanns något oskuldsfullt över det rufsiga håret, den alldeles för stora kragen på häktesskjortan. *Vad mager du är. Du äter säkert inte maten, tycker att den är äcklig.*

Lagmannen harklade sig och dundrade på med formalia, häktningsförhandling i målet, parterna kallade, och Nina granskade Julias reaktioner.

– Det här funkar inte, viskade hon till Q.

– Om du inte är tyst får du gå ut, väste han tillbaka och hon stängde igen munnen.

Angela Nilsson tog till orda.

– Herr ordförande, jag yrkar att tingsrätten beslutar att Julia Lindholm ska kvarhållas i häkte på sannolika skäl misstänkt för mord begånget på Bondegatan i Stockholm den 3 juni, sa hon entonigt. Som särskilda häktningsskäl anförs att det för brottet inte är föreskrivet lindrigare straff än fängelse i två år. Jag anför även de två häktningsskälen som jag har noterat i framställningen, det vill säga kollusionsfara och recidivfara. Jag yrkar också på tillstånd att kunna ålägga Julia Lindholm restriktioner.

Nina höll andan och studerade Julias respons.

Ingen alls.

Rättens ordförande vände sig till advokat Mats Lennström.

– Varsågod, advokat Mats Lennström, att redovisa den anhållnas inställning.

– Tack. Vi bestrider åklagarens yrkande om häktning. Det föreligger inte sannolika skäl...

Han kom av sig och bläddrade bland sina papper.

Nina stönade inombords.

– Vilken är den misstänktas inställning i skuldfrågan? frågade domaren.

Advokaten tvekade.

– Herr ordförande, jag skulle faktiskt vilja ta det här bakom stängda dörrar, sa han och sneglade mot åhörarläktaren.

Lagmannen vände sig mot åklagaren. Angela Nilsson skruvade lite på sig och blängde på försvararen.

– Med hänvisning till förundersökningssekretessen så yrkar även åklagarsidan på lyckta dörrar.

Domaren vände sig mot åhörarbänkarna.

– Då får jag be allmänheten och massmedias representanter att lämna rättssalen, sa han och slog klubban i bordet.

Sorlet och mumlet återuppstod på ett ögonblick, Nina höll ögonen stint fästa på Julia.

Hon verkade inte märka att folk rörde sig i rummet.

När dörrarna stängts var tystnaden i salen nästan fysisk.

– Så hur var det med skuldfrågan? sa lagmannen.

Advokaten lade ner sin dyra kulspetspenna på handlingarna och såg rakt på domaren.

– Faktum är att min klient är för sjuk för att ange inställning i skuldfrågan. Det går helt enkelt inte att föra ett samtal med henne.

– Vad menar advokaten?

– Jag fick det här uppdraget i lördags kväll. Sedan dess har jag försökt kommunicera med min klient, men jag tror inte hon förstår vem jag är. Det finns skäl för mig att tro att min klient är i behov av akut psykiatrisk vård.

Domaren bläddrade i sina papper.

– Jag trodde hon redan fått vård, sa han. På Södersjukhuset, i samband med gripandet.

– Min klient har en lång historia av psykisk ohälsa, sa advokaten. Hon har varit sjukskriven från sin tjänst inom polisen i nästan två år på grund av utbrändhet. Under en period har hon varit inlagd på psykiatrisk klinik för depression. Jag har starka skäl att tro att vården behöver återupptas, omgående.

Nu såg domaren upp.

– Vad får advokaten att dra den slutsatsen?

Mats Lennström knäppte med sin kulspetspenna.

– Min klient återkommer till en annan kvinna som har varit närvarande i lägenheten den aktuella natten, sa han. Hon kallar denna andra kvinna för "den onda" eller "den elaka", men kan inte namnge henne.

Rättens ordförande stirrade på Julia.

– Så du tror att hon... kan vara flera...?

– Det är inte förenligt med kriminalvårdens ansvar att låta en så sjuk människa sitta häktad, inte ens på sjukavdelningen.

Domaren ruskade på sig och vände sig mot Angela Nilsson.

– Delar åklagarsidan försvarets uppfattning?

Kvinnan suckade teatraliskt.

– Det här med att höra röster börjar vara alldeles för populärt.

– Hur sa? sa domaren och höjde lite på ögonbrynen.

– Julia Lindholm har valt att inte samarbeta i utredningen. Hennes skäl kan jag inte spekulera över.

– Ähum, sa domaren. På vilka grunder bygger åklagaren sin häktningsframställan?

Angela Nilsson sorterade bland sina papper och samlade sig några sekunder innan hon började tala.

– David Lindholm påträffades död i sitt hem klockan 03.39 torsdagen den 3 juni, sa hon. Den preliminära obduktionsrapporten visar att han sköts med ett skott i huvudet, vilket var den direkta dödsorsaken. Därefter besköts den döda kroppen med ytterligare ett skott i buken.

– Kan det ha varit någon annan kvinna närvarande vid dödsskjutningen? frågade domaren.

Angela Nilsson vände blad, tystnaden dallrade.

– Den misstänkta greps på brottsplatsen. Ett vapen av typen

Sig Sauer 225 upphittades på mordplatsen och en preliminär teknisk undersökning har direkt kunnat konstatera att vapnet bär den misstänktas fingeravtryck. Pistolen är registrerad som den anhållnas tjänstevapen. Huruvida det upphittade vapnet de facto också är mordvapnet undersöks just nu av SKL, men kalibern överensstämmer med kulorna som påträffats vid obduktionen och det saknas två skott i magasinet...

Det var dödstyst i rättssalen. Tingsnotarien antecknade. En fläkt brummade någonstans.

– Sedan har vi omständigheterna kring den misstänktas son, fortsatte Angela Nilsson efter en kort paus. Pojken Alexander Lindholm, som är fyra år gammal, har inte observerats sedan mordet på fadern och är i dagsläget fortfarande försvunnen.

Nina lutade sig framåt i bänken. Julia hade höjt på huvudet när åklagaren nämnde Alexanders namn och nu tittade hon sig oroligt omkring i säkerhetssalen. Hon såg på advokaten bredvid sig som om hon inte kände igen honom och reste sig upp.

Nina såg hur advokaten lade en hand på hennes axel och fick henne att sätta sig igen.

– I dagsläget vill jag inte precisera några misstankar beträffande pojkens försvinnande, fortsatte åklagare Nilsson. Det finns fortfarande möjligheter att det rör sig om en naturlig frånvaro, men om Alexander Lindholm inte återfinns vid full hälsa inom en mycket snar framtid så kommer jag att utvidga förundersökningen till att även gälla mord eller kidnappning av Alexander Lindholm...

Varje gång pojkens namn nämndes reagerade Julia och såg sig om. Till slut vred hon sig på stolen så att hon fick syn på Nina på åskådarplatsen.

Nej, Julia, inte nu!

Tanken gick inte fram, Julia reste sig upp igen och tog ett tveksamt steg åt Ninas håll. Hennes ögon var oskuldsfullt klotrunda, uppspärrade så där som när hon inte tordes hoppa ner från höskullen, hon stod med fötterna lite inåt på det där sättet som hon bara gjorde när hon var rädd eller riktigt kissnödig.

Ta dig samman, Julia, jag kan inte hjälpa dig nu.

– Får jag be den misstänkta att sätta sig ner under förhandlingen, sa domaren.

Julia tog ett osäkert steg mot åskådarbänkarna.

– Alexander? sa hon. Var är Alexander? *Nej!*

Hon slog advokaten på armen när han försökte få henne att sätta sig ner.

Nina tittade i golvet och knöt händerna i vanmakt, Julia gjorde allting värre för sig själv när hon inte samarbetade. Det enda hon behövde göra var att tala om för rätten hur hon hade haft det. Ingen tjänade på att David skyddades, allra minst hon själv.

Nina tittade upp igen. Två vakter från häktet som stått innanför dörren till reservutgången mot Suckarnas gång grep tag i Julia från var sitt håll, tog tag i hennes armar och böjde henne framåt.

Julia spjärnade emot. Hon gav ifrån sig små kvidande ljud medan hon slet för att komma loss. Vakterna placerade henne på stolen igen, hon lutade betänkligt åt ena sidan.

Du skulle ha anmält honom. Du skulle ha lyssnat på mig. Jag hade stöttat dig. De hade varit tvungna att tro dig.

Om han bara slagit mig. Åtminstone några rejäla blåtiror, gärna några brutna revben också.

Det han gör mot dig är värre. Det har andra brottsrubriceringar. Han får inte låsa in dig på det här sättet. Han får inte stänga dig ute i trapphuset utan kläder. Olaga frihetsberövande, olaga tvång...

Plötsligt tippade Julia från stolen.

Hon ramlade ner på golvet med en dov duns och blev liggande på sidan med benen uppdragna i fosterställning. Nina reste sig hastigt upp.

En av vakterna grep tag om Julias arm för att dra upp henne men hon reagerade inte. Hans kollega kom fram och drog i hennes andra arm, han höjde batongen till slag.

Sätt dig upp, Julia, upp med dig!

Det var alldeles tyst i rummet, alla aktörer i rättssalen hade frusit i sina positioner. Det enda som rörde sig var Julias ben och fötter, de hade börjat rycka spastiskt och okontrollerat, och med ens släppte vakterna sitt grepp om hennes armar och ställde sig upp, backade två steg var.

Julia låg kvar på golvet med huvudet tillbakakastat och kroppen skälvande i våldsamma kramper. Nina flämtade till, *åh Gud, vad gör de med dig?*

– Sjukvårdare till säkerhetssalen, sa lagmannen i en mikrofon som utgjorde någon form av internkommunikation.

Han lät bestört.

Nina tog ett omedvetet steg fram mot kvinnan på golvet men Q grabbade tag om hennes handled.

– Sätt dig, väste han.

Lagmannen höjde rösten.

– Kan vi få en läkare eller sjukvårdare till säkerhetssalen...

Nina satt kvar, fullkomligt paralyserad, och såg en sjukvårdare komma springande med en väska i handen. Han böjde sig över Julias krampande kropp och talade i en sprakande kommunikationsradio.

– Vi har ett tonisk-kloniskt anfall, sa han och höll radion intill munnen med ena handen samtidigt som han undersökte Julia med den andra. Jag upprepar, vi har ett primärt generaliserat tonisk-kloniskt anfall. Jag behöver assistans och ambulans omgående, jag upprepar, *omgående!*

– Ta ut henne via en sidoentré, sa lagmannen som hade rest sig upp bakom domarskranket och såg förskräckt på scenen framför sig. Skynda er!

Ytterligare två sjukvårdare uppenbarade sig med en provisorisk bår mellan sig. De lyfte upp Julia och Nina såg att hon var stel som en pinne, helt stenhård i kroppen, fixerad i en onaturlig ställning med ena armen och ena benet spretande rakt ut.

Samtidigt som hon lades på båren såg det ut som om kramperna släppte och kroppen mjuknade, men Nina var inte säker på att hon uppfattade saken rätt, för vårdarna sprang ut med båren och försvann ut genom dörren till reservutgången.

Det var fullständigt dödstyst i salen sedan dörren smällts igen. Vakterna stod handfallna och stirrade på sidoentrén där Julia förts bort. Åklagare Angela Nilsson satt längst ut på sin stol och tittade misstroget mot platsen där Julia legat. Försvararen Mats Lennström hade ställt sig upp och flyttat sig bakåt så att han stod med ryggen mot väggen.

Rättens ordförande satte sig ner och slog med klubban i bordet.

– Nå, sa han en smula darrigt, om vi skulle ta och slutföra den här förhandlingen då... Angela?

Åklagaren skakade bara på huvudet.

– Försvaret?

Mats Lennström skyndade sig att sätta sig på sin plats igen.

– Ja, sa han och strök till sitt hår. Jag vill bara avslutningsvis understryka att min klient inte på något sätt medgivit det som åklagaren lägger henne till last. Men om åklagarens yrkande skulle bifallas så hemställer jag att rätten beslutar om en omedelbar paragraf sju-undersökning för min klient. Förutom akut vård behöver hennes psykiska status vid tidpunkten för brottet klarläggas omgående.

– Rätten tar en kort paus, sa domaren, slog klubban i bordet och reste sig upp. Han försvann skyndsamt in på sitt kontor för att lugna ner sig och ta en kopp kaffe innan han meddelade sitt beslut.

– Jag drar, sa Q. Har ett förhör jag måste ta hand om.

Han reste sig upp och släntrade mot utgången.

Nina satt kvar utan att kunna röra sig. Hon märkte hur pulsen rusade i kroppen och insåg att hon blivit alldeles svettig.

Hon visste inte att Julia hade epilepsi.

Hon visste inte att Julia hade sagt upp sig.

Jag visste inte att Julia var så sjuk.

Insikten blev en ljudlig flämtning.

Jag vet ju ingenting om henne! Jag känner henne inte!

Hennes Julia kanske inte fanns, den Julia som aldrig tog strid, den som alltid väntade på att någon annan skulle reda upp sådant som var obehagligt, hon var kanske borta, eller så hade hon aldrig funnits. Hennes Julia skulle inte ha kunnat skjuta David, hennes Julia hade absolut inte gjort pojken illa, *men det här var kanske en annan Julia, en som fördärvade.*

Nina fick andas djupt.

Hon såg sig omkring i rättssalen.

Jag tror på systemet, jag vet att rättvisan finns. Den bor här!

Från och med nu visste hon precis vad som skulle hända.

När domaren fått ner pulsen och druckit sin påtår skulle dörrarna till salen öppnas igen, media skulle släppas in, Julia skulle häktas på sannolika skäl misstänkt för mord och åtal skulle vara väckt före den 21 juni.

Någon förundersökning skulle givetvis inte vara klar inom två veckor, vilket innebar att Julia skulle komma att omhäktas och omhäktas och omhäktas ända fram tills åklagaren hade ett sådant vattentätt mål att Julia aldrig någonsin skulle släppas ut igen.

En annan Julia, inte längre hennes.

Plötsligt kunde hon inte stanna kvar i säkerhetssalen en minut till, inte ett ögonblick. Hon reste sig och skyndade sig mot utgången.

Annika satt i en nedsutten soffa och väntade utanför kommissarie Q:s kontor på tredje våningen i polishuset. Hon lutade huvudet bakåt och blundade.

Dagen, som börjat så illa, hade rätat upp sig betydligt.

Barnen skulle få börja på sitt gamla dagis på Kungsholmen redan nu i veckan. Föreståndaren verkade uppriktigt glad över deras återkomst, förmodligen mest för att intäkterna ökade igen.

Hon hade skrivit in Kalle på Eiraskolan längre ner på Kungsholmen till hösten, Thomas fick skjuta henne om han hade några invändningar.

En lägenhet hade hon också hittat. Om man bara hade pengar kunde man hyra våningar också i innerstan, fast på kontorskontrakt och till hutlösa hyror. Hon hade fått tag i en trea på Västerlånggatan för 20 000 kronor i månaden på obestämd tid. Hutlöst, jovisst, men hon hade fortfarande tre miljoner kvar av Drakens pengar. När allting ordnat upp sig med försäkringspengarna från huset så skulle hon se till att köpa en lägenhet som hon verkligen ville ha...

Som *hon* verkligen ville ha.

Hon drog efter andan och lyssnade till känslan.

Ensam, utan honom.

Hon bet ihop om gråten.

Mina barn. Inte tas omhand av en sådan som du. Jag ska ha ensam vårdnad. Inte en sekund till. Jag åker och hämtar dem.

Hon försökte andas lugnt.

Hon hade tagit ut all barnledighet.

Hon hade alltid varit hemma när de varit sjuka.

Hon hade aldrig misskött dem, alltid lämnat dem på dagis hela och rena.

Han kan inte ta barnen. Han har inget case. Han måste bevisa att jag är extremt olämplig, annars vinner jag.

Kommissarien kom gående i korridoren med en kaffemugg i näven.

– Vill du ha?

Annika skakade på huvudet.

– Jag måste hem till kidsen, sa hon, så jag vill att det här går undan.

Q låste upp sitt rum och satte sig ner bakom skrivbordet, Annika följde efter och slog sig ner i den välbekanta besöksstolen.

– Så hon är häktad nu, sa Annika. Hon kommer väl att dömas så att det visslar om det, till skillnad mot David. Åtalen mot honom lades ju bara ner.

Polismannen fumlade med en bandspelare till vänster om datorn, sa "ett två ett två" i en mikrofon innan han spolade tillbaka och kollade att det hördes som det skulle.

– Jag har träffat killen som David höll på att slå ihjäl, men ni behöver inte vara oroliga. Hjälteglorian är fastspikad vid polismössan. Ingen vill veta hur David egentligen var.

Q lutade sig fram mot henne.

– Det gäller branden i villan på Vinterviksvägen, sa han. Du svarar bara på mina frågor, okey?

Annika nickade och satte sig till rätta mot ryggstödet.

Han tryckte igång apparaten och drog den vanliga harangen om vittnets fullständiga namn, tid och plats, och sedan ställde han första frågan.

– Kan du berätta vad som hände natten till torsdagen den 3 juni i år?

Annika bet sig i läppen.

– Kan du stänga av den där ett tag? sa hon.

Q suckade, hängde demonstrativt med huvudet några sekunder och tryckte sedan på bandspelarens pausknapp.

– Vad? sa han.

– Är det verkligen lämpligt att du sköter det här förhöret med mig?

– Varför inte? sa Q.

– Är det inte jäv? Vi har ju en speciell relation.

Han lutade sig aningen bakåt och höjde på ögonbrynen.

– Tala för dig själv, sa han. Jag har haft särskilda relationer med redaktörer, men inte med dig. Berätta vad som hände natten till i torsdags.

Han satte på bandspelaren igen.

Hon blundade några sekunder, försökte hitta minnena hon redan hunnit stoppa undan.

– Jag stod i hallen på övervåningen, sa hon. Det var mörkt. Jag hade borstat tänderna, fast tandkrämen var slut. Jag var på väg in till sovrummet...

– Var din man hemma?

Hon skakade på huvudet.

– Nej. Vi hade grälat tidigare på kvällen. Han hade åkt iväg. Bägge barnen ville sova inne hos mig, och jag gick med på det.

– Så barnen...?

– Låg i dubbelsängen i vårt sovrum.

– Vad var klockan?

Hon suckade och tänkte efter.

– Jag mejlade en text till dig, sa hon. Sedan gick det väl en halvtimme, tre kvart kanske.

Kommissarien rullade bort till sin dator och klickade igång sitt e-postprogram.

– Det kom 02.43, sa han. Så du stod i hallen i övervåningen i din villa vid kvart över tre, halv fyra på morgonen, och vad hände?

Hon slickade sig om läpparna.

– Det small till på undervåningen, sa hon. En krasch, som när en glasruta går sönder. Jag gick nedför trappan, fyra eller fem steg, innan jag fattade vad som hänt.

– Och vad var det?

– Någon hade slagit sönder fönstret, det stora perspektiv-fönstret strax intill entrén. Det låg glassplitter precis överallt. Jag sprang nedför trappan, men jag såg ingen där ute.

– Hur reagerade du?

– Först blev jag bara förvånad. Sedan arg. Rädd blev jag inte förrän det brakade till i Ellens rum.

– Var du barfota?

Annika tittade förvånat upp på Q.

– Jo, sa hon, eller rättare sagt, jag tror jag hade strumpor på mig.

– Fick du några skärsår av glassplittret?

Hon fattade syftet med frågan och kände blodet välla upp i ansiktet.

– Nej, sa hon, men jag ljuger inte.

– Vad hände sen?

– Det krossades ett fönster i Ellens rum också. Jag sprang upp-för trappan. Dörren var öppen, jag såg att rutan var trasig. Något kom flygande in genom fönstret, det var mörkt och rektangulärt och hade en brinnande svans.

Q tuggade på en blyertspenna.

– Vad var det som kom flygande, tror du?

Annika svalde.

– Jag fattade det när den slog i golvet och gick sönder. Jag fick igen dörren precis innan rummet fattade eld.

– Så fönstret var redan trasigt? Det gick inte sönder av brand-bomben?

Hon tittade förvånat på honom.

– Det har jag inte tänkt på, sa hon, men så var det. Fönstret var redan trasigt.

– Och det här gällde rummet som låg i nordöstra hörnet på huset?

Annika tänkte en sekund.

– Jo, sa hon, så blir det. Närmast korsningen.

– Och därefter…?

Hon blundade hårt.

– Kalles rum, sa hon. Det kom en tegelsten genom rutan och krossade glaset, den landade i sängen. Flaskan kom efter några sekunder, den slog i väggen ovanför sängen och gick sönder direkt.

– Vad hände när flaskan gick sönder?

Annika såg eldkvasten framför sig, hur lågorna red på bensinångorna, hur gardinerna och bokhyllan tog eld.

– Det brann, sa hon. Det luktade bensin och det brann.

– Och Kalles rum, det var det sydöstra?

– Just det.

– Vad gjorde du sen?

Hon skakade på huvudet och kliade sig i håret.

– Jag backade, sa hon, för det var så varmt. Jag tänkte på barnen och gick in i sovrummet.

– Stängde du dörren till Kalles rum?

Annika tittade storögt på Q.

– Jag tror faktiskt inte det, sa hon.

– Men Ellens rumsdörr stängde du?

Hon rev sig i håret igen.

– Jag tror det, sa hon.

– Varför inte Kalles?

– Jag vet inte. Det var jättevarmt. Jag ville in till barnen.

– Och vad gjorde du när du kom in till barnen?

– Jag väckte dem och firade ner dem på altanen med underlakanen.

– Bägge samtidigt?

– Nej, Kalle först. Sedan Ellen.

– Och du själv?

– Jag hoppade.

– Du hoppade.

– Och landade på altanbordet. Sedan såg jag honom.

– Vem? sa Q.

– Wilhelm Hopkins, vår granne. Han stod och tryckte i buskarna. Jag är bombsäker på att det var han som tände på.

Q såg på henne, så ingående att det började krypa i skinnet på Annika.

– Är vi klara, eller? sa hon.

– Varför var du uppe så sent på natten?

– Men det sa jag ju. Jag hade suttit uppe och skrivit, sedan mejlade jag texten till dig och till tidningen.

– Jo, klockan 02.43. Vad gjorde du fram till klockan halv fyra?

Hon såg på kommissarien och kände hur halsen drogs ihop.

– Mest satt jag faktiskt och grinade, sa hon lite kvävt. Vi hade ju grälat, min man och jag, och jag... ja, jag ångrade mig. Jag tyckte synd om mig själv.

– För att din man lämnat dig?

Annika log lite grann.

– Ja, ungefär.

– Några tankar på hämnd?

– För vad?

– För att du blivit övergiven. För att du lämnats ensam.

Hon skakade på huvudet.

– Nej, sa hon, inte alls.

Kommissarien suckade och tog upp några papper från skrivbordet.

– Vet du vad det här är?

Hon skakade på huvudet igen.

– En dom från Eskilstuna tingsrätt, sa han. För nio år sedan dömdes du till skyddstillsyn för vållande till annans död.

Hon satt blickstilla, hjärnan gick på högvarv. *Vad kommer nu? Vad är det här?*

– Det finns ett mycket intressant vittnesmål i den här domen, sa Q. Polismannen som var först på plats när din pojkvän avlidit, vet du vad han uppger att du sa? Ditt motiv till att du slagit din pojkvän så att han ramlade ner i masugnen?

Med ens var hon där igen, i sommarhettan i det övergivna bruket i Hälleforsnäs, dammet virvlade i ljuset och Whiskas döda kropp låg i hennes armar.

– "Han skulle inte ha givit sig på katten. Han skulle verkligen inte ha gjort något med Whiskas. Förstår du?", läste Q innantill.

– Kan man få lite vatten? sa Annika.

– Du har uppgivit hämnd som motiv den gången du slog ihjäl en människa, sa han. Nu hävdar du att du inte hade en tanke på att hämnas den här gången?

– Det är väl skillnad på att få sin katt dödad och bli lämnad av sin man? sa Annika.

Q såg på henne under några långa sekunder.

– Betydligt fler mord begås av den senare anledningen, sa han.

Annika kände rummet svindla. *Vad är det han säger? Vad är det han gör?*

– Det var Hopkins, sa Annika. Det var Hopkins som tände på.

– Det var Hopkins som ringde brandkåren, sa Q.

– Han drabbades väl av ruelser.

Det blev tyst i rummet.

– Vad? sa Annika till sist. Vad är det?

– Eftersom vi varken har vittnen eller någon teknisk bevisning så finns inga egentliga skäl för misstanken och därför ingen häktningsgrund, så du är fri att gå.

Annika satt kvar och stirrade på Q.

– Att gå? sa hon. Skulle jag inte få gå härifrån? Vad skulle hända med mina barn om jag inte fick gå härifrån?

Q lutade sig fram mot henne och såg uppriktigt bekymrad ut.

– En förundersökning pågår gällande mordbrand och möjligen också försök till mord, det har inte åklagaren tagit ställning till ännu. Det här är brott som kan ge livstids fängelse. Någon tände på och du var där. Förstår du vad jag säger?

Annika var nära att skratta till.

– Är du inte klok? Är jag misstänkt? Är det *jag* som är misstänkt? Delger du mig misstanke om de här brotten? *Är det det du säger?*

Q suckade.

– Inte i dagsläget. Men branden var anlagd och någon hade uppsåt att starta den. Du står överst på listan av icke formellt misstänkta.

Annika såg ut genom fönstret, det hade börjat regna igen.

Jag ska ha ensam vårdnad. Jag åker och hämtar dem. Mina barn. Inte tas omhand av en sådan som du. Inte en sekund till.

– Ingenting kommer att hända förrän utredarna fått all teknisk analys, fortsatte Q. Det kan tyvärr ta ett tag. Sedan, när vi vet mer, finns tre alternativ: antingen blir du åtalad, eller friad från eventuella misstankar, eller så läggs utredningen ner i brist på bevis. I det tredje fallet kvarstår oklarheterna mot dig, men du kan inte lagfaras.

– Jag gjorde det inte, sa Annika. Det var inte jag.

– Vet du, sa Q och reste sig. Det säger nästan alla.

Del 2

November

www.kvallspressen.se

JULIA LINDHOLM ÅTALAD FÖR DUBBELMORD

Åklagaren yrkar på livstid

Uppdaterad 15 nov kl 09.54
Mordet på poliskommissarie David Lindholm får nu sitt rättsliga efterspel.

Idag åtalades Lindholms hustru Julia vid Stockholms tingsrätt för två fall av mord samt grovt människorov.

Enligt åklagare Angela Nilsson har Julia Lindholm skjutit sin man till döds med två skott på morgonen den 3 juni i år. Hon har under de första dagarna i juni fört bort, dödat och gömt kroppen av sonen Alexander, 4.

Den rättspsykiatriska undersökningen är delvis sekretessbelagd. Dess offentliga delar visar dock att Julia Lindholm visserligen lidit av en psykisk störning, men inte av sådan omfattning att hon bör dömas till vård.

– Med tanke på gärningens grymhet och offrens utsatta situation så är det inte aktuellt med någon annan påföljd än livstids fängelse, säger Angela Nilsson till kvallspressen.se.

Den långa utredningstiden förklaras med den rättspsykiatriska undersökningen samt utredningsarbetet på Statens kriminaltekniska laboratorium.

Enligt en källa till kvallspressen.se så väntade utredarna i det längsta på att Julia Lindholm skulle erkänna var hon gömt Alexanders kvarlevor.

– Idag är det möjligt att väcka åtal för mord även när kroppen inte är hittad, säger polisprofessor Hampus Lagerbäck till kvallspressen.se. Det visar fallen med Thomas Qvick.

Julia Lindholms ombud, advokat Mats Lennström, ifrågasätter åtalet.

– När det gäller mordet på Alexander finns inga vittnesmål, ingen gärningsbeskrivning, ingen teknisk bevisning. Jag kommer att yrka på att hela den delen av åtalet ogillas.

Rättegången inleds nästa måndag, den 22 november klockan 10.00 i säkerhetssalen i Stockholms tingsrätt.

REGNET HADE ÖVERGÅTT I vasst och elakt snöfall, årets första. Flingorna löstes upp i samma ögonblick som de nådde asfalten, samlades i pölar till en gråbrun sörja av missmod.

Nina drog upp dragkedjan hela vägen till hakan och stoppade händerna i jackfickorna.

Blir många avåkningar idag om det här håller i sig.

Hon tittade på sitt armbandsur utan att ta handen ur fickan, utsättningen var inte förrän klockan 16.

Gott om tid.

Hon märkte att hon hackade tänder, *det är bara kylan, ingenting annat.*

Bergsgatan lutade uppför hela vägen från Scheelegatan till Kronobergsparken. Polishuskomplexets entré på nummer 52 låg ungefär halvvägs uppe i backen, hon borde inte ha blivit andfådd för en sådan liten ansträngning under så kort tid.

Det är motvinden också, och så är jag kanske lite spänd.

Hon hade inte träffat Julia sedan det där förfärliga besöket uppe i cellen för nästan ett halvår sedan. Efter häktningsförhandlingen hade restriktionerna varit vattentäta, men via Holger hade hon fått veta att Julia vistats på rättspsyk och häktets sjukavdelning under praktiskt taget hela häktningstiden. Inte ett enda besök hade beviljats, vare sig från föräldrarna eller någon annan.

"Håller de på att statuera exempel?" hade Holger frågat.

"Jag vet inte", hade hon svarat. "Kanske."

Men nu var restriktionerna hävda för stämningsansökan var inlämnad, åtalet väckt och förundersökningen offentlig. Bara personundersökningen var fortfarande sekretessbelagd, den hade hon fått tillgång till via Holger.

– Ska besöka Julia Lindholm, sa hon i receptionen till samma vakt som förra gången. Han snörpte på munnen och försvann in i de bakre regionerna för att låta henne svettas.

En kvinnlig vakt, inte samma som senast, ledde henne genom fjärrstyrda hissar och blanka korridorer till ett vanligt besöksrum på sjätte våningen, precis intill kvinnoavdelningen. Det var fönsterlöst, med ett bord, två stolar och en askkopp av stanniol.

– Om du väntar här så kommer vi snart med den häktade, sa vakten och stängde dörren.

Nina satte sig ner på den ena stolen.

Det var svalt och fuktigt i rummet, luktade lite bränt.

Bara cigarettrök, inget annat.

Gråvita väggar lutade sig mot henne. En lågenergilampa spred ett svagt och lite flimrande ljus under taket. Hon knäppte händerna i knäet.

Julia har suttit så här i fem och en halv månad. Jag klarar nog fyra minuter, och jag är ändå psykiskt frisk.

Paragraf sju-undersökningen i juni hade visat att Julia var i väldigt dåligt skick efter mordet. Det krävdes en stor rättspsykiatrisk undersökning för att diagnostisera henne. RPU-n hade genomförts under augusti vid Rättsmedicinalverket i Stockholm.

Jag undrar hur Holger fick tag i den. Förmodligen via advokaten...

Dörren gick upp, ljuset från ett fönster längre bort i korridoren föll in genom dörren och lade gestalten i öppningen i ansiktslös skugga.

Nina reste sig.

Julia klev in i besöksrummet, med vattniga ögon och håret i hästsvans. Hon såg äldre ut, och samtidigt yngre. Inget smink, kantiga axlar.

– Nina, sa hon förvånat. Vad gör du här?

Nina såg bort på vakten som stannat till i dörren.

– Tack så mycket. Jag ringer när vi är färdiga.

Kvinnan stängde och låste.

– Julia, sa Nina och gick fram och kramade om sin vän. Så skönt att se dig.

Julia lät armarna hänga raka längs sidorna.

– Varför är du här?

– Förundersökningen, sa Nina och tog ett steg bakåt. Den är offentlig, så nu fick jag möjlighet att komma hit och hälsa på dig. Hur har du det?

Julia vände sig om, gick bort till väggen intill bordet och kände på den skrovliga ytan med fingertopparna.

– Det här är massiv betong, sa hon. Varje rum på häktet är en egen betongmodul och därför också en egen brandcell.

Hon gick vidare till nästa vägg, lät fingret följa en spricka i putsen.

– Huset stod färdigt 1975, sa hon, men häktet i Stockholm har funnits sedan 1252. Det måste ha varit Birger jarl som grundade det, eller hur?

Hon kastade en hastig blick på Nina och koncentrerade sig sedan på väggen igen.

– Hela kvarteret Kronoberg består av 161 000 kvadratmeter lokalyta, de senast tillbyggda var inflyttningsklara 2005.

Hon vände sig mot Nina.

– När det här är över funderar jag faktiskt på att söka till arkitekthögskolan. Polis lär jag ju inte bli igen.

Hon log, ett kort och flyktigt leende.

Nina fångade hennes blick.

Jo, hon är hemma. Lyset är på och hon är hemma.

Hon log tillbaka, lättad.

– Det kanske är lika bra, sa Nina. Att du sysslar med något annat.

– Men du jobbar kvar?

Julia sjönk ner vid bordet, tog upp stanniolaskkoppen och granskade dess undersida.

– Jo, sa Nina. Går på passet i eftermiddag, utsättning klockan fyra. Det kommer att vara många singelolyckor om inte vädret slår om.

– Pettersson som är vakthavande?

– Pelle Sisulu, sa Nina. Hur mår du?

Julia ryckte på axlarna och tittade ner i askkoppen.

– Det ska bli så otroligt skönt att få komma ut. Lägenheten är kvar, pappa har sett till att betala hyran...

Nina kände obehaget krypa längs ryggen igen.

– Så du tror att du blir frikänd?

Julia såg upp och släppte askkoppen.

– Det är väl klart, sa hon. Är det något vi lärde oss på Polishögskolan så är det att rättsväsendet fungerar. Jag har förståelse för att man måste hålla mig inlåst medan utredningen pågår, och uppriktigt sagt så tror jag det är lika bra så länge hon går lös. Annars kommer hon bara tillbaka och skjuter mig också.

Nina kände hjärtat sjunka.

– Så du tror att du kommer att få åka hem efter rättegången?

Julia blinkade med sina stora, blåa ögon.

– Vart skulle jag annars åka?

Nina drog till stolen under sig, böjde sig framåt och tog Julias ena hand mellan sina egna.

– Julia, sa hon, har din advokat varit här? Har han gått igenom förundersökningen med dig?

Julia skakade storögt på huvudet.

Vilken latmask till försvarare! Det är tjänstefel att han inte informerat henne om åtalet.

– Undersökningen visade att du haft en dissociativ identitetsstörning, sa Nina. Vet du vad det är?

Julia såg oförstående på henne.

– Syndromet kallas också multipla personligheter. Det är ett psykiskt tillstånd där personen i fråga lider av dubbla eller flera olika personligheter.

– Schizofreni? sa Julia skeptiskt.

– Personlighetsklyvning, sa Nina. Det är ett sorts psykotiskt tillstånd, man har flera skilda personligheter som kan agera helt självständigt. Det kan bli så när man försöker hantera trauman. Man blir helt enkelt någon annan när det behövs.

– Så var det inte alls, sa Julia. Det var inte jag. Det var den där andra kvinnan, den onda.

Nina nickade och kramade Julias hand.

– Det är okey, sa hon. Jag förstår.

– Nej! sa hon och drog till sig handen. Du förstår inte alls. Hon var där, och hon tog med sig Alexander.

– Vart tror du hon tog Alexander?

– Men hur skulle jag kunna veta det? Om jag visste det hade jag ju åkt och hämtat honom!

Nina tvingade sig att låta lugn och samlad.

– Blodet på golvet i hallen, sa hon. DNA-testet har visat att det är Alexanders.

Julia ställde sig upp och stirrade på Nina.

– Tror du mig inte? sa hon. Tror du att jag skadat Alexander? Att det var *jag* som sköt?

Nina reste sig också upp.

– Jag tror inte du ska räkna med att bli frikänd, sa hon. Bevisningen är riktigt solid. Du var där, du är psykiskt instabil, mordvapnet är liktydigt med ditt tjänstevapen, med dina finger-avtryck...

Julia vände sig bort och ringde på klockan för att bli utsläppt ur besöksrummet.

– Om jag nu är så psykiskt instabil, sa hon, så kommer jag att dömas till vård och bli utskriven om ett år.

– Tror jag inte heller du ska räkna med, sa Nina. Rätts-medicinalverket skriver visserligen att du begått brottet under tillfällig sinnesförvirring, men att du ändå kan dömas till fäng-else.

Julia stirrade på henne, med ögon så blåa och blanka i det flimrande lampljuset att Nina skämdes.

– Jag kommer att hälsa på dig igen, sa hon. Jag tar inte avstånd från dig, oavsett vad du har gjort.

Dörren gick upp och Julia vände sig bort och steg ut i kor-ridoren utan att se sig om.

Förundersökningen var en besvikelse, faktiskt något av ett anti-klimax.

Annika, Berit Hamrin och Patrik Nilsson satt vid krimdesken med var sin kopia framför sig och bläddrade allt mer frustrerat. Redaktionen var tyst och eftermiddagsstilla, folk hade lärt sig att det pågick direktsändningar överallt hela tiden och hojtade inte till varandra på samma sätt som tidigare. Alla tv-apparater var stumma och radion fanns bara i hörlurar.

– Hur delar vi upp det här mellan oss? frågade Berit.

– Q kan jag ta, sa Patrik snabbt.

Annika hade inte talat med kommissarien sedan i juni. I hen-nes bakhuvud låg hela tiden en rädsla att han skulle ringa, eller att någon skulle knacka på dörren och säga: *Du delges misstanke.* Hon hade ingen aning om hur brandutredningen gick och ville inte veta heller, så länge den inte lades ner eller friade henne.

– Ring du. Jag har inga problem med det, sa Annika och försökte se neutral ut.

– Varför skulle du ha problem med att jag snackar med Q? frågade Patrik.

– Det blir väl utmärkt om du talar med polisen, sa Berit. Jag kan luska på Rättsmedicinalverket och se om jag kan få reda på något från sinnesundersökningen.

– Jag kan prata med försvararen och höra mig för om en intervju, sa Annika.

Patrik fnös.

– Lycka till med den du, sa han och Annika kände hur hon ilsknade till.

– Sedan har vi offret, sa Berit. Visserligen skrev vi ju en del om David Lindholm i somras, men man får väl lov att uppdatera...

– Kan jag göra, sa Patrik.

Annika lade ifrån sig pennan.

– Får jag störa er ett ögonblick?

Alla tre tittade upp, Eva-Britt Qvist såg uppfordrande på dem.

– Vår riddare mot tidningsdraken, sa Patrik. Vad kan vi göra för dig idag?

– Stormöte i morgon klockan två. Dagreporterbordet. Alla måste komma. *Det gäller vår gemensamma framtid.*

Hon susade vidare över redaktionsgolvet.

– Hur gör vi med rättegången? sa Berit, tog av sig glasögonen och såg på kollegorna.

– Jag har barnen, sa Annika snabbt.

Hon hade nyligen genomlidit en vecka Nobelmord i säkerhetssalen, domen hade kommit i förra veckan och givit anstiftaren livstid. Hon hade ingen lust att sitta igenom ytterligare tre dagar av juridisk formalia som inte skulle tillföra något nytt.

– Jag kan skriva expertanalyserna, sa Patrik.

– Tror jag säkert, sa Berit, men visst skulle Sjölander stå för dem? Vad säger du om nyhetsuppdateringarna på webben?

Patrik grymtade något om att politiska redaktörer borde hålla sig till politiken.

– Om du tar nyhetsreferaten för papperstidningen så gör jag bakgrunder och faktabitar, sa Annika till Berit.

– Har ni kafferep eller? sa Spiken och släppte ner en utskrift på Berits bord.

– Vad är det här? sa Patrik och norpade åt sig pappret snabbt som ögat.

– Polismördaren är lös, sa Spiken. Viktor Gabrielsson sitter på ett plan på väg till Arlanda. UD fick ut honom till slut. Det trodde jag aldrig.

– Jävlar i busken, sa Patrik och reste sig upp, rödblossande på kinderna. Vet vi när han landar?

Den svenske smågangstern Viktor Gabrielsson hade varit en oregelbundet återkommande story i medierna det senaste decenniet, på tveksamma grunder dömd för medverkan till mord på en polis utanför New York. Han hade suttit av arton av sina femtio år, men hade hela tiden kämpat för att få avtjäna sitt straff i Sverige.

– Oj, vad många polismördare vi har i tidningen i morgon, sa Annika. Hur ska vi hålla isär dem?

– Det är väl en jävla skillnad, sa Patrik. Det ena fallet är ju USA, det andra Sverige.

– Planet lyfte från Logan i Boston för fem timmar sedan, sa Spiken.

– Då drar vi på en gång, sa Patrik och spanade bort mot fotodesken.

– Granskningen av David Lindholm då? undrade Annika oskyldigt.

– Den kan väl du ta över, sa Patrik gentilt och drog på sig täckjackan samtidigt som han talade teckenspråk med bildredaktören tvärs över redaktionsgolvet.

Det blev alldeles stilla runt om dem sedan Patrik Nilsson bullrat iväg. Berit och Annika tittade på varandra under en något obekväm tystnad.

– Döm honom inte för hårt, sa Berit till slut. Han är bara ung och entusiastisk.

– Verkligen? sa Annika. Han är ett år äldre än jag.

Berit skrattade till.

– Han verkar väl bara barnsligare, sa hon. Vill du ta över David?

Annika log lite snett.

– Uppriktigt sagt tycker jag David är intressantare än Viktor Gabrielsson, men hans geggiga historia har jag redan försökt få in i tidningen och det blev tvärstopp. Tror du att Julia Lindholm kan vara oskyldig?

Berit såg upp på henne över glasögonen med förvånad blick.

– Inte en chans, sa hon. Inte en mikroskopisk.

Annika släppte ner fötterna på golvet, tog sin bag och gick bort till dagreporterbordet. Där packade hon upp sin begagnade laptop och loggade in sig på nätverket. Blev sittande och såg ut över redaktionen.

Eva-Britt Qvist hade parkerat sig i glasrummet inne hos Anders Schyman och pratade och gestikulerade, det gjorde hon nästan jämt nuförtiden. Schyman satt tillbakalutad i sin stol och såg trött och besvärad ut. Det gjorde han faktiskt också nästan jämt.

Efter semestrarna hade tidningsledningen aviserat att man stod inför omfattande nedskärningar i verksamheten, framför allt på redaktionen. Meddelandet hade slagit ner som en bomb och orsakat några dagars regelrätt panik bland journalisterna. Chefredaktören hade, märkligt nog, inte gjort något för att stävja upprördheten. Han hade låtit facket och skvallertanterna hållas tills hela redaktionsgolvet var i gungning. Eva-Britt Qvist hade börjat gråta på ett fackmöte som hon själv höll, inte för att hon på något sätt var hotad förstås, som fackboss var hon ju den enda som satt stensäkert, utan för att hon *tänkte på kollektivet.*

Till slut hade Spiken fått nog och rutit till att om inte folk spottade i nävarna och satte igång och skrev några jävla löpsedlar så kunde man lägga ner den här jävla tidningen på en gång i stället för att gå omvägen via en massa nedskärningar. Då hade reportrar, redigerare, fotografer och webbredaktörer motvilligt, men kanske också en smula lättat, pallrat sig tillbaka till sina små arbetsplatser och loggat in sig på datorerna igen.

– Jävla gnäll för att några kollegor får ta det lite lugnare, hade Spiken sagt och lagt upp fötterna på skrivbordet samtidigt som han bet i en pizza capricciosa, size extra large.

– Slutat banta? hade Annika frågat och fått ett flottigt långfinger till svar.

När stämningen på redaktionen väl stabiliserat sig så hade den blivit både lite nervigare och mer koncentrerad. Folk var mer alerta, Annika hade inget emot det.

Mindre snack och mera verkstad.

Hon var fullkomligt allergisk mot gemensamma bouleturneringar och organiserade after work-pilsner och kollektiva uppvaktningar när någon fyllde jämnt och alla andra typer av trevlighetsaktiviteter kollegorna emellan.

Nu hade alla sådana meningslösheter praktiskt taget upphört.

Utmärkt! Låt mig få göra mitt jobb.

För första gången på flera år hade hon dessutom haft möjligheten att arbeta för fullt den här hösten, åtminstone under de veckor som Thomas haft hand om barnen. Känslan av ödslighet i bröstet hade hon fyllt med artikelserier om socialtjänsternas nedmontering av sin verksamhet i kommunerna och en genomgång av arbetsdomstolens diskrimineringsdomar. .

– Du ska vara jävligt glad över tumultet här på redaktionen, hade Spiken sagt den dagen hon kommit med sin uppställning över de nio domar där AD slagit fast att det är korrekt att kvinnor tjänar mindre än män för samma jobb, eftersom de har ett lägre värde på marknaden.

– Tro mig, sa Annika. Det är jag.

Utan de andras handlingsförlamning skulle hon aldrig ha fått in ett sådant knäck i tidningen, men när alternativet var tomma sidor gick till och med feministartiklar in.

Nej, Annika hade inget emot att det rördes om i grytan.

Sparkade de henne så sparkade de henne, vilket hon inte trodde de skulle göra. Hon hade varit anställd på tidningen i snart tio år och borde klara sig om man bestämde sig för att rationalisera enligt las. Den fackligt omhuldade lagen om anställningsskydd byggde på devisen sist in, först ut.

Om Schyman personligen skulle få välja vilka han ville bli av med så skulle hon också bli kvar, annars hade hon varit historia för länge sedan.

Däremot hade ett gäng ungtuppar, med Patrik Nilsson i spetsen, plötsligt insett att de låg i farozonen för att sparkas ut och därför lagt in överväxeln *oumbärlig*. Deras hänsynslösa ambitioner hade inte effekten att göra dem omistliga, utan bara outhärdliga.

Nedskärningarnas enda baksida.

Hon suckade och loggade in sig på telefonregistret. Letade upp Julias ombud, advokat Mats Lennström på juristbyrån Kvarnstenen. Numret var upptaget åtta gånger i rad (varenda reporter i hela landet hade givetvis kommit på samma lysande intervjuidé som hon själv), sedan fick hon tag i en sekreterare som gav henne beskedet att advokaten var i rätten och inte väntades tillbaka förrän i morgon eftermiddag.

Så mycket för den storyn.

Hon vred sig på stolen, det irriterade henne att Patrik skulle få rätt.

I stället gick hon in i tidningens textarkiv och plockade upp artiklarna som skrivits om David Lindholm i samband med hans död.

Där var alla hjältebragderna igen, lovorden från Christer Bure och Hampus Lagerbäck på Polishögskolan. Hon ringde bägge, på Stockholmspolisen respektive Polishögskolan, och lämnade meddelanden att hon sökt dem.

Sedan tittade hon igenom de fantastiska samhällsinsatser som polismannen stått för. Gisslandramat i Malmö, uppklarandet av värdetransportrånet...

Sedan var det stopp.

Det här kan inte vara allt. Var är alla hjältebragder?

Hon gjorde om sökningen och preciserade den inte lika snävt.

david lindholm insats* kriminell* *sök.*

Massvis med träffar, men inga nya hjältedåd. Däremot hittade hon en gammal artikel som handlade om poliser som jobbade under cover. David Lindholm var omnämnd i slutet av texten. Han uppgavs vara ett exempel på en polis som haft omfattande kontakter i undre världen, som fungerat som förhandlare med kriminella personer som velat hoppa av, som varit en länk mellan de olika världarna.

Hon sköt datorn ifrån sig och funderade.

Timmo Koivisto hade påstått att David Lindholm gick knark-maffians ärenden.

Kunde det verkligen vara möjligt? Fanns det någon annan förklaring till hans misshandel?

Hur bra lyckades egentligen David Lindholm hålla balansen mellan rätt och fel? Och vad tyckte den kriminella världen om hans dubbelspel?

Hon kollade textarkivet för att se vad som hänt med gisslantagaren i Malmö.

Efter flera slagningar hittade hon en notis om hans öde i Sydsvenskan där man redovisade att hovrätten fastställt tingsrättens dom.

Mannen hade dömts till livstids fängelse för mordförsök, grovt människorov, grov utpressning och grovt olaga hot.

Livstid? Wow! Undrar hur bra kompis han var med David Lindholm efteråt.

Hon ringde Malmö tingsrätt och bad att få domen faxad.

Sedan letade hon efter uppgifter på amerikanen som skvallrat om det där rånet i Botkyrka, men hittade inga.

Lutade sedan hakan i händerna och stirrade på skärmen.

Hur kom det sig egentligen att uppgiften om amerikanen var känd? Om någon tjallade i gangstervärlden så brukade man väl inte tapetsera den informationen i alla upptänkliga medier?

Det här är jävligt konstigt.

Varför berättade David Lindholm att han fått informationen om värdetransportrånet från just den här fången? Var det överhuvudtaget sant? Och om det stämde, var det verkligen David som spred ut det?

Och vad hände med amerikanen efteråt?

Hon visste inte ens vad han hette.

Gick in på www.kvv.se och letade upp telefonnumret till Tidaholmsanstalten. Hon hamnade i Kriminalvårdsverkets växel, bad att få tala med någon pressansvarig på Tidaholm och kopplades till centralvakten.

– Den pressansvarige har gått hem, sa vakten.

– Oj, vad synd, sa Annika. Då blir det förstås fel i tidningen i morgon igen.

– Öh, vad? sa vakten.

– Den här amerikanske killen som satt för mord hos er, som

var kompis med David Lindholm du vet. Vi ska skriva om honom i morgon och jag kände bara att jag behövde kolla med er om de här uppgifterna stämmer, för jag tycker de verkar så himla konstiga...

– Men han är inte här nu, sa vakten.

– Presstalsmannen?

– Nej, amerikanen.

Annika väntade några sekunder, tog in informationen.

– Där ser man! Det var väl det jag visste. Journalisten som skrev den här artikeln har ingen koll alls. Han skriver att killen fortfarande finns hos er på Tidaholm.

– Inte en chans. Han fick knalltransport direkt efter olyckan.

Olyckan?

– Så klart! sa Annika. Och han kom förstås inte tillbaka?

– Fast kompis vet jag inte, sa vakten. David Lindholm var förtroendeman för honom. Det är ju lite skillnad.

– Förtroendeman, sa Annika och antecknade. Just det.

– Vad är det för artikel? frågade vakten och började låta misstänksam.

– Det är en serie som handlar om livstidsstraff, sa Annika, men jag tror jag måste stoppa det här, uppgifterna måste kollas bättre. Var finns amerikanen nu?

Hon blundade och höll andan.

– Du får ringa den pressansvarige i morgon, sa vakten och lade på.

Nåja, alltid något!

Amerikanen råkade ut för något och skickades iväg.

Undrar hur glad han är idag?

David Lindholm behövde kollas, in på bara skinnet. Varenda liten sten han lämnat efter sig skulle vändas på.

Hon såg på klockan, måste bara äta något först.

Drog på sig täckjackan och gick ut.

Thomas satt vid sitt skrivbord på fjärde våningsplanet i Rosenbad och tittade ner mot Fredsgatan. Det snöade och blåste, flingorna kladdade fast mot glasrutan och rann i stötiga rännilar mot fönsterblecket. Han såg människorna kura ihop sig och streta fram längs trottoarerna, med uppfällda kragar och kisande ögon.

Utsikten var verkligen inte något vidare.

Han suckade och tittade på klockan, kontrollerade än en gång att promemorian och underlaget låg i mappen där de skulle.

Uppdraget att bedöma kostnadsutvecklingen vid ett avskaffande av livstidsstraffet hade varit mer komplicerat än han först trott. Inte för att själva beräkningarna var särskilt svåra, utan på grund av de politiska kraven kring utredningen...

Interntelefonen tjöt till och fick honom att hoppa högt.

– Thomas, var fan är du? Jag sitter här och väntar som en annan ungmö.

Vad tror du jag gör då?

Han sträckte sig fram och tryckte in kommunikationsknappen för att svara sin enhetschef.

– Jag trodde du skulle höra av dig när du blev ledig.

– Ledig, jag är väl aldrig ledig. Kom hit nu.

Thomas reste sig upp, sträckte till kavajen i nederkanten, kollade att översta knappen i skjortan var uppknäppt. Gick med mappen i handen ut i korridoren och bort mot Per Cramnes rum.

– Berätta om ditt huvudbry, sa departementsrådet och pekade på en besöksstol samtidigt som han kavlade upp de vita skjortärmarna.

– Saken har visat sig lite problematisk, sa Thomas och drog ut stolen så att den skrapade mot golvet. Jag vet inte om det är möjligt att avskaffa livstidsstraffet under de premisser vi har fått.

– Så klart det är, sa Cramne samtidigt som han gick runt i rummet och stretchade armmusklerna. Ingenting är ju på livstid längre. Varför skulle fängelsestraffen vara det?

Thomas satte sig till rätta och lade upp mappen på skrivbordet framför sig.

Det här blir inte lätt.

– Det är ramarna för utredningsarbetet jag tänker på, sa han och lade ena benet över det andra.

Cramne ställde sig med ryggtavlan mot rummet och såg ut över Riddarfjärden.

– Äktenskapen kan vi ju glömma, sa han. Om de fortfarande varade en livstid så har jag levt tre gånger – hittills ska jag väl tillägga...

Han vill inte lyssna.

– Har du planer på att gänga dig igen? frågade Thomas och flyttade mappen lite på skrivbordet.

Cramne suckade, vände sig om och satte sig ner i stolen.

– Anställningarna är en annan grej som vi kan stryka från livstidslistan. Ingen jävel jobbar på samma jobb från vaggan till graven idag. Nuförtiden byter folk inte bara arbetsgivare, utan också yrke flera gånger under sin karriär.

Thomas nickade och rotade i fickan efter en penna.

– Kompisar byter vi också ut längs vägen, fortsatte enhetschefen. Syskon kan vi välja bort att umgås med...

– Barn, avbröt Thomas och såg upp, redo med pennan.

– Vad? sa Cramne.

– De är på livstid, sa Thomas. Du kommer aldrig undan ett föräldraskap.

Cramne rev till sig promemorian.

– Ska vi sluta bränna skattebetalarnas pengar och sätta igång och jobba?

Han böjde sig fram över pappret.

Thomas hostade till.

– Direktiven, sa han och tog upp dokumentet han också. De specificerar ju mycket tydligt att kostnaderna för kriminalvården inte får öka efter avskaffandet av livstidsstraffet. Men mina beräkningar innebär att utgifterna kommer att skena om det här genomförs.

– Precisera, sa enhetschefen och lutade sig bakåt i stolen.

– Bakgrunden vet du ju. Det längsta tidsbestämda straffet vi har idag är tio år. De livstidsdömda sitter idag i genomsnitt tjugo och ett halvt år, straffsatsmässigt beskrivet. Eftersom man släpps efter två tredjedelar av strafftiden innebär det att de är ute efter ungefär fjorton år. Om vi avskaffar livstid så kommer det nya maxstraffet för mord att hamna där någonstans, mellan tjugoett och tjugofem år, snarare det senare, vilket gör att det kommer att uppstå ett glapp på uppemot femton år mellan det högsta och det näst högsta straffet. Det är inte rimligt, vilket öppnar för att straffskalorna kommer att justeras uppåt tämligen omgående. Dessutom kommer de nuvarande möjligheterna att döma hårdare också att utnyttjas...

– Det här är ju bara spekulationer från din sida, sa Cramne.

Thomas drog försiktigt efter andan.

– Inte alls, sa han. Jag har diskuterat det här med tre straffrättsprofessorer, fem forskare på Brottsförebyggande rådet, och så med politikergruppen förstås.

– Och de påstår vad då?

– Inom tre år har straffskalan flyttats uppåt så att vi har mängder med påföljder som innebär tolv år, tretton år... Internationella erfarenheter visar att straffskalorna höjs över hela linjen när man avskaffar livstidsstraffet och i stället inför väldigt långa påföljder. Nästa gång vi dömer en Hagaman så kommer han att få arton års fängelse.

– Och? sa enhetschefen. Du är tjänsteman. Det du gör just nu är politiska bedömningar, och det ska du inte hålla på med.

Chefens röst var lika loj som vanligt, men orden hade en skärpa han inte brukade använda sig av.

– Det här är inga politiska bedömningar, sa Thomas, utan realistiska. Min uppgift är att bedöma kostnadsökningen vid en specifik lagändring, och det är precis det jag har gjort. Om vi avskaffar livstidsstraffet kommer alla andra påföljder att höjas, det kommer att gå på mindre än tre år, och det innebär en trettioprocentig kostnadsökning för kriminalvården i den mest försiktiga av analyser...

Cramne reste sig upp, rundade sitt skrivbord och gick bort och stängde dörren. Thomas såg förvånat på honom och noterade att hans ansikte var lite svullet, ögonen aningen rödkantade.

Dricker han för mycket?

– Så här är det, sa Cramne och satte sig ovanpå skrivbordet alldeles intill Thomas. Det har varit ett jävla hänsynstagande gentemot brottslingarna under hela den här ministerperioden. Straffskalorna behöver justeras uppåt, det allmänna rättsmedvetandet kräver det, men politikerna bromsar. Ministern vill ju till och med avskaffa vissa brott.

– Vilka då?

Per Cramne reste sig igen, slog ut med handen och gick mot sin stol.

– Högmålsbrott, sa han och såg Thomas oförstående min. Ja, att kasta tårta på kungen, fast det var kanske ett dåligt exempel.

Han satte sig ner och suckade.

– Straffskalorna är det enda som återstår för den här regeringen att se över. Man har tröskat igenom alla andra långbänkar, inklusive buggningseländet, men det här har de dragit sig för. Hur jävla tydligt ska jag uttrycka mig?

Han lutade sig framåt över skrivbordet och lät sina håriga händer landa på Thomas dokumentmapp.

– Direktivet att det här inte får kosta pengar är deras brasklapp. Du måste se till att komma runt det på något sätt. Vi måste se till att få det här genomfört. Buset måste kunna låsas in, vi måste få slut på det här jävla daltandet.

Thomas stirrade på sin överordnade.

Han vill att jag ska fejka beräkningarna i en parlamentarisk utredning så att han kan genomdriva en politik som inte är demokratiskt förankrad.

Med blicken ordentligt fastnaglad i den andres nickade han långsamt.

– Okey, sa han. Jag förstår vad du menar. Det var bra att du talade klarspråk.

Per Cramnes ansikte sprack upp i ett brett leende.

– Strålande, sa han. Jag ser fram emot dina nya kostnadsberäkningar. Eller förresten, se dem som kostnadsförslag!

Thomas samlade ihop sina papper, reste sig, öppnade dörren och svävade ut i korridoren utan egentlig markkontakt.

Två andra reportrar satt och skrev på sina bärbara datorer när hon kom tillbaka till dagreporterbordet. En av dem hade ställt en kaffemugg på hennes hopfällda laptop.

– Ursäkta, sa Annika och pekade på den halvfulla muggen, men jag ska jobba här nu.

Reportern, en ung vikarie som hette Ronja av alla fjantiga modenamn, tittade upp och flyttade demonstrativt på sin mugg så att den inte längre stod ovanpå utan en halv centimeter ifrån Annikas dator.

Den andra reportern, Emil Oscarsson, var en av killarna som lagt in överväxeln för att bita sig fast på redaktionen. Han tittade upp ett kort ögonblick och såg sedan ner på sin skärm igen.

Annika böjde sig fram och stötte till kaffemuggen så att innehållet rann ut över Ronjas anteckningar.

– Hoppsan, sa Annika, satte sig ner och slog igång sin dator.

– Vad fan gör du? sa vikarien och flög upp när kaffet träffade hennes byxor.

Annika loggade in sig på www.infotorg.se och låtsades inte höra henne.

– Du, vad fan spillde du på mig för?

Annika tittade förvånat på Ronja.

– Men gå och torka dig för Guds skull, sa hon.

Hon såg att tjejen höll på att börja grina.

Jävla lipsill. Om du jävlas med mig så jävlas jag tillbaka.

– Du är ju inte klok, sa lipsillen och gick iväg mot toaletten.

Emil hamrade på sin dator och låtsades inte höra.

Är hela deras generation döpta efter Astrid Lindgrens roman-figurer?

Nåja, själv hette hon ju Annika så hon hade egentligen ingen talan.

Hon gick in på Statens person- och adressregister och knappade in David Lindholm, man, postnumret på Bondegatan och där var han.

Personinformation, folkbokföringsinformation från Spar, PER-SONEN ÄR AVLIDEN.

Men svenska staten slarvade inte bort sina medborgare bara för att de gått hädan. Här fanns alla David Lindholms personliga uppgifter, hans personnummer, fullständiga namn (Lindholm, David Zeev Samuel), folkbokföringsadressen på Bondegatan, datum för folkbokföringen, län, kommun, församling och så upp-giften *avliden*, 3 juni i år.

Han måste ha varit jude. Zeev är inget vanligt svenskt namn. Döpt efter Zeev Jabotinsky, den judiske aktivisten?

Hon gick in på tjänsten *Personrapport*. När databilden kom upp på skärmen hade den redan Davids personnummer inskrivet i menyraden.

Det här är ingen sport längre.

Hon klickade i *Markera alla* och fick därmed, på två sekunder, all information som fanns om David gällande hans ekonomiska status såsom betalningsanmärkningar och skuldsaldo, taxerings-information, huruvida han var försatt i konkurs, hans funktions-uppdrag i olika företag, uppgifter om enskild näringsidkare, hans företags skatteregistrering, eventuellt näringsförbud samt hans fordonsinnehav.

– Egentligen borde du betala kemtvätt för mina jeans, sa Ronja och rev ihop sina saker i en läcker liten portfölj.

Nedskärningarna ska börja verkställas i december. Hon är historia om några veckor.

Annika log mot vikarien.

– Jag brukar slänga mina i tvättmaskinen. Fast du kanske inte har någon sådan.

– Jag har åtminstone inte eldat upp den, sa tjejen och marscherade ut från redaktionen.

Annika kastade en hastig blick på Emil. Han rörde inte en min.

Hon stirrade på databilden framför sig och var tvungen att hålla fast sig i bordet för att inte falla genom golvet.

Jag har åtminstone inte eldat upp den.

Det var ingen slump, och Ronja var ingen Einstein. Om hon visste så var hela tidningen medveten om polisens hypoteser.

Är det vad alla tror? Är det vad alla viskar? Att jag tände på mitt eget hus? Försökte döda mina egna barn?

Hon stirrade på databilden ytterligare en lång minut innan hon lyckades samla sig för att skrolla nedåt i informationen.

Hon böjde sig framåt och trängde undan den fallande känslan.

Minsann!

David Lindholm hade haft ambitioner i det privata närings-livet.

Han hade varit funktionär i fyra olika bolag, varav två var av-registrerade och ett tredje på väg att försättas i konkurs.

Hon printade ut databilden och funderade på hur hon skulle gå vidare.

Det var nog lika bra att gå till botten med alla uppgifter från början, att beta av och undersöka sådant som kom upp allt eftersom.

Hon hämtade en kopp kaffe ur automaten, tog en sväng förbi skrivaren och plockade upp utskriften och satte sig sedan vid infotorg igen.

Det första bolaget på listan var ett handelsbolag som avregistrerats för femton år sedan, Fly High Equipment HB, där David Lindholm var registrerad som ledamot.

Hon visste inte att de sparade så gamla uppgifter.

Okey, då kör vi!

Hon gick in på Bolagsregistret och klickade sig fram till tjänsten som definierade bolagets verksamhet. Bedriva grossistverksamhet med fallskärmar och tillbehör jämte därmed förenlig verksamhet, stod det.

Flyga högt var alltså en bokstavlig beskrivning av vad man sysslade med. David Lindholm måste ha varit aktiv fallskärmshoppare i sin gröna ungdom, varför skulle han annars äga ett företag som sålde sådana prylar?

Hon gick in för att se vilka personer som varit funktionärer och firmatecknare i bolaget. Datorn tuggade och hackade lite, hon såg i ögonvrån att Emil packade ihop dator och papper och reste sig för att gå.

– Ses i morgon, sa han och hon nickade kort.

David hade varit firmatecknare i Fly High Equipment tillsammans med två andra män, Algot Heinrich Heimer och Christer Erik Bure.

Bure igen. De måste ha varit riktigt goda vänner.

Hon gick till Spar och gjorde kompletterande sökningar.

Christer Bure bodde på Södermalm, på Åsögatan.

Hon gjorde en personslagning på honom också.

Inga skulder, inga konkurser, inga kopplingar till några bolag förutom Fly High Equipment.

Hon slog in den andra gubben.

Hoppsan!

Algot Heinrich Heimer var avliden.

Hon gick in och tittade på datumet.

9 februari förra året.

Unga människan, 45 år gammal bara, skriven i Norrköping.

Hon tuggade på läppen.

45-åriga män dör inte utan vidare. Kan han ha fått hjälp på traven?

Hon tog upp ett datafönster till, gick in i textarkivet och slog in Algot Heimer.

Ingen träff.

Skrev "död *eller* mord *eller* mördad" den 9 och 10 februari året innan.

Webbplatsen hittades *vänta...*

Bingo!

En 45-årig man hade skjutits till döds på en parkeringsplats utanför ett köpcentrum i Norrköping på kvällen den 9 februari.

Kan det ha varit Algot Heinrich Heimer? Hur höga är oddsen?

Snabbt gick hon in på Statistiska centralbyråns hemsida och såg i befolkningsstatistiken att det dött ungefär 91 000 personer det senaste året. Bra precis 250 per dag, alltså, men hur många av dem var 45-åriga män, boende i Norrköping?

Inte många.

– Sitter det någon här?

En av kvällsreportrarna, en ung tjej, hade ställt sig på platsen där Emil suttit. Pippi, månne?

Annika skakade på huvudet, tjejen suckade.

– Tänk att folk inte kan plocka bort efter sig, sa hon och föste ner Emils tomma chipspåse och urdruckna plastmugg och hopknölade anteckningar i papperskorgen. Hur har de tänkt att man ska kunna arbeta här när man måste..

– Förlåt, sa Annika, men jag försöker jobba.

Tjejen tystnade tvärt och surt.

Annika ringde polisen i Norrköping och bad att få tala med någon pressansvarig på kriminalpolisen. Hon kopplades till en mobiltelefon och hamnade hos en kvinna som just höll på att hämta på dagis.

– Algot Heinrich Heimer? sa hon. Nej, vi har inte gripit någon för det mordet, men det är fortfarande ett öppet ärende hos oss.

Så det var verkligen han!

– Vad var det som hände? frågade Annika och hörde ett litet barn gråta förtvivlat i bakgrunden.

– Han blev skjuten i bakhuvudet när han gick över parkeringen med en back folköl i händerna. Han var ensam på en dåligt upplyst parkering, mordvapnet hade förmodligen ljuddämpare, ingen hörde något och ingen såg något.

– Fanns det inga hjulspår? undrade Annika.

Ungen i luren höll på att få totalt frispel.

– Jo, sa den pressansvariga och lät svimfärdig, ungefär femtonhundra stycken. Det är en stor parkering.

Annika tackade och lade på.

Hon printade ut Heimers personuppgifter och artikeln om mordet på parkeringen. Lutade sig tillbaka på stolen, drack ur kaffet och tittade på klockan.

Fem i fem.

Thomas var på fritids nu och hämtade Kalle, sedan skulle han bort till dagis på Scheelegatan och plocka upp Ellen.

Det brände till i bröstet, en skärande smärta av tillkortakommande och missunnsamhet.

Jag kommer aldrig undan honom, aldrig så länge jag lever.

Tjejen packade upp sin dator ur en stor ryggsäck, vek sedan upp en servett och placerade ett äpple och en banan ovanpå, tog därefter upp en porslinsmugg, termos och hällde upp något som luktade som väl draget örtte.

Annika gick tillbaka till infotorg och plockade upp nästa företag i David Lindholms register, ett aktiebolag som gått i konkurs.

Pettersson Catering & Arrangemang AB, som skulle bedriva restaurang- och cateringverksamhet, försäljning av livsmedel i butik, import och export av livsmedel, uthyrning av personal inom restaurang och servering, handel med hästar och värdepapper samt därmed förenlig verksamhet.

Handel med hästar?

Jo, det stod så.

På informationsbilden för funktionärer och firmateckning fanns en lång lista med namn, närmare bestämt nio stycken. David Zeev Samuel Lindholm var suppleant och tvåa från slutet.

Annika slog igenom dem, en efter en, alla utom David var levande och folkbokförda någonstans i Mälardalen. Styrelseordförande och verkställande direktör i det konkursade bolaget var en Bertil Oskar Holmberg, folkbokförd i Nacka.

Hon gjorde en personsökning på honom också.

Milda makter!

Karln fanns registrerad på femton olika företag: avregistrerade, konkursade och några fortfarande aktiva. Bland de sistnämnda fanns ett solarium, en konsultfirma, en resebyrå och ett fastighetsbolag. Han hade åtta betalningsanmärkningar och 509 439 kronor i skuld hos kronofogden.

Får en sådan driva företag?

Jo, tydligen, han hade inte näringsförbud.

Reportertjejen skrev någonting väldigt långsamt och fokuserat på sin dator på andra sidan bordet. Annika koncentrerade sig på att ignorera henne. Hon tryckte ut all information om Bertil Oskar Holmberg och ögnade igenom de andra namnen i de olika bolagsstyrelserna. Där fanns inget som fick några klockor att ringa.

Varför så många? Och varför i just det här bolaget? Varför hade David varit suppleant här? Det måste ha funnits någon form av anledning: att han själv tjänade på det eller gjorde någon annan en tjänst som ställde upp...

Hennes mobiltelefon ringde, hon släppte datorn och dök ner i väskan. Hon fick upp den precis innan svararen skulle ta samtalet.

Det var Thomas.

– Du, var är Ellens vinterkläder? Hur fan ska jag kunna ta hand om barnen om du inte skickar med dem deras grejer?

Annika fick bita ihop käkarna hårt för att inte skrika.

Måndagarna var deras barnbytardag. De hade hand om Kalle och Ellen under veckan, hämtade och lämnade på dagis och fritids och fick sedan helgen att varva ner tillsammans med barnen. Sedan lämnade de dem på dagis och skolan på måndag morgon, och den andra hämtade på eftermiddagen. På så sätt slapp de träffas.

– Jag skickade inte med några vinterkläder, sa Annika, för Ellen har inga. De brann upp. Du får väl gå ut och köpa en ny overall till henne, och ett par rejäla vinterskor.

– Ska *jag?* Men det är ju du som får barnbidraget!

Annika blundade och lutade pannan i handflatan.

Gode Gud, giv mig styrka!

– Du kräver ju att få hela vårdnaden för bägge barnen, och då kan du väl ta lite jävla initiativ, för en enda jävla gångs skull...

Hon tryckte bort samtalet med pulsen hamrande i öronen.

Herregud vad jag hatar honom!

Thomas drev en rättsprocess för att få enskild vårdnad om

Ellen och Kalle. Han motsatte sig varje form av obevakat umgänge mellan henne och barnen, men hade gått med på bevakat umgänge varannan helg.

Det är bara för att han ska få gratis barnvakt ibland så att han kan gå på krogen med sin jävla knullis.

Thomas hävdade att Annikas våldsamma och kriminella förflutna gjorde henne fullständigt olämplig som vårdnadshavare, och misstankarna om att hon tuttat eld på deras gemensamma hem gjorde henne till en direkt livsfara för barnen.

Den första, inledande vårdnadsförhandlingen hade ägt rum i juli, i värsta sommarhettan, och hade varit en rejält obehaglig historia. Thomas hade varit aggressiv och arrogant och skrutit med sitt fina jobb på Justitiedepartementet till den milda grad att hans juridiska biträde blivit alldeles generad. Annikas advokat, en kvinna som hette Sandra Norén, hade lagt sin hand på hennes arm en kort sekund och släppt fram ett litet leende.

Det här är bara bra för oss!

Sandra Norén hade förklarat att Annika hade handlat i självförsvar den där gången för så många år sedan då hennes tidigare pojkvän förolyckats. Vad gällde anklagelserna om mordbrand så gränsade de till förtal. Faktum var att det var Annika som räddat barnen ur lågorna, eftersom Thomas Samuelsson redan lämnat familjen för att i stället tillbringa natten hos sin älskarinna.

Annika var den som tagit ut all föräldraledighet, förutom två veckor under fotbolls-VM för tre år sedan, och den som stannat hemma och vabbat nio gånger av tio.

Domaren hade fattat det interimistiska beslutet att vårdnaden skulle vara gemensam, och Annika och Thomas hade undvikit varandra sedan dess, också per telefon.

Hon stoppade tillbaka mobiltelefonen i bagen och satte sig till rätta vid datorn igen när hon mötte kvällsreporterns oförställt nyfikna blick.

Tjejen hade givetvis hört det korta och aggressiva samtalet.

– Är det något du vill prata om så får du gärna säga till, sa hon med lysande ögon.

– Tack, men nej tack, sa Annika och stirrade in i skärmen.

Nästa företag som David Lindholm varit involverad i hette Advice Investment Management AB.

Här står flosklerna på rad. Advice *och* investment *och* management, alltihop samtidigt, fantastiskt.

"Bolaget skall bedriva finansiell rådgivning och företagsutveckling och därmed förenlig verksamhet, dock ej sådan verksamhet som avses i lag om bankrörelser eller i lag om kreditaktiebolag", läste hon.

David hade varit suppleant också i den här firman. Där fanns även två ordinarie ledamöter, Lena Yvonne Nordin i Huddinge och Niklas Ernesto Zarco Martinez i Skärholmen.

Hon gjorde en personslagning på Lena Yvonne Nordin och såg att hon förekom i ytterligare två bolag, båda avregistrerade: ett städbolag i Skärholmen och ytterligare ett investmentföretag. Städbolaget hade hon drivit tillsammans med Niklas Ernesto Zarco Martinez och investmentföretaget med Arne Filip Göran Andersson.

Hon suckade och såg på klockan. Niklas Ernesto Zarco Martinez förekom inte i några andra bolag...

Irriterat sköt hon datorn ifrån sig.

Tänk om hon skulle äta någonting mer idag? Livet blev lite lättare att leva då.

Hon tog upp plånboken och kollade om hon hade några matkuponger, jajamensan.

– Ska vi göra sällis ner till matsalen? frågade reportertjejen.

Sällis?

Annika stoppade tillbaka matkupongerna.

– Jag tror jag tar något snabbt i automaten, sa hon och gick bort till de färdigförpackade mackorna.

Utan att hon visste var den kom ifrån så dök Stefan Demerts gamla slagdänga *SJ, SJ, gamle vän* upp i hennes hjärna, och hon befann sig i mormors kök i Lyckebo och hörde på transistorradion i fönsternischen, och flugorna surrade och det luktade kanelbullar.

Unna dig en kafferast
Här finns smörgåsar i plast
De har rest i många dar
Men ligger ännu kvar...

Hon valde en med ost och skinka och en väldigt trött tomatskiva.

Det sista företaget på David Lindholms lista hette B Holmberg Fastigheter i Nacka AB.

Bolaget var fortfarande aktivt och bedrev fastighetsförvaltning samt handel med värdepapper och därmed förenlig verksamhet.

Jahapp.

Det här är ganska tråkigt. Viktor Gabrielsson hade garanterat varit roligare.

Hon svalde en suck och gick igenom det sista företaget. David var suppleant här också, det var tydligen hans grej. Ledamot och verkställande direktör var Bertil Oskar Holmberg i Nacka.

Vänta nu, det här känner jag igen...

Jodå, det var samma gubbe som drivit den konkursade cateringfirman och alla de andra konstiga bolagen.

Hon tryckte ut databilderna, gick bort till skrivaren och väntade otåligt medan de spottades ut, samlade sedan ihop dem i en liten prydlig bunt.

Vad gör jag med det här nu då?

Kolla döda killen på parkeringen, kolla gubben med alla bolagen, kanske skriva ihop något om Davids komplexa personlighet...

Hon tittade på klockan igen, snart Rapport.

Kommer väl bara att vara en massa Gabrielsson.

Hon tvekade om hon skulle hämta en mugg med kaffe men avstod, hon skulle aldrig kunna somna. När hennes mobiltelefon plötsligt satte igång att ringa hoppade hon högt.

Dolt nummer.

Hon stoppade hörsnäckan i örat.

– De sa i receptionen att du hade sökt mig. Vad är det om?

En man, hon kände inte igen rösten.

– Vem är det jag talar med? frågade Annika.

– Vet du inte vem du söker? Christer Bure heter jag, polisinspektör på Södermalm.

Arrogant, skrev hon i sitt anteckningsblock.

– Så bra att du ringde tillbaka. Jag är alltså reporter på tidningen Kvällspressen och jag...

– Ja, jag vet vart jag ringde.

Hon tystnade och beslöt sig för att ignorera hans snorkighet.

– ...jag ska skriva om David Lindholm, som jag har förstått att du var god vän med.

– Det är korrekt uppfattat.

– Jag har förstått att ni hade ett företag ihop en gång i tiden. Kan du berätta om det?

Mannen i luren harklade sig myndigt.

– Finns inte mycket att säga. Vi skajdajvade och sålde och köpte grejer i anslutning kring det, riggar, fallskärmar, hjälmar, overaller och sådant, och viktbälten, cutters, bärremmar och andra typer av reservdelar. Och så höjdmätare och höjdvarnare förstås...

Mannen tystnade.

Skajdajvade? Från sky diving!

– Ni måste ha varit inbitna fallskärmshoppare, sa Annika artigt.

– Det var David som fick igång mig. Han var helt besatt, hoppade varenda ledig stund. Hade det inte varit för den där snedträffen i Luleå så hade han aldrig slutat.

– Snedträff?

– Svenska cupen, han freestylade och landade helt fel. Fick en fraktur på sjunde ryggkotan, ren tur att han inte hamnade i rullstol. Sedan var det kört med hoppandet.

– Hur tog han det?

– Hur han *tog* det? Hur fan tror du?

Blev bitter efter fallskärmsolycka? skrev Annika.

– David var ju väldigt engagerad i andra saker också, sa hon. Bland annat så var han övervakare, och förtroendeman...

– Ja, sa Christer Bure, David ville ju göra en insats utöver själva bovfångandet. Det är få killar som klarar att hålla den balansen.

Här kan vi ha en ingång.

– Var det här något som var viktigt för honom? frågade hon lätt.

– Självklart, annars hade han ju inte hållit på.

– Och han var engagerad i det här med övervakning ända till slutet?

Hon höll andan.

– Visst, sa Bure stadigt. Han träffade Filip Andersson bara några dagar innan han dog.

Filip Andersson? Vem är det? Borde jag veta det?

– Jaså, Filip Andersson, sa Annika och letade febrilt i minnet, *Filip Andersson, Filip Andersson...?*

– David gick in som förtroendeman så snart domen vunnit laga kraft. Han var nog den enda som verkligen trodde att Andersson var oskyldig. Det var så typiskt honom, att gå in och stötta någon som var så avskydd...

Ja just det, Filip Andersson, finansmannen som dömts för yxmorden på Sankt Paulsgatan. *Var David hans förtroendeman?*

– Hade han några andra uppdrag på slutet, vet du det?

– Varför undrar du det?

– Han var ju förtroendeman åt amerikanen på Tidaholm, han som råkade ut för den där olyckan...

– Den jäveln, sa Bure, honom gav David upp sedan han hamnat på Kumla, gick inte att ha med honom att göra längre.

Annika antecknade.

Amerikanen sitter på Kumla, tack för den!

– Det är en annan sak jag funderar över, sa hon. Du och David drev ert företag tillsammans med en man som hette Algot Heinrich Heimer...

– Ja...? sa Christer Bure, fundersam nu.

– Känner du till omständigheterna kring hans död?

Det blev tyst en stund på linjen.

– Död? sa Bure. Jag visste faktiskt inte att han var död. Det var tråkigt att höra. Hände det nyligen?

Han ljuger.

– Då ber jag så mycket om ursäkt, sa Annika. Jag menade inte att komma med ett dödsbud. Han blev skjuten den 9 februari i fjol, på en parkeringsplats i Norrköping...

– Vet jag inget om.

Hans ton var mycket kort, Annika insåg att hon hade mycket lite tid kvar innan Christer Bure skulle förlora tålamodet med henne.

– Jag har läst förundersökningarna i misshandelsåtalen mot David, skyndade hon sig att säga. Du vet, historierna med de unga männen för tjugo år sedan. Du var ju med.

Det blev tyst på linjen igen, Annika hörde hur det susade och knastrade.

– Hallå...?

– Vad fan är det här? Var har du grävt upp den där gamla skiten?

Annika svalde och kramade telefonsladden.

– Vilken är din uppfattning om saken?

– Det där var bara smutskastning, rent förtal från slöddret. David friades ju helt, åtalen ogillades.

Han har full koll på vad som hände.

– Var det här något du såg tecken på andra gånger?

– Vad? Att folk snackade skit? Varenda dag.

– Att David kunde vara våldsam?

– Hördu, nu tar det här samtalet en vändning som jag inte sympatiserar med. Vad vill du egentligen?

– Jag tycker det finns konstiga omständigheter...

– Du, om du är ute efter att skriva struntprat om David så är jag inte intresserad av att vara med. Tack och hej.

Han lade på i örat på Annika.

Hon beslöt sig för att hon behövde den där koppen kaffe, trots allt.

Sedan satte hon sig ner för att sätta ihop en artikel om Davids bakgrund. Att han haft uppdrag i olika bolag kunde hon ju skriva, att han fallskärmshoppat och skadat sig, att han varit förtroendeman för Filip Andersson och träffat honom några dagar före mordet var ju lite intressant, hon kunde faktiskt nämna att han varit anmäld och friad för misshandel också, om hon inte gick in på några detaljer.

Det blev en text av featurekaraktär, hon tyckte själv att den kändes hycklande och ganska inställsam.

Hon hade tagit med några uppgifter som Nina Hoffman givit henne när de träffades i somras, om att David ibland jobbat längre perioder utomlands. Hon hade lovat att berätta om hon någon gång skulle använda sig av dem.

Hon suckade lite och ringde till Nina Hoffmans mobil.

Polisen svarade direkt.

– Bara så att du vet, sa Annika, så skriver jag om David i tidningen i morgon. Jag nämner att han och Julia bodde utomlands ibland, bland annat i Estepona.

– Bara du inte nämner något om hans kriminella kontakter, sa Nina.

Annika hajade till.

– Vad menar du med det? sa hon.

– Det har du inte från mig, sa Nina.

Annika satte handflatan mot pannan och tänkte så det knakade, vad betydde det här?

– Det tänkte jag skriva om i morgon, sa hon. Om Algot Heinrich Heimer och Filip Andersson och…

Det blev tyst i luren.

– Hallå? sa hon. Nina?

– Min kollega kom precis in i bilen igen. Jag går av vid midnatt. Vi kan ses i morgon bitti. Jag ringer dig.

Polisen tryckte bort samtalet.

Det är något här, det finns något här.

Hon samlade ihop sina prylar, packade ihop datorn och stoppade ner alla utskrifter i en plastmapp.

– Ska du gå nu? sa kvällsreportern. Vad härligt för dig, här får jag sitta hela natten. Det har visst slutat snöa nu också, det var väl skönt, man får väl hoppas att vi får några fina dagar till innan det sätter igång på allvar…

Annika log mot den lilla tjejen.

– Ses i morgon, sa hon.

Lägenheten var svart och stum.

Annika stängde ytterdörren bakom sig, gick in i hallen utan att tända ljuset. Hon drog av sig stövlarna, hängde upp täckjackan.

Ställde sig i dörren in till stora rummet och tog in tystnaden.

I våningen på Kungsholmen hade Stockholms ljud sipprat in genom dragiga fönster och otäta ventiler, vibrerat och fortplantats genom stenväggar och centralvärmeledningar, bussarnas gnisslande bromsar och utryckningsfordonens sirener. Men här var det tyst, hit till den medeltida stadskärnan nådde inte den moderna ljudmassan.

Hon suckade och hörde ljudet studsa mellan väggarna.

Utan att tända belysningen gick hon vidare in i Ellens rum.

Samma dag som hon fått nycklarna till lägenheten hade hon åkt ut med barnen till Ikea i Kungens kurva och låtit dem välja nya möbler, precis vilka de ville, exakt med de kuddar och täcken de ville ha.

Allt i Ellens rum var rosa. Även i det gråsvarta vinterljuset lyste överkastet och sammetskuddarna ljusröda.

Hon strök med handen över sänggaveln.

Tomhet, tomhet...

Med hål i bröstet gick hon in till pojkens rum. På dagen var allting blått, i nattens mörker becksvart.

Hon sjönk ner på Kalles säng. Han hade glömt att ta med sig Chicken i morse, och hon tog upp gosedjuret i famnen, hans nya favorit som var precis likadan som det som brann upp, den här Chicken bara luktade lite annorlunda. Hon drog in hans doft, den nya rena antiseptiska lukten som ännu inte hade hunnit utraderas av sängvärme och febersvettningar.

Jag borde diska, men jag orkar inte.

Genom dörröppningen såg hon ut i stora rummet, anade värmen från elementen, lyssnade till viskningarna i hörnen.

Ensam, ensam...

Med tystnaden ringande i öronen och längtan efter tillhörighet som en tagg i bröstet kröp hon ihop ovanpå pojkens säng med tygkycklingen intill sig. Ändå fanns en glädje någonstans, en frihet som väntade på henne i de mörka rummen utan att kräva något av henne.

Hon kände sömnen dra in som slöjor, lät sig vaggas bort.

Ljudet från mobiltelefonen kom långt bortifrån och rev sönder stillheten, fick henne att sätta sig käpprak upp. Chicken åkte ner på golvet. Var hade hon lagt telefonen?

Hon vacklade genom stora rummet och ut i hallen.

Dolt nummer, skit också. Måste vara tidningen.

Hon svarade och möttes av en massiv ljudmassa, skrål och musik och röster.

– Annika? Är det du?

Mållös sjönk hon ner på golvet.

– Du, hej, det är jag, Thomas.

Han var på krogen, ett riktigt stökigt ställe.

– Hej, sa hon ut i mörkret.

– Alltså, sa han, jag har lagt undan två overaller. Till Ellen. På Åhléns. En mörkblå och en rosa. Vilken tycker du vi ska ta?

Han sluddrade, ganska rejält.

– Var är barnen? frågade hon.

– Sover. Jag tar en öl med Arnold…

– Vem är med barnen?

– Sophia är hemma, så du…

– Om du vill gå ut så kan jag ta hand om barnen, sa hon.

Han tystnade. Diskomusiken dunkade i bakgrunden. En kvinna gapskrattade.

– Jag vill inte vara osams med dig, sa han.

Hon var tvungen att andas med öppen mun för att få luft.

Du ringer mig från krogen när du är full. Har du redan tröttnat på henne?

– Inte jag heller, sa hon.

– Hur ska vi göra med overallen?

Varför ringer du till mig? Vad vill du egentligen?

– Vad tycker du?

– Du vill ju alltid att man ska tänka på det här med flickor. Och pojkar. Det kanske inte är så bra med rosa? Tänkte jag…

– Vilken vill Ellen ha?

– Den rosa.

– Men ta den då.

– Tycker du det?

Hon fick svälja hårt för att trycka undan tårarna.

Ring mig inte så här. Aldrig mer. Jag ser botten på min ensamhet, och det svindlar.

– Låt henne bestämma. Det är inte så viktigt med färgen.

– Okey. Hej då.

– Hej då.

Ingen av dem lade på. Musiken dunkade. Kvinnan hade slutat skratta.

– Annika?

– Ja?

– Menar du det? Kan du ta hand om ungarna om jag går ut någon kväll?

Hon svalde.

Lägg på! Låt mig vara i fred! Du river sönder mig.

– Visst.

– Hej då.

– Hej då.

Och nu tryckte hon bort samtalet och lade ner telefonen i väskan och drog upp knäna under hakan, och någonstans långt inne i bröstet kände hon sig egendomligt upprymd och bekräftad.

NINA HOFFMANS LÄGENHET LÅG på Södermannagatan, inte särskilt långt från Folkungagatan. Trafiken från genomfartsgatan brusade hårt och slog mellan fasaderna, Annika fick hejda en impuls att hålla för öronen.

Huset var från tjugotalet, ljusbrunt och med den karaktäristiska slutna fasaden, fönstren små och spröjsade. Lägenheterna brukade vara trånga och mörka.

Hon gick in i trapphuset. När porten gick igen försvann trafikbruset som genom ett mirakel. Hon studerade namnskyltarna, Nina bodde på andra våningen.

Annika tog trapporna, stannade vid N Hoffman och ringde på.

Polisen hade klippt sig. Hon hade samma gråa munkjacka som senast de träffades, den där regniga lördagen i juni då hon varit så uppriven över hur Julia behandlats.

– Vill du ha kaffe? frågade hon och Annika nickade.

Det var verkligen en mörk lägenhet, en etta med kokvrå som vette mot gården. Rummet var dock ganska stort, med slipat trägolv och bekväma möbler.

Hon tog av sig skorna och ytterkläderna i hallen.

Nina måste ha haft kaffet färdigt, för hon kom ut i vardagsrummet med en termos och två muggar som hon ställde ner på matbordet. Annika räckte henne dagens upplaga av Kvällspressen.

– Artikeln om David är på sidan elva, sa hon.

Nina tog emot tidningen och sjönk ner på en stol, Annika hällde upp kaffe i bägge muggarna. Satte sig och drack, drycken var het. Nina läste under tystnad. Sedan lade hon ihop tidningen och såg upp på Annika.

– Det här var inte särskilt smart, sa hon.

Annika drog ett djupt andetag och ryckte på axlarna.

– Okey, sa hon. Vad är det som är fel?

– Jag tror att du ska hålla dig borta från den här delen av Davids förflutna. Skälen att han ibland behövde vistas utomlands var för att folk var efter honom. De uppskattar inte att bli påminda om det.

– Och med "de" så menar du vad? Olika kriminella grupperingar?

Nina tittade ner i sin kaffemugg utan att röra den.

– Folk som David hade satt dit? fortsatte Annika. Kriminella personer som han spöat upp, eller deras familjer och affärskompanjoner?

– Jag förstår inte vad det här har med saken att göra, sa Nina och sköt muggen ifrån sig. David är död, och Julia kommer att dömas för mordet.

Hon böjde sig framåt.

– Jag säger det här som en tjänst. Allt är inte vad det ser ut att vara. Människor har dolda agendor. Du tittar på David Lindholm och ser en korrupt polis med stenhård fasad, men du vet ingenting om hans bakgrund. Hans mamma kom till Sverige med de vita bussarna efter nazisternas kapitulation, den enda överlevande från sin släkt. Hon var sexton år när hon kom och hon var sjuk redan då, hon har suttit på ett vårdhem sedan David var tonåring. Var inte så snabb att döma.

Annika rätade på ryggen.

– Jag dömer inte, tvärtom. Jag tror det finns en möjlighet att Julia är oskyldig. Det verkar finnas en massa andra människor där ute som hade motiv att mörda David, och dem har man inte undersökt...

– Vad vet du om det?

Svaret var kort och mycket tvärt.

Annika drack lite kaffe, såg ner i bordet och kände sig dum.

– Du har väl inte en aning om vad polisen har utrett eller inte? sa Nina. Du vet ju inte ens vad den rättspsykiatriska undersökningen kom fram till?

– Nej, sa Annika, men så sjuk var hon väl inte, för hon kan ju dömas till fängelse...

Nina reste sig upp.

– Det kallas dissociativ identitetsstörning, eller multipla personligheter.

Annika kände håret resa sig i nacken.

– Som Sybil, den där kvinnan som skrev en bok, sa Annika. De tror hon är personlighetskluven.

– RPU-n förklarar hennes förträngning med en tillfällig sinnesförvirring där hon tagit sig rollen av en annan person, den andra kvinnan.

Nina tittade ut på bakgården.

– Jag blev polis för att jag ville hjälpa människor, sa hon. Ibland tror jag att Julia följde med mig för att hon inte hade något bättre för sig. Egentligen hade hon nog kanske hellre gjort något annat, gått socialhögskolan eller blivit lärare, eller kanske konstnär...

Hon tystnade, Annika väntade.

– Jag undrar hela tiden om det var något jag hade kunnat göra annorlunda, fortsatte Nina. Vad det var jag missade, varför jag inte räckte till...

– Kan det ha funnits någon annan kvinna i lägenheten?

Nina skakade på huvudet.

– Allt pekar på Julia. Det jag inte begriper är varför hon fortsätter att hålla tyst. Nu kan hon ju berätta vad som egentligen hände mellan henne och David. Inte för att det ändrar något i sakfrågan, men folk skulle åtminstone få lite förståelse...

Annika såg ner på sina händer.

– Mitt hus brann ju ner i somras, sa hon. Jag vet att polisen utreder om det var jag som gjorde det. De tror att jag är skyldig, men de har inga bevis för då skulle jag ju vara häktad, fast jag vet ju att jag inte gjorde det.

Hon såg upp på Nina som vänt sig om och granskade henne klarögt.

– Tänk om Julia verkligen är oskyldig, sa hon. Tänk om det faktiskt var en annan kvinna där. Kan du tänka dig något lika överjävligt?

– Det där är utrett, sa Nina. Det fanns ingen annan där.

– Visst, sa Annika, men *tänk om*...

Nina gick fram till bordet, lade bägge händerna på skivan och lutade sig framåt.

– Blanda inte ihop dig själv med någon annan, sa hon lågt och eftertryckligt. Du må vara oskyldig, men det innebär inte att Julia är det. Julia har varit sjuk, men hon är bättre nu och kommer att dömas till fängelse under mycket lång tid. Så är det.

– Men varför gjorde hon det? frågade Annika.

Nina satte sig ner.

– Något hände på slutet, sa hon sedan. Julia berättade aldrig vad det var, men hon var väldigt rädd och orolig. Hon lade på när jag ringde, ville inte träffas. Jag var rejält bekymrad över hennes sinnesstämning, men jag trodde aldrig att hon skulle... Att hon kunde...

Orden tog slut, Nina Hoffman tog en klunk kallt kaffe och grimaserade.

– Okey, sa Annika långsamt. Om jag uppfattat saken rätt så

är det så här: David hade fiender i kriminella kretsar. Han behöll kontakten med en del av dem genom att fungera som övervakare och förtroendeman, han satt i styrelsen för flera olika bolag...

Nina tittade upp.

– Det visste du inte? sa Annika. Minst fyra bolag satt han i, är det vanligt att poliser gör det?

Nina tittade på klockan.

– Jag måste gå, sa hon. Hade tänkt hinna träna.

– Jag har ett fackklubbsmöte, sa Annika och såg på sitt eget armbandsur. Bara en sak till: Pratade David någonsin om yxmorden på Sankt Paulsgatan?

Nina tog med sig muggarna ut till kokvrån.

– Varför undrar du det?

Annika rev sig i håret.

– Han var förtroendeman åt Filip Andersson, finansmannen som dömdes för morden. Enligt Christer Bure så trodde han att Andersson var oskyldig. Varför trodde han det?

Nina kom fram till Annika och ställde sig alldeles intill henne.

– David älskade verkligen Julia och Alexander, sa Nina. Han var en störd man med ett sjukt beteendemönster, men Julia och Alexander var de enda människor han verkligen brydde sig om.

– Visste David något om yxmorden som ingen annan kände till? frågade Annika.

Nina drog på sig en duffel, lyfte upp en gymbag på axeln och gick mot dörren.

Fackmötet började om en kvart, Annika skulle oundvikligen komma för sent.

Hon gick längs Folkungagatan och kände att hon inte orkade skynda sig, hon rörde sig i kvicksand och det spelade ingen roll.

Hela världen hade samma färg som bly. Hon blev inte kvitt

den vaga känslan av overklighet som omgav henne allt oftare. Människor svävade förbi henne, flöt omkring som ogripbara skuggor, deras ansikten hade så stela uttryck och tomma munnar, hon undrade om de levde eller bara låtsades.

Hon hade vaknat i morse utan att veta var hon befann sig. Ljuset hade fallit in över hennes säng i stora rummet, grått och massivt, hade gjort det svårt att få luft.

Fem månader hade hon bott där, genom en sommar på Västerlånggatan i Gamla stan, med turisternas tappade glasstrutar i porten och gatumusikanternas falska versioner av Streets of London utanför fönstret tills hon ville kräkas.

Hon visste att hon borde ha vant sig, men hon förstod var felet låg.

Det var tiden som var problemet, tiden som plötsligt flödade omkring henne, hur mycket tid som helst, dag som kväll som natt.

Hålet efter barnen, tänkte hon, eoner som kunde brukas till något angeläget, så mycket ansvar som bara försvann och ersattes av strömmar av luktlös och färglös *tid.*

Hon visste inte vad hon skulle göra av den.

Veckorna utan barnen hade varit ett tillstånd av fritt fall utan referensramar, av minuter och timmar av skriande tomhet.

Berit hade haft semester och åkt och hälsat på sina barn tillsammans med Thord, så henne hade hon inte kunnat umgås med.

Hennes mamma hade hört av sig när hennes lillasyster fyllt 30 och frågat varför hon inte kommit och uppvaktat, Annika hade svarat att hon jobbat och inte kunnat komma ifrån. Det var en ren lögn, vilket modern utgick ifrån och omedelbart anklagade henne för.

Anne Snapphane hade hört av sig via mejl några gånger, med förvirrade och aggressiva anklagelser som gick i samma banor som de saker hon sagt den kvällen huset brunnit ner: att Anne hade givit upp sitt eget liv för att bara stödja Annika, att hon inte låtit sig själv ta någon plats, att hon låtit Annikas dåliga äktenskap förstöra hennes egen relation med Mehmet, att hon kommit fram till att hon alltid backat och därför nu måste börja *ta för sig och leva sitt bästa liv...*

Annika hade inte svarat, antog att allt hon sa skulle bli bränsle på brasan.

Lösningen hade blivit jobbet.

Varje dag *utan barnen,* i den nya, luktlösa verkligheten, hade hon jobbat från det att hon klev upp tills hon stupade i säng.

Det hade inte resulterat i särskilt många artiklar. Tidsflöden tog så mycket kraft att behärska.

Och nu ringde Thomas på natten från krogen och rubbade alla referensramar.

Hon tittade på klockan.

Eva-Britt Qvists stora fackmöte hade börjat, stämman om *deras gemensamma framtid.*

Hon stannade till på trottoaren och blundade mot gråheten. Människorna fortsatte att forsa förbi henne, framifrån och bakifrån, de stötte till henne och mumlade ursäkter och trampade på hennes fötter.

En hållpunkt, något att hålla sig fast vid, en form och en färg i allt det tomma.

Runt dagreporterbordet var det svart av folk. Annika såg Eva-Britt Qvists spretiga frisyr sticka upp i mitten av klungan och antog att fackklubbsordföranden ställt sig upp på bordet för att mana fram lite gammal god sextioåttastämning.

– Det här handlar om solidaritet, sa hon med en röst som låg på gränsen till att krackelera.

Annika ställde sig vid nyhetsdesken och lade upp sin bag på

Spikens skrivbord.

– Har de hållit på länge? frågade hon lågt.

– En jävla evighet, sa nyhetschefen utan att titta upp från sin dagstidning, Norrbottens-Kuriren, noterade hon.

– Vi måste ställa upp för varandra! ropade Eva-Britt Qvist. Nu är det inte solisternas tidevarv, utan hela orkesterns.

Spridda applåder.

– Visst använder de den metaforen varje gång? sa Annika och öppnade en Ramlösa som stod och skräpade på desken.

Spiken stönade och vände blad i tidningen.

– Om vi går med på tidningsledningens krav att frångå las-listan så kommer arbetsgivaren att kunna sparka och avskeda fullständigt godtyckligt. Vi kan inte låta ledningen få sin vilja fram, vi måste hålla ihop här...

– Vad exakt är det tidningen vill? frågade Annika och tog en klunk ur burken.

– Att folk ska jobba och hålla käften, sa Spiken och knölade ner Norrbottens-Kuriren i pappersåtervinningen.

– Som vi har slitit för den här tidningen! Som vi har bevisat vårt engagemang, igen och igen och igen! Genom omgörningar och webbsatsningar och nedskärningar, alltsammans har vi stått ut med och bara kämpat vidare, känt vårt ansvar gentemot läsarna...

Ett gillande mummel hördes från fackklubbsmedlemmarna.

– Vi måste visa att vi står enade i kampen mot ledningen och deras snöda vinningstänkande. Vi måste visa på kraftfulla mot-åtgärder. Därför föreslår vi från facket idag en gemensam och kollektiv stridsåtgärd för att visa cheferna att vi menar allvar. Vi sjukskriver oss!

Annika satte mineralvattnet i halsen.

Sjukskriver oss?!

Hon stirrade på Eva-Britt Qvist som sträckt armarna mot taket som om hon förväntade sig dånande jubelrop.

– Sjukskriver oss? sa Annika. Är hon inte klok?

Hon ställde ifrån sig vattnet på Spikens skrivbord.

– Vi ska visa dem vad som händer när ingen av oss kommer till jobbet. Vi ska minsann få dem att förstå vilka konsekvenser det får när man vägrar att lyssna på medarbetarna...

– Jamen alltså, sa Annika, nu är hon ju ute och cyklar.

En ung tjej i kavaj vände sig om och hyssjade irriterat åt henne, hon såg att det var reporter-Ronja, den gnälliga vikarien.

– Vad? sa Annika. Tycker du det är okey med massjukskrivningar?

Ronja vände ryggen till och lade armarna i kors.

– Men svara då, sa Annika. Tycker du det är okey att utnyttja socialförsäkringssystemen för att hämnas på arbetsgivaren?

Det hade blivit alldeles tyst runt omkring dem, Annikas sista ord studsade in bland fackklubbsmedlemmarna.

Eva-Britt Qvist hade kommit av sig där uppe på sitt bord, hon letade med blicken över folkhopen tills hon fick syn på Annika, höjde ena armen och riktade ett darrande pekfinger mot henne.

– Hade du något att tillägga? sa hon indignerat.

Alla vände sig om mot Annika, hon märkte att pulsen gick upp men ryckte på axlarna.

– Att sjukskriva sig är ingen stridsåtgärd, sa hon. Att utnyttja försäkringskassan på det sättet är ett lagbrott, faktiskt. Osant intygande.

Två röda fläckar hade slagit ut på Eva-Britts kinder.

– Solidaritet, ropade hon. Vet du vad det är?

Annika skruvade på sig, kände kollegornas blickar bränna.

– Tja, sa hon, var är vår solidaritet med alla sjuka människor om vi använder deras pengar för att jävlas med Anders Schyman?

– Solidaritet är när man inordnar sig i kollektivet, skrek Eva-Britt Qvist. Det är när man ser till något större än sig själv, men det har du aldrig gjort!

Med ens blev Annika fullkomligt rosenrasande. Här stod den jävla subban på ett fackmöte och pekade finger åt henne inför hela redaktionen. Hon tog ett par steg in bland kollegorna och kände halsen bli tjock.

Bli inte patetisk nu, börja för fan inte lipa.

– Nämen, sa vikarie-Emil som hamnat alldeles intill henne, man måste väl få diskutera. Det här är väl ett möte.

– Alla måste samarbeta, skrek Eva-Britt Qvist. Det har vi kommit överens om!

Annika tittade förvånat på den lille reportern bredvid sig, har man sett på fasen! En vikarie med civilkurage.

– Vem har kommit överens om vad? sa Annika och vände sig mot fackbossen. Du och vem mer? Vi då, vi som är dina medlemmar?

– Annika har ju faktiskt rätt, hörde hon någon säga bakom sig.

– Det här är en samlad aktion! ropade fackklubbsordföranden. Vi måste visa sammanhållning för att få igenom våra krav.

– Att sparka folk enligt las-listan? sa Annika. Varför är just den så rättvis?

– Exakt! hojtade Patrik Nilsson.

Folk rörde på sig, livligare nu.

– Vi måste hålla ihop! skrek Eva-Britt Qvist och nu hade rösten spruckit ordentligt.

– Så att du får behålla jobbet, ropade någon på andra sidan. Men vi då?

– Ja, just det, vi då?

Annika backade några steg, rundade Ronja och tog sin bag från nyhetsdesken. Ljudnivån steg så att hon inte längre kunde uppfatta fackordförandens kraxanden.

Det skulle ta tid innan hon kunde sätta sig och jobba vid dagreporterbordet.

Anders Schyman såg Annika Bengtzon gräva upp en lunch-
kupong ur plånboken och försvinna bort mot personalmatsalen.

Han satt i en tom radiostudio och följde fackklubbsmötet ge-
nom den öppna dörren.

Eva-Britt Qvist var en större katastrof som fackklubbsord-
förande än han kunnat föreställa sig, och det ville inte säga lite.

Hon är inte värd att ta strid för.

Han mindes vilket oherrans liv det blivit när en av smålands-
tidningarna försökte bli kvitt en omöjlig fackpamp för några
år sedan. Karln hade gjort sig helt omöjlig på sin arbetsplats.
Han obstruerade om allting, arbetsvägrade konsekvent med
hänvisning till förnedrande uppdrag, hävdade att han höll på
med undersökande journalistik när han i själva verket bara porr-
surfade, och när han insåg att han höll på att få sparken såg
han till att bli fackbas på tidningen. Redaktionsledningen för-
sökte ändå bli av med honom, vilket resulterade i att hela den
svenska fackföreningsrörelsen ställde sig bakom den odugliga
reportern. Det slutade med att han anställdes som ombudsman
på Journalistförbundets huvudkontor på Vasagatan. Hela medie-
sverige jublade, vilken seger!

Att karln slutade tre månader senare, när hans vikariat gick ut,
var det ingen som noterade, utom styrelsen i Tidningsutgivarna.
Idag körde han taxi i Sundbyberg.

*Spel för galleriet. Det är så det fungerar. Låt dem få sina rubri-
ker.*

Nu hade de haft sitt stormöte. Nu var massorna uppviglade.
Nu var det dags för honom att komma med eftergifter.

Han sträckte på benen.

Mötet hade varit intressant. Det hade utkristalliserats ett par
rebeller han inte kände till sedan tidigare. Att Annika Bengtzon
skulle opponera sig mot Qvists dumheter hade han tagit för själv-
klart. Dels tålde hon inte sin gamla redaktionssekreterare, dels

reagerade hon instinktivt på regelbrott (såvida de inte begicks av henne själv eller någon henne närstående, då var de helt i sin ordning).

En fördel med Eva-Britt Qvist, ur hans synvinkel, var förstås att hon var kvinna. Hon skulle aldrig få samma pondus som en man. Hennes misslyckande skulle ses som hennes personliga nederlag, ingen skugga skulle falla på resten av fackklubbsstyrelsen.

Hon kommer att bli lätt att omplacera när det här är över. Ingen kommer att ta strid för henne.

Efter en lång rad lokala förhandlingar hade han och Eva-Britt Qvist kommit fram till ett ramverk som gällde inför nedskärningarna. Enligt avtalet, undertecknat av fackklubbsordföranden, så undantogs tidningens redaktionsledning från alla former av arbetsmarknadslagar och turordningslistor. Allt annat var orealistiskt, hade Schyman hävdat, och hon hade snabbt givit med sig.

Kanske räknade hon med att själv snart vara med där.

Inga reservationer hade formulerats, inga preciseringar om vilken typ av ledningsgrupper som åsyftades, inga undantag alls.

Den där nya killen, Emil, och så Patrik. De där unga grabbarna på webben, och tjejerna på nöjet.

Alla skulle ryka enligt fackets lista.

Han satt kvar och såg ut över klungan av redaktionsanställda som långsamt rörde sig i allt mindre grupper för att sedan lösas upp och försvinna iväg, var och en till sitt.

Chefredaktören reste sig upp och gick mot sitt rum.

Det här kommer att bli tidningen med världens största redaktionsledning.

Kaffemuggarna, Colaburkarna och apelsinskalen låg i drivor på dagreporterbordet. Annika vräkte ner skräpet från ett av borden i en stor kartong för pappersåtervinning och blockerade med viljestyrka det övriga skräpet ur sitt synfält. Hon packade upp datorn, loggade in sig. Plockade upp sina papper från kvällen före, anteckningarna om samtalen hon ringt, utskrifterna med uppgifterna hon fått fram.

Frågan var om detta någonsin gick att använda.

Där var alla människorna i de olika bolagen, 45-åringen som skjutits på parkeringen i Norrköping, den livstidsdömde amerikanen som försvann från Tidaholm efter en olycka...

Hon dröjde vid anteckningarna från samtalet med centralvakten på Tidaholmsfängelset. Vakten hade sagt att David Lindholm varit den livstidsdömde amerikanens *förtroendeman.*

Förtroendemän var kontaktpersoner för livstidsdömda, en sorts övervakarnas aristokrati.

Vilka andra brottslingar hade David Lindholm officiell kontakt med? Hur får man reda på det? Är sådant allmänna handlingar?

Hon kunde inte erinra sig att hon stött på frågeställningen förut.

Hon skrev www.kvv.se i Explorers menyrad, kollade Kriminalvårdsverkets kontaktuppgifter, tog telefonen, slog numret till Norrköping och blev kopplad till en verksjurist som hade koll på offentlighetsprincipen.

– Frågan omfattas av sekretesslagen inom kriminalvården, sa juristen. Det här handlar om den enskildes personliga förhållande. Uppgifterna är alltså inte offentliga.

– Kan de lämnas ut? undrade Annika.

Juristen tvekade.

– Ja, det är möjligt. Får vi in en förfrågan så prövas den i vanlig ordning.

– Var?

– Här, på huvudkontoret. Vi har tillgång till alla uppgifter.

– Så du tror att man kan få reda på om någon varit övervakare, och åt vem?

Juristen resonerade högt för sig själv.

– Vi kan inte lämna ut uppgifter som kan skada den enskilde. Fast informationen att man fungerar som övervakare kan ju knappast anses vara till men för någon. Däremot kan det ju vara känsligare att man har suttit i fängelse och har övervakare. Vi får bedöma saken från fall till fall.

– Utmärkt, sa Annika. Jag skulle vilja ha en sådan uppgift prövad. Hur lång tid tar det att få svar, och av vem?

– Sådana beslut tar vi på tjänstemannanivå, det borde gå ganska fort. Du får svar inom några dagar.

Jag vill ha svar NU!

Annika fick hennes mejladress, tackade och lade på.

Skrev sedan ihop en snabb begäran att få ta del av vem David Lindholm varit övervakare och/eller förtroendeman åt, så långt tillbaka som det var möjligt att kontrollera saken.

Suckade sedan och sköt datorn ifrån sig.

Ojojoj, vad jag trampar vatten.

Bakom sig hörde hon Patrik Nilsson diskutera något med Spiken i extremt upptrissat tonläge, något om den hemförlovade polismördaren förstås.

– Det är en jävla skandal, tjöt reportern.

Spiken mumlade något.

– Min källa är bombsäker: Regeringen gav jänkarna något i utbyte mot Gabrielsson. Vi måste ta reda på vad det är. En razzia mot fildelare? Landningstillstånd på Bromma för CIA?

Annika reste sig upp, orkade inte höra mer.

Kära söta Ägarfamilj, gör pinan kort och avskeda dem som avskedas bör så att vi får lite jävla arbetsro.

Hon gick bort till kaffeautomaten och tog en svart, plus styrka, minus socker och minus mjölk. Stod kvar och fingrade på plastmuggen vid ett av kaféborden och funderade på Julia Lindholms sjukdomsdiagnos.

Multipla personligheter. Låter som en dålig film.

Nästan alla mördare nuförtiden hävdade ju att de var psykiskt instabila på ett eller annat sätt. Om de inte hörde röster så gick de på anabola steroider eller hävdade dålig potträning och trasiga leksaker under barndomen. Det var synd om de arbetslösa för att de inte hade jobb, synd om dem som hade jobb för de blev utbrända, synd om de unga som ännu inte fått några chanser och synd om de gamla som aldrig tagit vara på sina.

Hustrumördarna mådde så klart alltid *jättedåligt* eftersom de inte fått bestämma över sin kvinna, inte fått knulla när de ville och inte fått styra vem hon skulle prata med. Allt som oftast tog tingsrätterna hänsyn till de stackars kvinnoplågarna, kunde skriva sida upp och sida ner i domskälen över varför man skulle döma dem så lindrigt som möjligt, och samtidigt hade man inte ens rätt namn på mordoffren. Annika hade upptäckt det flera gånger. De mördade kvinnorna kallades Lundberg och Lundgren och Berglund i en enda röra medan den stackars mördaren, som ju slog ihjäl kvinnan på ett fint och humant sätt, dömdes till lagens lindrigaste straff eftersom han var så ledsen för att hon gjort slut. Tio år på någon lokal anstalt med kor och gräsmattor och sedan ute igen efter sex och ett halvt.

Och nu påstods Julia vara personlighetskluven på samma sätt som kvinnan i den där gamla amerikanska bestsellern.

Hur synd är det om henne?

Blev det inte en film också, om Sybil?

Hon slängde kaffet halvdrucket och gick tillbaka till sin plats. Patrik Nilsson hade lämnat desken och satt och hamrade frenetiskt på sin dator borta vid krimredaktionen, hon drog en suck av lättnad.

Hon googlade igen, jodå, Sybil var både en roman och en tv-film som berättade den sanna historien om en ung kvinna som plågades så hemskt under sin barndom att hon utvecklade sexton olika personligheter. "Sybil", som egentligen hette Shirley Ardell Mason, led som ung av nervsammanbrott och långa blackouter. Efter att hon börjat gå i terapi med hypnos och psykofarmaka hos psykiatrikern Cornelia B. Wilbur visade det sig att minnesförlusterna berodde på att någon av hennes andra personligheter tagit över hennes kropp och gjort en massa saker som hon inte kom ihåg.

Var det så för Julia? Att en "annan kvinna" tog över hennes kropp utan att hon "själv" var medveten om det?

Hon hittade sajten *Dissociativ personlighetsstörning* och läste där att två olika personligheter kunde förneka varandra eller stöta bort varandra, samtidigt som båda identifierade samma kropp som sin egen.

Gud vad skumt! Tänk vad den mänskliga hjärnan är förmögen till!

"Personen kommer då, beroende på situationen, att växla mellan de olika personligheterna och var och en minns inte vad den andra haft för sig. I andra fall är gapet emellan inte lika stort och personen kan vara medveten om sina olika personligheter men har ett komplicerat förhållande till dem."

Så Julia kunde veta om den andra kvinnan? Det var faktiskt möjligt?

Hon klickade vidare.

"Äkta" personlighetsklyvning var extremt ovanligt, läste hon. Totalt fanns ungefär ett tusen kända fall i hela världen.

Man skulle inte förväxla multipla personligheter med schizofreni, vilket ofta skedde.

"En orsak till det missförståndet kan vara att ordet schizofren ordagrant betyder 'splittrat sinne'. Detta speglar dock förändringar i associationsförlopp och logisk uppfattning. En schizofren människa har bara EN personlighet, men hans eller hennes tankar och handlingar kan ofta vara mycket oorganiserade..."

Hon tog upp en penna och tuggade på den.

Det här borde hon kunna skriva. Det enda hon behövde var ytterligare en källa som bekräftade det som Nina sagt om RPU-n.

Vem skulle kunna försäga sig?

Advokaten! Han verkade inte tillhöra begåvningsreserven.

Hon slog upp hans namn och nummer igen, Mats Lennström på juristbyrån Kvarnstenen.

– Advokat Lennström är i rätten till sent i eftermiddag, kvitterade sekreteraren.

Hon lade på och ringde åklagarmyndigheten, Angela Nilsson var inte tillgänglig. Hon ringde Rättsmedicinalverket och fick beskedet att man inte kommenterade sina utredningar.

Återstod Q, men honom ville hon inte prata med.

Skit också. Varför kunde inte Lennström vara inne?

Hon böjde sig över datorn och funderade.

Vem skulle kunna skvallra för henne?

Om Julia, och om David?

Fanns det någon som inte hade intresse av att skydda David Lindholm?

De svikna. De som hängdes ut. De som fick livstid för att de litade på honom.

Namn, tänkte hon. Måste ha deras namn och var de sitter.

Hon spaltade upp dem på ett papper.

Amerikanen som råkade ut för något på Tidaholm: flyttades till Kumla.

Pappan som tagit gisslan på ett dagis i Malmö: sitter på Kumla.

Yxmördaren från Södermalm, finansmannen Filip Andersson: finns också i Kumla.

Man kanske skulle ta en tur till Närke framöver, hälsa på några kriminella. Men vad sjutton heter amerikanen?

Hon hade namnet på mannen i Malmö, Ahmed Muhammed

Svensson, jo, han hette faktiskt så. Namnet framgick i domen hon fått faxad till sig.

Hur fasen hittar jag amerikanen?

Hon tog upp penna och papper och började skissa. Vad visste hon egentligen?

Han var amerikan och han var dömd till livstid.

Det gjorde urvalet så begränsat att han borde gå att identifiera. Antalet livstidsfångar uppgick för tillfället till 164 personer, varav 159 var män. Inte särskilt många av dessa kunde vara amerikanska medborgare. Eftersom han var dömd av svenskt rättsväsende så fanns han i offentliga register.

Det gäller att hitta domen. Vad kan han vara dömd för?

Det måste antingen ha varit mord, människorov, mordbrand, grov allmänfarlig ödeläggelse, grovt sabotage av något slag eller grovt spridande av gift eller smitta...

Hennes blick stannade på den tredje brottsrubriceringen.

Mordbrand.

Hon hörde Q:s kalla röst eka i bröstet.

Branden var anlagd och någon hade uppsåt att starta den. Du står överst på listan av icke formellt misstänkta.

Hon var tvungen att gå en kort sväng på redaktionen för att få luft.

Resten av brotten som innebar livstids fängelse kunde knappast en amerikan dömas för, inte i Sverige i fredstid.

Hon släppte pennan och kollade upp dem på nätet för säkerhets skull: anstiftan till myteri, uppror, högförräderi, trolöshet vid förhandling med främmande makt, egenmäktighet vid förhandling med främmande makt, grovt spioneri, grovt lydnadsbrott, grov rymning, undergrävande av stridsviljan, försummande av krigsförberedelse, obehörig kapitulation, stridsförsumlighet, landsförräderi, grovt folkrättsbrott, grov olovlig befattning med kemiska vapen, grov olovlig befattning med minor och grov olovlig kärnsprängning.

Olovlig befattning med minor? Herregud.

Hon suckade.

Vid vilken tingsrätt? Det fanns tiotals, enbart i Stockholm. Säkert ett hundratal i hela landet. Var skulle hon börja?

Hon slog upp Stockholms tingsrätt med alla dess avdelningar. Stannade upp med fingrarna på tangentbordet.

Får man livstid så överklagar man.

Alltså borde hans mål ha varit uppe i någon hovrätt.

Det fanns bara sex sådana: Göta och Svea hovrätt, hovrätten för Övre och Nedre Norrland, för Västra Sverige och för Skåne/Blekinge.

Hon tittade på klockan, de brukade hålla växeln öppen till fyra.

Började söderifrån och arbetade sig uppåt.

Hon sökte en dom, en amerikan som fått livstid, troligtvis för mord.

Vid sjätte och sista försöket, hovrätten för Övre Norrland på Storgatan i Umeå, hamnade hon hos en hjälpsam grabb i arkivet.

– Det låter som Stevens, sa grabben.

Minuten senare faxade han domen mot Michael Harold Stevens.

Annika bläddrade snabbt fram till domslutet och visslade till, *inget dåligt syndaregister.*

Amerikanen var dömd för mord, grov misshandel, människorov, försök till utpressning, allmänfarlig ödeläggelse, övergrepp i rättssak och brott mot vapenlagen.

Låter som en torped som åkt dit riktigt ordentligt.

Hon bläddrade igenom dokumenten, trettioåtta sidor.

Jo, ungefär så var det.

Michael Harold Stevens hade erkänt att han sprängt en bil i

luften i ett grustag utanför Skellefteå, därav den allmänfarliga ödeläggelsen. Inuti bilen satt en 33-årig man som dog av explosionen, därav mordet. Han hade tvingat in en annan man (en 32-åring) i en bil (människorovet), kört honom till en jaktstuga utanför Kåge, stoppat en pistol i hans mun (brottet mot vapenlagen) och ställt två krav: att han tog tillbaka ett vittnesmål (övergreppet i rättssak) och betalade en knarkskuld (utpressningen).

De båda offren, 32- respektive 33-åringen, var båda sedan tidigare kända av polisen. De ingick alltså i samma kriminella gäng.

Dessutom hade han erkänt delaktighet i planläggningen av ett värdetransportrån i Botkyrka ett år tidigare.

Hon suckade lite irriterat och lät pappren sjunka ner i knäet.

Det här måste vara rätt amerikan, men var kommer David Lindholm in i bilden? Vad har han med det här att göra? Vem kan jag ringa och fråga?

Hon kollade på domens första sida vem som varit offentlig försvarare för mr Stevens: en advokat Mats Lennström på juristbyrån Kvarnstenen.

Mats Lennström? Men det är ju Julias ombud!

Hon lyfte luren och slog numret till juristbyrån Kvarnstenen.

– Nu hade du tur, drillade sekreteraren. Advokat Lennström kom precis innanför dörren. Det har varit lite osäkert om han skulle hinna in idag.

Annika flyttade sig rastlöst på stolen medan kvitterkvinnan kopplade hennes samtal.

– Lennström, svarade han och Annika tyckte han lät osäker på vad han hette också.

– Jag ringer av tre anledningar, sa hon sedan hon presenterat sig. Dels skulle jag vilja intervjua Julia Lindholm, vi har träffats tidigare så hon vet vem jag är...

– Det är så många som vill intervjua min klient, sa han tungt.

– Ja, jo, sa Annika, men jag vet att alla restriktioner är hävda och att hon får träffa vem hon vill, så du kan väl framföra min förfrågan?

Han suckade.

– Sedan har vi det här med den dissociativa identitetsstörningen, sa Annika nonchalant. Vad är din kommentar till att Rättsmedicinalverket tycker att Julia kan dömas till fängelse, trots att hon uppenbarligen tagit sig rollen av en annan person, den andra kvinnan...?

– Eh, sa advokaten, det är ju deras expertbedömning, den kan jag ju inte ha någon uppfattning om...

Hurra! Bekräftat! Skrivbart!

– Och så undrar jag vad som egentligen hände med Michael Harold Stevens, sa Annika.

Det blev tyst i luren en stund, sedan harklade sig advokaten.

– Varför undrar du det?

– David Lindholm var hans förtroendeman, men Stevens råkade ut för någon form av olycka på Tidaholmsanstalten och fick knalltransport till Kumla, och sedan var David inte hans förtroendeman längre. Jag undrar vad som hände.

– Har du läst domen?

– Yes, sir.

– Då vet du att Mike erkände.

– Japp.

Advokaten tvekade, han pustade och gnisslade som om han höll på att ta av sig en kavaj.

– Det här måste ju vara preskriberat nu, sa han. Polisen är ju död och Mike kommer aldrig att driva saken...

Annika väntade tyst.

– David Lindholm skötte förhören med Mike, sa Mats Lennström. Han erkände allt som lades honom till last och en del annat också. Rånet i Botkyrka, till exempel.

Mats Lennström tystnade.

– Men? sa Annika.

– När domen vunnit laga kraft i hovrätten så hamnade Mike förstås på riksmottagningen på Kumla, det gör alla som fått mer än fyra år. Efter utvärderingen skickades han till Tidaholm, och det var nog då det verkligen gick upp för Mike att han var grundlurad.

– Grundlurad?

– Ja, jag skulle ju ha kollat det där lite bättre. Mike och David Lindholm hade ingått en överenskommelse som innebar att han skulle få avtjäna ett kortare straff på anstalten Ljustadalen i Sundsbruk strax utanför Sundsvall, hans fru jobbade på ridskolan strax intill. Men inget av det Lindholm lovat var ju juridiskt bindande. Jag borde ha förstått det...

Annika var tvungen att sätta sig käpprak upp i stolen.

– Menar du, sa hon, att du inte visste vad som var juridiskt bindande? Att du inte kollade om du var osäker?

– Man litar ju på polisen, sa han. Särskilt på en sådan känd person som David Lindholm.

Jeezez, vilket stolpskott till jurist! Inte underligt att han blev Julias försvarare, om man nu ville ha henne fälld.

– Vad var det för olycka som inträffade?

– Mike halkade i duschen och ramlade på något vasst.

Annika var tvungen att hejda en ljudlig fnysning.

– Stickskador, sa hon. Stevens babblade så att fem killar åkte fast för rånet i Botkyrka, och de var inte särskilt glada. De hade kompisar på Tidaholm. De slipade upp sina tandborstar eller bordsknivar och attackerade honom i duschen.

– Nu är du bara ute och spekulerar.

– Säg mig en sak, sa Annika. Vad gjorde Stevens för att hämnas? Hämnades han på Botkyrkagänget, eller möjligen på David? Eller på hans fru? Eller hans son?

– Om du ursäktar så jag har mycket att göra, sa han och lade på.

Annika stirrade ut i luften en hel minut.

Det fanns inget heroiskt i David Lindholms sätt att lösa värdetransportrånet i Botkyrka. Tvärt om. Han använde sin offentlighet för att inge förtroende, och sedan bara svek han.

Vilket arsle!

Hon gick vidare till den andra mannen på listan, Ahmed Muhammed Svensson. Plockade upp domen från Malmö tingsrätt: mordförsök, grovt människorov, grov utpressning och grovt olaga hot.

Ahmed Muhammed Svensson hade gift sig med en svensk kvinna och tagit hennes efternamn för att lättare passa in i det svenska samhället. Det hade inte gått särskilt bra. Ahmed Muhammed fick inget jobb och blev deprimerad, hans äktenskap började knaka i fogarna, han slog både frun och den fyraåriga dottern. Till sist ville fru Svensson skiljas.

Då gick Ahmed Muhammed in och hämtade grannens älgstudsare och travade sedan iväg bort till dotterns dagis. Han anlände lagom till eftermiddagens mellanmål när alla barnen satt och åt nyponsoppa med mandelbiskvier. Han meddelade högt och gråtande att han skulle skjuta barnen, ett efter ett, om inte frun tog tillbaka skilsmässan och den svenska regeringen gav honom en miljon kronor. Och en ny färg-tv.

Herregud vilket tragiskt fall.

Gisslandramat gick överstyr direkt.

En ung grabb, som studerade vid det individuella programmet på ett närbeläget gymnasium och praktiserade på daghemmet, kastade sig mot balkongdörren och lyckades ta sig ut mot parkeringen på baksidan av huset. Ahmed Muhammed Svensson sköt tre skott efter grabben och träffade en parkerad bil samt en lyktstolpe, därav domen för mordförsök.

Killen slog givetvis larm och efter tio minuter var dagisområdet belägrat av poliser och utryckningsfordon. Personalen vittnade under rättegången om hur Ahmed Muhammed Svensson blivit fullkomligt skräckslagen av all uppståndelse och kramat älgstudsaren som om den var hans räddningsplanka.

Den lokala polisen hade så klart försökt tala herr Svensson till rätta, men han hade inte varit öppen för någon dialog.

Nu visade det sig att den erfarne förhandlaren David Lindholm var i Malmö på ett seminarium just den här dagen, vilket någon i polisledningen hade reda på, varpå sagda Lindholm engagerades i dramat och således anlände till brottsplatsen i rollen som särskilt sakkunnig.

David Lindholm hade, självmant och på egen risk, gått in i byggnaden och talat med Ahmed Muhammed Svensson i drygt två timmar. Först hade barnen kommit ut, i grupper om fem och fem med en person ur personalen med sig. Svenssons dotter ingick i den sista gruppen.

Slutligen kom alltså gärningsmannen själv ut, arm i arm med polisinspektör Lindholm.

I rätten hade David Lindholm vittnat om hur Svensson hotat att skjuta både barnen, personalen och sig själv, och hur han uppfattat situationen sådan att Svensson utan vidare kunnat sätta samtliga sina hot i verket.

Ahmed Muhammed själv hade inte sagt mycket, bara att han ångrade sig och att han aldrig skulle ha kunnat skada några barn.

Och så fick han livstid. Stackars jävel.

För David Lindholm hade svikit, igen.

Jag undrar vad han gjorde mot den tredje gubben, Filip Andersson.

Hon rös lite, de äckliga yxmorden. Tidningen hade skrivit spaltmil om dem, hon slog "fakta filip andersson" på datorn och väntade.

Och väntade och väntade.

Vad är det här? Varför går det så långsamt?

Så blinkade skärmen till och en kort lista med artiklar radades upp.

"anteckningar fakta filip andersson" läste hon på den första, *vad konstig infobilden ser ut...*

Hon böjde sig fram och granskade skärmen och upptäckte att hon gjort sökningen i fel ruta. Hon hade varken sökt på internet eller tidningens internsystem, hon hade gjort slagningen direkt på datorns hårddisk.

Vad är det här?

Hon klickade upp artikeln och hamnade i ett vanligt word-dokument.

"Är han oskyldig?" läste hon.

"Fakta som pekar på FA: 1. Han hade bevisligen befunnit sig på mordplatsen. Hans fingeravtryck fanns på dörrhandtaget, på det kvinnliga offrets handväska, inne i lägenheten på fyra olika ställen. 2. Han var bevisligen närvarande i anslutning till att morden begicks. Han lämnade in sina byxor på kemtvätt dagen därpå, polisen hittade kvittot i hans plånbok och kunde hämta ut byxorna precis innan de åkte in i tvätten. På byxbenen fanns blodfragment vars DNA överensstämde med det kvinnliga off-rets. 3. Han hade motiv. De tre personerna i lägenheten hade lurat honom på något sätt, oklart hur."

Ja, så här långt är vi alla med.

"Omständigheter som talar mot FA: 1. Varför fanns inte de andra offrens DNA på hans byxor eller kläder? För att hugga av kroppsdelar på det sätt som gjorts måste man gå i närkon-takt med offret. Det fungerar inte att hugga i luften, man måste stampa på armen eller benet och hålla fast det mot någon form av underlag, i dessa fall oftast golvet men i ett fall ett bord, och för att göra detta måste offret först bedövas eller göras medgörligt,

i de här fallen med hugg i huvudet. Att mördaren skulle und-
komma blodstänk på både kropp och kläder, med det oerhörda
blodvite som följde, verkar väldigt osannolikt. 2. Var är mord-
vapnet? Är det verkligen en vanlig yxa? Skulle inte någon form
av bila eller hacka eller huggverktyg typ köttyxa ha varit mer ef-
fektiv? 3. Varför slängde han inte byxorna? Blodfragmenten på
slagen var mikroskopiska. Kände han inte till att de fanns där?
Varför inte? Obs koll i morgon. 4. Det fanns mängder av finger-
avtryck i lägenheten, flera oidentifierade. 5. Viktigast: Det fanns
blodspår med DNA från ytterligare en person på mordplatsen
som aldrig heller identifierats. En medbrottsling som skadades
under striderna?"

Hon stirrade på datorn med öppen mun.

Det här var ingen publicerad, eller ens publicerbar, text. Det
här var minnesanteckningar som någon skrivit ner för att ha koll
på fallet, kanske för att man bevakade rättegången eller...

Sjölander! Det här var ju hans gamla dator!

Hon klickade på "arkiv" och sedan "egenskaper", jodå, som
författare till dokumentet stod Sjölander. Det var skapat nästan
på dagen för fyra år sedan, precis inför rättegången mot Filip
Andersson.

Så Sjölander tvivlade faktiskt på hans skuld.

Det hade David också gjort, enligt Bure. Mer än så.

*Han var nog den enda som verkligen trodde att Andersson var
oskyldig...*

Varför? Hur kom det sig att David var så säker på Filip Anders-
sons oskuld? Vad innebar det? Och varför var Filip Andersson så
tystlåten? Om han nu var så oskyldig, varför samarbetade han inte
med polisen?

Hon slog upp Kriminalvårdsverket på webben igen, kollade
besökstiderna på jättefängelset i Kumla: måndag till fredag 9–15,
helger 10–14.

Kalas! Öppet varje dag! Det kallar jag service!

Slog sedan numret till centralvakten och presenterade sig.

– Jo, sa hon, jag skulle vilja besöka en av era intagna, Filip Andersson heter han. Vakten kopplade henne till den ställföreträdande kriminalvårdschefen och Annika upprepade sin fråga.

– Det blir nog inte aktuellt, sa chefen.

– Jaså? sa Annika. Varför inte det då? Jag trodde ni tog emot besök varje dag.

– Det är korrekt, sa chefen. 365 dagar om året, utom när det är skottår. Då har vi öppet 366 dagar.

– Så varför får jag inte komma?

– Du är så välkommen, sa chefen och lät både road och lite trött. Men samma regler gäller för massmedia som för alla andra. Den intagne får ansöka om besöks- eller telefontillstånd för dig som person, med ditt fullständiga namn, bostadsadress och personnummer. Han får också precisera sin relation till dig. Sedan gör vi en bedömning av dig som person, vi kollar helt enkelt att du inte är jättekriminell, och sedan får den intagne ett besked: att besökstillstånd avslås, beviljas eller får ske under bevakning. Den intagne får sedan kontakta dig och därefter bokar du tid här hos oss.

– Wow, sa hon. Det är tre män jag vill besöka, kan du be dem att söka sådana tillstånd för mig?

Chefen var ett under av tålamod.

– Tyvärr inte, sa han. Vi agerar inte ombud längre. Du får kontakta de intagna själv via fax eller brev.

– Jag antar att man inte kan mejla? sa Annika.

– Korrekt antaget, sa chefen.

– Men de får svara via fax eller brev?

– Inte fax, men de får skriva brev. Fast jag måste nog förbereda dig på att svarsfrekvensen är begränsad. De allra flesta vill inte alls ha någon kontakt med massmedia.

– Oj, så besvärligt, sa Annika.

– Vilket är ditt syfte med besöken? undrade chefen vänligt.

Annika tvekade. Vad hade hon att förlora på att vara uppriktig?

– Jag skriver om David Lindholm, polisen som mördades. De tre intagna som finns hos er hade alla en relation till honom. Hur lång tid tar det att få ett besökstillstånd, om de nu vill prata med mig?

– Det brukar gå på en vecka, tio dagar. Men jag måste också informera dig om att du enbart får besöka en av våra intagna, såvida du inte är nära anhörig.

Annika blundade och strök sig över håret.

– Vad?

– Om du har tre bröder här så får du hälsa på dem, men du får inte besökstillstånd för tre olika intagna utan synnerliga skäl. Du får välja en.

– Ni är inte jätteintresserade av att låta massmedia besöka era fångar, eller hur?

– Inte jätte, sa chefen, men vi förhindrar det inte. Och om du kommer så vill jag varsko dig om att bildupptagning är förbjudet.

Annika rätade på ryggen.

– Va? Varför det? Det är ju...

– Kriminalvårdens föreskrifter 2006:26, första kapitlet nittonde paragrafen. "Ljud- eller bildupptagning får inte äga rum inom anstaltsområdet..."

Hon sjönk ihop igen.

– Okey, sa hon. Ska jag faxa till numret på hemsidan?

– Blir utmärkt, sa chefen.

Hon sköt datorn ifrån sig, tittade på klockan och lät blicken glida ut över redaktionshavet, över flimrande skärmar och fokuserade nackar och kaffefläckiga skrivbord.

Han har hämtat barnen.
De är på väg hem nu.

Hissdörrarna var av den gamla tjusiga sorten, två gallergrindar av dragspelsmodell som sköts åt sidan för att upplåta det mässingspolerade innandömet åt de högreståndspersoner som befolkade fastigheten på Öfvre Östermalm. Thomas mindes hur tidstroget och helgjutet det känts första gången han åkte upp själv med egna nycklar, till sin egen lägenhet, i sitt eget stenhus…

– Pappa, hon knuffas!

Han flyttade portföljen från ena handen till den andra och kunde inte kväva en suck.

– Hör ni, sa han och tog tag i kragen på sin son så att han inte kunde boxa sin lillasyster på armen. Kan ni sluta bråka nu, vi är ju snart hemma…

Ja, det är ju inte mitt stenhus, det är ju hennes, men…

Han skyndade sig att dra ifrån den yttre grinden.

Ett illvrål skar genom trapphuset. Han tittade förvånat ner och såg Ellens förvridna ansikte lyftas upp mot honom. Hennes fingrar satt fast i den nu ordentligt hoptryckta dragspelsdörren, ögonen svämmade över och kinderna var knallröda.

Han slet snabbt tillbaka grinden så att flickans fingrar lossnade, hon sjönk ihop till en liten boll vid hans fötter och höll med andra handen om sina klämda fingrar.

– Men lilla vännen, vad gör du? Inte får du hålla fingrarna där när pappa öppnar dörren…

Blodet droppade ner på marmorgolvet och fick flickans illtjut att gå upp i falsett.

– Det blodar, pappa, det blooodar…

Thomas kände hur han vitnade, han var inte bra på det här med kroppsvätskor.

– Ojojoj, får pappa se, ska jag blåsa?

Han sjönk ner bredvid flickan och sträckte sig efter hennes hand, men hon vände ryggen mot honom och dolde handen mot sin nya vinteroverall.

Helvete också, nu blir den alldeles blodig.

– Hördu, gumman, låt pappa se...

– Du klämde mig!

– Jo, älskling, förlåt, det var inte meningen men jag såg dig inte, jag såg inte att du hade händerna där, förlåt förlåt...

Han lyfte upp flickan i famnen och aktade sig noga för att få blod på rocken. Det misslyckades omedelbart då hon borrade in huvudet mot hans hals och torkade gråtsnor mot hans kavajslag.

– Det gör oooont...

– Ja ja, sa Thomas och kände svetten bryta fram över hela kroppen.

– Hon är alltid så klantig, sa Kalle och tittade storögt på blodet som redan börjat mörkna på golvet.

– Såja, sa han, in i hissen nu.

Han föste in sonen med ena armen och höll dottern intill sig med den andra, fattade tag i portföljen och ställde in den i hissen, stängde gallergrindarna (först den ena och sedan den andra) och lät Kalle trycka på sexan.

Vindsvåningen.

The penthouse, som Sophia beskrivit den i sin hemsida om sig själv på nätet.

– Det gör ooont, pappa...

– Ja ja, sa Thomas och stirrade otåligt på våningsplanen som passerade förbi, treans kristallkrona som försvann nedanför hans fötter, fyrans boaserade väggar med sina målade ådringar och dubbla ytterdörrar som gled förbi.

– Vad får vi för mat?

Kalle var konstant hungrig nuförtiden.

– Vet du, jag vet inte. Sophia skulle laga något.

Hissen stannade högst upp med ett litet ryck.

– Håll fingrarna borta nu, sa han onödigt högt innan han öppnade gallergrindarna.

Han orkade inte gräva runt i portföljen efter lägenhetsnycklarna så han tryckte in ringklockan med sin fria hand samtidigt som han hissade upp Ellen bättre med den andra, hon hulkade och grät och kramade sina fingrar.

– Hysch, hysch, sa han och gungade henne lite tafatt.

Ingenting hände. Ellens skrik mattades något. Han hörde inga ljud inifrån lägenheten. Flickan började bli väldigt tung på hans arm. Var inte Sophia hemma?

Han ringde på igen.

Dörren flög upp mitt i signalen.

Sophia hade förkläde och uppkavlade ärmar, en liten rynka framträdde mellan hennes ögonbryn.

– Har du glömt dina nycklar? frågade hon innan hon hunnit registrera Ellens gråtattack.

Thomas trängde sig förbi henne och sjönk ihop för att släppa ner flickan på hallgolvet.

– Nu måste du visa pappa var du har klämt dig, sa han och tog tag i flickans hand.

– Har det hänt en olycka?

Han slöt ögonen en kort sekund och svalde, släppte flickans hand, reste sig upp och log.

– Älskling, sa han och kysste henne på kinden. Ellen klämde sig i hissdörren, hon blöder ganska mycket, jag måste plåstra om henne.

– Det var ju du som klämde henne i hissdörren, sa Kalle trumpet och blängde på Sophia.

– Ta av dig kläderna och häng upp dem på din krok och så går du och tvättar händerna, sa Thomas till pojken och krängde av sig sin egen rock.

Den måste kemtvättas innan han kunde använda den igen. Han tittade på kavajen. Samma sak där.

Han såg på Sophia. Hon noterade inte hans stumma vädjan utan vände sig om och gick ut i köket igen.

Annika skötte alltid kemtvätten.

Tanken slog honom från ingenstans och fick honom att blinka till.

Jo, så hade det varit, ända sedan den gången när han slarvat bort inlämningskvittot till den där gamla angorakoftan som hon fått av sin mormor.

Han tryckte ihop rocken och kavajen i en hög på hallbänken.

– Såja, sa han och lyfte upp flickan. Nu ska vi sätta på plåster.

Gråten höll på att ebba ut.

Han bar ut henne i badrummet och kunde konstatera att klämskadan satt precis vid nagelbandet på hennes högra ringfinger. Hon skulle säkert komma att tappa nageln.

– Den är blå, sa Ellen och tittade en smula fascinerat på sin fingertopp.

– Som blåbärspaj, sa Thomas och flickan fnittrade till.

Han satte sig på toalettstolen placerade dottern i knäet och vaggade henne sakta.

– Förlåt, viskade han. Det var inte meningen att klämma dig.

– Får man godis när man har klämt sig?

Barnet tittade förhoppningsfullt på honom samtidigt som hon torkade snor på tröjärmen.

– Kanske, sa han. Om vi har något.

– Man kan köpa i affären. Bilar är goda.

De gick ut i våningen, hand i hand. Flickans kropp skakade till ibland i små efterskalv av gråt.

Hon är så mjuk, jag måste vara mer försiktig med henne.

Kalle hade inte hängt upp sina kläder utan slängt dem på hallgolvet. Thomas svalde en irriterad kommentar och böjde sig ner och hängde upp dem.

När han sträckte på ryggen såg han Sophia stå och iaktta honom från köksöppningen.

– Om du fortsätter att serva honom på det där sättet så kommer han aldrig att lära sig, sa hon.

Han ryckte lite på axlarna, log och slog ut med armarna.

– Du har rätt, sa han och lade huvudet på sned.

Hon log tillbaka.

– Ni kan sätta er, maten är klar.

Hon försvann in i köket igen. Thomas gick ut till matsalsbordet i ateljén och duckade automatiskt mot rummets stora, vita rymd. Den ordinära takhöjden i hallen och badrummet gjorde kontrasten extra tydlig. I ateljén, som dominerade våningen, utgjorde det sneda yttertaket den enda begränsningen mot himlen. Till nocken var det säkert sju, åtta meter. Några avlånga takfönster och ett virrvarr av takbjälkar förde tankarna till Tribeca eller något annat hippt New York-område (inte för att han någonsin varit inne i en våning i Tribeca, men det hade Sophia och hon hade förklarat liknelsen för honom).

– Kalle, sa han över axeln. Kom och ät.

Han hörde blippandet från playstationspelet leta sig ut från hans lilla rum, som egentligen inte var mer än en klädkammare, och suckade tyst. Lyfte sedan upp Ellen och placerade henne ovanpå en kudde så att hon skulle nå upp att äta. Sophia hade tyckt att det var onödigt att köpa en barnstol, "hon är stor snart", och det var ju alldeles riktigt.

Nu kom hon bärande på en skål potatismos och en teflonpanna med stekta falukorvsskivor.

– Kalle! ropade Thomas igen och slog sig ner. Det är mat nu!

– Jag ska bara dö först, svarade pojken lojt.

– Nej! Du kommer hit, *nu!*

Sophia såg ner i bordet, hon tyckte inte om att han skrek.

En demonstrativ suck, sedan upphörde spelljuden och pojken kom ut i ateljén.

– Jag höll faktiskt på att slå rekord, *faktiskt.*

Thomas rufsade om hans hår.

– Nu får du äta korv i stället.

– Mums! sa pojken och kravlade sig upp på den höga, skinnklädda kromstolen. Fast är det lök också? Urk! Får man peta bort den?

– Smaka en bara, sa Thomas.

– Man äter det som serveras, sa Sophia. Lite vin?

Hon log mot honom. Han log tillbaka.

– Tack. Gärna.

All mat blir mycket godare med vin. Köttbullar och makaroner blir godare. Falukorv blir godare. Till och med pulvermos blir ätbart. Jag har druckit alldeles för lite vin tidigare.

De slog ihop sina glas.

– Hur har din dag varit? frågade hon och smuttade på sin rioja.

Han drack en klunk och slöt ögonen, *gudomligt.*

– Jodå, sa han och ställde ner glaset. Cramne nonchalerar mig efter att jag påpekat det omöjliga i att följa direktiven. Att straffsatserna höjs tycker han bara är bra, och det har väl inte jag några synpunkter på egentligen heller, men kostnaderna kommer onekligen att öka, och det går ju faktiskt stick i stäv med de direktiv som vi fått i utredningen...

Han drack en klunk till, Sophia nickade förstående.

– Det är verkligen jättebra att du säger ifrån, sa hon. Nu måste sosseregeringen tänka om, och det är din förtjänst.

Han ställde tillbaka sitt glas och tittade ner i tallriken, han hade röstat på den här sosseregeringen och tyckte de gjorde ett förhållandevis bra jobb. Han visste att Sophia inte delade hans uppfattning, men hon trodde nog att han delade hennes.

Annika röstade alltid på vänstern.

Han sköt tanken ifrån sig.

– Och du då? sa han. Hur har du haft det?

Sophia öppnade munnen för att svara samtidigt som Ellen började gråta.

– Det gör ont igen, pappa, sa hon och höll fram sitt omplåstrade finger mot honom. Han såg att plåstret spände, fingertoppen hade svullnat upp.

– Oj då, sa han och blåste på handen. Vi får kanske ge dig ett litet piller så att du kan sova med det här dumma fingret.

– Eller godis, sa flickan och torkade tårarna.

– Man kanske vill ha godis fast man inte har klämt sig, sa Kalle.

– Ni måste äta upp först, sa Thomas, men sedan kan ni titta i min portfölj.

– Hurra! sa Kalle och slog ut med besticken så att det kom lite korvflott på tapeten.

– Nej men, sa Thomas, se nu vad du gjorde!

Sophia reste sig, hämtade en ren disktrasa och torkade väggen. Det hade redan blivit en fläck.

– Sitt still vid matbordet, sa Thomas och Kalle krympte under hans blick.

De åt under tystnad.

– Får man gå ifrån? sa Kalle och lade ihop besticken.

– Vänta på din syster, sa Thomas och pojken stönade.

– Men hon är ju så långsam.

– Jag är klar nu, sa flickan och sköt den halvätna portionen ifrån sig.

– Okey, sa Thomas och andades ut, tyst och lättat, när barnen lämnade bordet och susade ut i hallen.

Han såg på Sophia och log. Hon log tillbaka mot honom. De lät glasen mötas.

– Det här är livskvalitet, sa hon och såg in i hans ögon medan de drack.

Han svarade inte, såg bara på hennes blanka, blonda hår och ljusa ögon.

Korv och pulvermos. Livskvalitet?

– Det är ju ingen konst att få världen att glittra när det är fest, fortsatte hon. Det är en vanlig tisdag, som den här, som man måste ta vara på. Glittret i vardagen, det är det som är det viktiga.

Han såg ner i bordet, det var klart att hon hade rätt.

Varför blir jag då så generad? Varför tänker jag bara "floskler"?

– Funderar du på jobbet? frågade hon och lade handen på hans arm.

Han tittade upp på henne.

– Jovars, sa han. Första domen om nåd meddelas från Örebro tingsrätt i morgon.

Hon såg frågande på honom.

– Nåd? sa hon.

Han öppnade munnen för att fortsätta men insåg sedan att hon inte visste, att hon inte var insatt i förändringarna i rättssystemet.

Givetvis inte, varför skulle hon vara det?

– Tidigare har livstidsdömda enbart kunnat få sina straff tidsbestämda av regeringen, alltså genom att söka nåd, men det systemet var inte rättssäkert. Regeringen lämnade aldrig några motiveringar till sina beslut och de gick inte att överklaga. Sedan en tid tillbaka kan livstidsdömda också vända sig till Örebro tingsrätt för att få sin nådeansökan prövad, och då företräds de av ett juridiskt ombud och får ett domskäl till beslutet. Den första domen kommer i morgon.

Han tog en klunk vin.

– Det vore inte alltför tokigt om det blev ett avslag, sa han.

Det är ju inte bra om den första signalen visar att det är mycket lättare att få igenom sin hemställan i Örebro än hos regeringen.

– Men, sa hon, varför just Örebro?

Han log mot henne.

– Var ligger de största fängelserna?

– Vilka fängelser?

– Kumla och Hinseberg. Det största manliga och det största kvinnliga. Var ligger de?

Hon spärrade upp ögonen.

– I Örebro län?

– Bingo!

Hon skrattade till.

– Tänk, sa hon, det visste jag inte. Vad mycket jag lär mig när jag är med dig!

Han såg bort mot barnen som satt i dörröppningen ut till hallen och delade upp karameller mellan sig.

Han hade hamnat i samma diskussion med Annika för länge sedan, när lokaliseringen av det nya nådeinstitutet fortfarande var på diskussionsstadiet. Hon hade också ifrågasatt Örebro som placeringsort och han hade sagt samma sak då: "Var ligger de största fängelserna?"

"Bullshit", hade Annika svarat. "När det är dags för fångarna att söka nåd är de inte kvar på Kumla eller Hinsan. Då sitter de på någon öppen anstalt någonstans ute i busken och väntar på att få bli anpassade. Den där apparaten kommer att hamna i Örebro bara för att ministern har sin riksdagsplats där."

Han mindes hur paff han hade blivit, han hade faktiskt inte tänkt den tanken själv.

"Det där hittar du bara på", hade han svarat och hon hade ryckt på axlarna.

Nu tittade han på Sophia igen.

– Och du då? sa han. Hur är det med dig?

— Det hände en sådan rolig sak idag, sa hon och i samma stund kom Kalle rusande mot honom.

— Pappa, säg åt henne! Hon tog den sista godisen för hon sa att det var hon som hade klämt sig.

Han drack ur glaset och reste sig.

— Om ni bråkar om godiset så tar jag ifrån er det, sa han och vände sig mot Sophia. Sitt du, jag diskar senare. Jag måste tvätta hennes overall, den är alldeles nedblodad.

Han gick ut mot hallen och såg i ögonvrån hur Sophia fyllde på sitt vinglas.

"Det måste bli livstid"

Experterna eniga efter polisrättegången

Av Berit Hamrin

Kvällspressen (Stockholm). Fängelse på livstid. Allt annat är otänkbart.

Åklagare Angela Nilsson var benhård när rättegången mot Julia Lindholm avslutades i Stockholms tingsrätt igår.

– Jag har sällan varit med om ett sådant överlagt och hänsynslöst brott.

Åklagare Nilsson gick mycket hårt åt den åtalade under sin slutplädering i säkerhetssalen igår eftermiddag. Hon kallade Julia Lindholm för "känslokall" och "förslagen" och krävde ovillkorligen livstids fängelse som påföljd.

– Att döda sitt barn, vägra att tala om var man gömt honom och sedan låtsas att man är någon annan, det finns faktiskt inte ord för vad jag anser om det, sa åklagaren bland annat.

De tre rättegångsdagarna i Stockholms tingsrätt har präglats av mycket känslor och stor sorg. Rättens ordförande har flera gånger fått mana till lugn och behärskning. David Lindholms kollegor har flera gånger setts gråta öppet på åhörarplatserna. Julia Lindholms föräldrar har också närvarat under samtliga tre rättegångsdagar, modern har varit väldigt ledsen emellanåt.

Julia Lindholm själv var väldigt kortfattad i sitt förhör. Hon svarade enstavigt och visade inga känslor. Hon hävdar att det fanns en annan kvinna i lägenheten natten mot den 3 juni, att det var den andra kvinnan som sköt hennes make och sedan tog med sig sonen när hon gick.

Enligt den kriminaltekniska undersökningen finns ingenting som tyder på att någon annan människa ska ha befunnit sig i bostaden, varför den rättspsykiatriska undersökningen kommit fram till att Julia Lindholm lidit av en psykisk störning vid brottstillfället.

Julia Lindholms ombud, advokat Mats Lennström, anser att det finns klara brister i åtalet.

– Det mest graverande är naturligtvis att Alexander Lindholms kropp inte återfunnits. Men det finns också andra omständigheter som jag ifrågasätter. Julia har tidigare anmält att hon förlagt sitt tjänstevapen. Hon uppvisade heller inga spår efter krutrester vid gripandet.

Åklagaren avfärdade advokatens invändningar i sin slutplädering.

– Man kommer inte undan ett mord bara för att man lyckas få kroppen att försvinna. Att man påstår sig ha slarvat bort sin polispistol eller hunnit tvätta av sig innan polisen anlände till brottsplatsen är inga förmildrande omständigheter, snarare tvärt om.

Dom i målet kommer att meddelas den 2 december. Fram till dess ska Julia Lindholm kvarvara i häkte.

– Det betyder givetvis att hon kommer att fällas, säger polisprofessorn Hampus Lagerbäck, som var god vän med den mördade.

– Ingen jag talat med anser att någon annan påföljd än livstid är att vänta.

Del 3

December

DET SNÖADE. HÅRDA SMÅ isbitar piskade Annika i ansiktet medan hon stretade framåt längs Vasagatan. Gatlyktorna var suddiga och gula i mörkret, hon kisade bort mot Centralstationen men såg inget annat än snörök. Hon kände sig morgonmosigt vimmelkantig, var inte van att vara igång så här tidigt. Avståndsbedömningen svajade och hon tog snedsteg.

Att ta tåget i stället för att köra bil hade varit ett begåvat beslut, inte bara för att hon var så trött. Trafiken stod stilla, alla slirade i snösörjan vid rödljusen och kom ingen vart. Hon tittade på klockan, en kvart kvar.

Det hade gått drygt två veckor sedan hon faxat iväg brevet till Filip Andersson på fängelset i Kumla.

Den ställföreträdande chefen för kriminalvården hade haft rätt. Varken amerikanen Stevens eller araben Svensson hade svarat på hennes fax, varken det första eller de bägge andra hon skickat.

Filip Andersson däremot, yxmördaren, hade skickat sitt svarsbrev med vändande post. Han ville hemskt gärna ha besök från en representant från massmedia, och om han bara fick tillgång till samtliga hennes personuppgifter skulle han genast se till att ordna besökstillstånd åt henne. Han passade på att skicka med massor med ovidkommande handlingar i ärendet, lukten av rättshaveri hängde tung över kuvertet. Han hade nyheter åt henne, hade han skrivit. Det var viktigt att hon var väl insatt i hans fall.

Det hade varit med viss bävan hon lämnat ut sin personalia. Visst, det var inget hemligt hon berättade, hennes adress och personnummer var offentliga handlingar, men det hade ändå känts obehagligt att faxa iväg dem.

Vad kunde han göra? Ligga och trycka med en yxa under hennes säng?

Knappast troligt, eftersom hon sov på en madrass på golvet.

Faktum var att Filip Andersson var den av de tre som hon varit minst angelägen att träffa. Hon intalade sig att det berodde på att han var den som hade minst anledning att prata skit om David Lindholm.

Ett trapphus, avsatser i grå sten. Blod på de gula väggarna, blod som rann nedför trappan. Lukten, tung och tjock. POLIS!! Du har ett vapen riktat mot dig! Julia, ta dörren. Annika, ut härifrån!

Hon skakade av sig bilden.

Å andra sidan var Filip Andersson förmodligen den av de tre som hade störst resurser att formulera sig. Herr Svensson hade, enligt domen, haft tolk med sig i domstolen vilket signalerade dåliga kunskaper i svenska. Han kanske inte hade kunnat läsa hennes fax, men något annat sätt att få kontakt med honom hade inte givits så hon hade varit tvungen att lägga ner kontaktförsöken.

Det hade inte stått något om tolkar i domen mot mr Stevens, så hon antog att han var hyfsat svensktalande, men hennes begränsade erfarenhet av män i torpedbranschen sa henne ändå att han inte var av det pratglada slaget.

Återstod således yxmördaren från Sankt Paulsgatan, och hon hade bokat tid på Kumlas besöksavdelning klockan 11 idag, den första december.

Faktum var att hon hade sovit dåligt.

Inte bara för att hon skulle låsas in i ett minimalt besöksrum tillsammans med en våldsam massmördare, eller för att barnen var tillbaka hos Thomas och hans jävla isbit, utan för att något låg och gnagde, något som hon missat. Hur hon än vridit sig under påslakanet så hade hon inte fått fatt i tanken.

Jag får lirka det ur honom, vad det nu är.

Hon hade gått igenom domen mot Filip Andersson noggrant och sökt igenom Sjölanders dator efter fler anteckningar om fallet, men inte hittat några.

Det fanns visserligen svagheter i domen, men hon kunde inte hitta några egentliga fel. Filip Andersson hade befunnit sig på mordplatsen, han hade haft möjlighet och motiv. Enligt ett vittne hade de tre offren lurat Andersson på en större summa pengar, vilket alltså ansågs utgöra mordmotivet. Hämnd. Det stod inte uttalat i domen, men Annika visste att stölder inte passerade ostraffat i Filip Anderssons bransch. Att inte agera skulle inbjuda till fler attacker, varför Andersson själv tydligen valt att statuera exempel.

En skvallerblogg för journalister hade preciserat fler detaljer kring mordoffrens bedrägeri, men Annika kunde inte bedöma deras sanningshalt.

Bloggen påstod att de tre varit inblandade i en avancerad penningtvätt som till största delen ägt rum på den spanska solkusten. Genom olika transaktioner med tomtmark, främst via Gibraltar, hade man plöjt ner stora vinster som uppkommit vid transporter av kokain från Colombia via Marocko.

Annika hade lite svårt att se den välfriserade svenske finansmannen som affärspartner till en sydamerikansk knarkkung, men vad visste väl hon?

De tre mordoffren, som samtliga befunnit sig tämligen långt ner i den kriminella näringskedjan, hade i vart fall stoppat pengar i fickan för egen räkning och trott att Andersson inte skulle märka något. Därför högg han händerna av dem, för att visa att de skulle hålla fingrarna i styr.

Fast det fanns detaljer som var lite underliga i fallet, tyckte Annika.

Först och främst, om nu Filip Andersson befann sig så högt upp i näringskedjan, varför smutsade han ner slagen på sina tjusiga byxor genom att själv göra det blodiga skitjobbet? Hade alla torpeder tagit semester samtidigt? Eller var han bara sadist, månne?

Om han nu hade planeringskapacitet och hänsynslöshet nog att bygga upp ett avancerat knarksmugglingssyndikat, skulle han verkligen ha lämnat fingeravtryck på ett mordoffers handväska?

Och varför var inte byxorna blodigare?

Och varför i all sin dar använda köttyxa?

Ingången till Centralstationen uppenbarade sig framför henne i snöröken, hon steg in och stampade av sig.

Hon hade bokat biljetter till första klass, så att hon skulle kunna sitta i fred och jobba på vägen. Tåget avgick klockan 07.15, efter ett byte i Hallsberg skulle hon vara framme i Kumla klockan 09.32. Hemresan hade hon bokat till 13.28, hon såg redan fram emot den.

Centralen var bokstavligen svart av folk, trots att det fortfarande var väldigt tidigt i Annikas värld.

Varför klär sig ingen i hallonrött på vintern? Eller knallorange? Är det naturen, klimatet eller jantelagen som dränerar oss på färg?

Hon hade inte hunnit äta någon frukost så hon köpte en drickyoghurt och ett äpple på Pressbyrån.

Tåget avgick från spår 10.

Det dånade in på stationen samtidigt som hon kom ut på perrongen. Hon hittade sin vagn och sin plats, fick av sig täckjackan, sjönk ihop på sätet och somnade ögonblickligen.

Hon vaknade med ett ryck när högtalarsystemet meddelade

"Hallsberg nästa, nästa Hallsberg". Fumligt och sömndrucket fick hon på sig ytterkläderna och ramlade ut på stationen några sekunder innan dörrarna stängdes och tåget rullade vidare söderut.

Hon hade nästan klivit in i en taxi när hon insåg att hon inte var framme i Kumla ännu, hon hade sex minuter på ett lokaltåg kvar.

Jag måste skärpa mig, jag måste vara fokuserad när jag träffar yxmördaren.

Hon ruskade på sig för att få hjärnan att klarna. Fick springa för att hinna med regionaltåget mot Örebro. Det platta landskapet med bruna åkrar och gråa bondgårdar bredde ut sig runt omkring henne när tåget kommit i rullning, blicken fastnade inte förrän den träffade ett barrskogsbälte långt bort i horisonten, suddigt av dis.

Hon var den enda som klev av i Kumla.

Det hade slutat snöa. Fukten hängde tung och kall över samhället. Tåget dunkade iväg och lämnade kvar en ekande tystnad. Hon stod kvar några sekunder och lyssnade till den, såg sig runt. ICA Maxi, Pingstkyrkan, Hotel Kumla. Tveksamt började hon gå mot utgången, klackarna klapprade hårt mot betongen.

Hon gick ner i en grå tunnel och kom upp på ett grått torg, intill ett Sibylla gatukök. Det vred om i magen på henne, hon hade glömt äpplet och yoghurten på tåget. Gick till luckan och beställde en tunnbrödrulle med två grillade, räksallad och en Ramlösa. Hörde inte om killen i kassan sa fyrtiotre eller sjuttiotre kronor så hon tog det säkra före det osäkra och betalade med en hundring, fick tillbaka växel på sjuttiotre.

För en jävla tunnbrödrulle!

Och "Ramlösan" var vanligt kranvatten i en Colamugg.

Inte underligt att folk blir kriminella i den här stan.

Hon tryckte i sig gatuköksmaten på tre minuter, slängde servetten och hälften av potatismoset i papperskorgen och gick iväg över kullerstenarna mot taxistationen längre bort, rejält illamående.

– Viagatan 4, sa hon och hoppade in i en Volvo.

– Det låter som ett mycket stort fängelse, sa taxichauffören.

– Ja, sa Annika, nu är det dags. Farväl grymma värld.

Taxichauffören skakade på huvudet.

– Fel anstalt, sa han. Finns inga som du där. Hinseberg ligger i Frövi, på andra sidan Örebro.

– Attans, sa Annika.

Bilen svängde höger, och där var det. Murarna och taggtråden började nästan inne i själva samhället. Taxin körde utefter ett oändligt elstaket som slutade i en stor metallgrind.

– Ja du, sa han, längre kommer inte jag.

Åkturen kostade sextio kronor, mindre än tunnbrödrullen.

Hon betalade, taxin försvann och hon blev ensam kvar framför den jättelika porten. På bägge sidor sträckte sig dubbla metallstaket, ytterst ett av gunnebotyp med flera lager taggtråd högst upp, sedan ett elektriskt som var minst fem meter högt. Vinden visslade, det skallrade i metallspjälorna.

Hon hissade upp bagen på axeln och gick fram till porttelefonen.

– Annika Bengtzon heter jag, ska besöka Filip Andersson.

Rösten lät liten och tunn.

Det är så här de känner sig, alla de som hälsar på sina män på fängelserna. Fast värre, så klart, för dem är det på riktigt.

Det surrade till i grinden och hon drog tveksamt upp den. Hon hamnade på en asfalterad uppfartsväg som ledde fram till nästa port. På bägge sidor om henne fortsatte stålstängslen, hon gick i en inhägnad med vinden vinande i håret och runt benen, ett hundratal långa metrar omgivna av kalt ingenmansland innan hon nådde fram till en byggnad med två dörrar.

BESÖK TILL INTAGNA stod det på den vänstra, så den var ju hennes.

Hon tryckte på ytterligare en porttelefon.

Dörren var extremt tung, hon fick ta i med bägge händerna för att få upp den.

Hon kom in i en trång hall, en barnvagn var parkerad strax innanför dörren. En ung kvinna i hästsvans stod och tryckte på sin mobiltelefon med ryggen mot henne, hon låtsades inte om Annika.

Tre av väggarna var täckta av vita, låsbara skåp i plåt. Den fjärde hade fönster med blå, fördragna gardiner. Under fönstren stod en rad med stolar, ungefär som i väntrummet hos tandläkaren.

Hon tryckte på en tredje porttelefon.

– Personal kommer strax, sa en röst kort.

Tjejen med hästsvansen stoppade ner mobilen i väskan och lämnade byggnaden utan att ha sett på Annika.

Det är alltså så det är. Man har ingen gemenskap, fängelsefruar emellan.

Hon blev stående mitt på golvet en stund. Lutade sig fram och kikade bakom gardinerna. Tjocka järngaller, så klart, vita.

Hon lät gardinen falla tillbaka.

Gick bort till anslagstavlan intill porttelefonen och läste meddelanden om öppettiderna och information kring ombyggnationen av övernattningslägenheten.

– Ta av dig ytterkläderna och lås in dem i ett skåp.

Hon reste sig käpprakt upp och stirrade sig omkring.

Rösten hade kommit från högtalaranläggningen. Hennes blick fastnade på övervakningskameran i vänstra hörnet och hon kände blodet skjuta upp i ansiktet. Så klart, de tittade förstås på henne.

Hon skyndade sig att ta av jackan och halsduken och tryckte in dem i skåp nummer tio, så långt från kameran som möjligt.

– Då kan du komma in, sa rösten.

Det surrade till i dörrlåset och hon drog upp dörren in till besöksavdelningen, hamnade i en vanlig säkerhetskontroll. Metalldetektor till vänster och röntgenapparat med rullband för väskor till höger.

Två uniformerade vakter, en man och en kvinna, tittade på henne genom en glasskiva.

– Du kan lägga din väska på bandet och gå igenom detektorn.

Hon gjorde som hon blivit tillsagd med en irriterande liten puls dunkande i halsgropen. Naturligtvis tjöt hon när hon passerade igenom metallbågen.

– Ta av dig skorna och lägg dem på bandet.

Hon lydde. Tjutet upphörde.

Sedan fick hon stiga in bakom glasskivan och fram till disken.

– Legitimation, tack, sa mannen och hon gav honom sitt presskort.

– Kan du vara snäll och öppna väskan, sa kvinnan.

Annika gjorde på nytt som hon blivit tillsagd.

– Du har en kniv i väskan, sa den kvinnliga vakten och tog upp hennes fickkniv med *Kvällspressen – bäst när det gäller*, den får du inte ta med in. Och inte den här pennan heller.

– Men vad ska jag då skriva med? sa Annika och hörde själv att hon nästan lät förtvivlad.

– Du får låna en av oss, sa vakten och gav henne en gul Bic.

– Mobiltelefonen får du också lämna, sa den manlige vakten.

– Vet ni vad, sa Annika. Jag låser in väskan i skåpet och tar bara med mig block och penna. Er penna.

Vakterna nickade. Hon plockade ner fickkniven och mobiltelefonen och gick ut i väntrummet igen, låste upp skåp tio och slängde in sin bag, drog sedan upp dörren till besöksavdelningen och rundade metallbågen utan att gå igenom den. Hon log osäkert och kände sig egendomligt angelägen om att vara till lags.

– Är det vanligt att fångarna får besök? frågade hon.

– Vi har femtusen besökare per år, men de är inte jämnt fördelade. Fyrtio procent av de intagna har aldrig besök.

– Oj då. Är jag den första som besöker Filip Andersson?

– Nej, inte alls, sa den kvinnliga vakten. Hans syster är här minst en gång i månaden.

– Och David Lindholm? Såvitt jag förstår var han här några dagar innan han dog.

– Förtroendemän och övervakare ser vi ju ganska ofta, sa kvinnan.

Den manlige vakten hade hängt upp hennes presskort på en anslagstavla med en stor metallklämma. Han lade fram ett dokument på disken framför sig och pekade på en rad olika paragrafer utan att släppa henne med blicken.

– Du kan komma att bli ombedd att klä av dig och bli visiterad av två kvinnliga vårdare, sa han, och du har rätt att neka. I sådana fall blir du inte insläppt. Du kan också komma att bli undersökt av en narkotikahund. Också det har du rätt att neka till. Då gäller samma sak, du får inte komma in. Du får inte ta med dig några matvaror och det är rökförbud på alla rum. Du kommer att få skriva under att du samtycker till att bli inlåst på besöksavdelningen tillsammans med den intagne.

Annika nickade och svalde, allt var väldigt tyst. Hon skrev under att hon godtog villkoren med den gula Bic-pennan.

– Vi bjuder på frukt och fika, om man har barn med så får de juice. Vill du ha något? sa den kvinnliga vakten samtidigt som hon gick iväg i en korridor med numrerade dörrar. Hon pekade på ett serveringsbord.

Tanken på barn i de här lokalerna fick en kall ilning att gå längs Annikas ryggrad. Hon skakade på huvudet åt erbjudandet.

– Här är rum fem, jag ska bara kolla hur det ser ut. Ni får städa själva efteråt.

Vakten öppnade dörren och gick före Annika in i det trånga utrymmet.

– Här finns dusch och toalett, sa hon och pekade. Här har du stentofonen, tryck där om du vill anropa centralvakten. Bredvid sitter överfallslarmet. Ojdå, här har vi lite leksaker kvar...

Hon böjde sig ner och plockade upp ett lila gosedjur och en karusell i plast som låg slängda på golvet.

– Det var en intagen här som hade besök av sin lille son igår, sa hon ursäktande.

– Så jobbigt, sa Annika klumpigt.

Vakten log.

– Vi försöker göra det bästa av situationen. Barnen får ballonger med sig när de går. Det är Jimmy som blåser upp dem.

– Jimmy?

– Den andra vakten.

Hon visade på en låg byrå.

– Lakan och filtar finns i lådan. Jag skickar bud efter den intagne nu.

Hon gick mot dörren och lämnade Annika, lamslagen, intill möbeln som tog upp praktiskt taget hela golvytan: en smal säng med skumgummimadrass.

Dörren gick igen med en dov klang, låset vreds om.

Holy fucking Christ, vad har jag givit mig in i?

Hon stirrade på väggarna, de kröp inpå henne och gjorde det svårt att andas.

Hur ska jag klara det här? Strategi, nu!

Det fanns en enda stol i rummet, hon beslöt sig för att ockupera den. Fanns inte en chans att hon tänkte hamna i sängen bredvid yxmördaren.

Hon lade upp block och penna på byrån, bestämde sig för

att använda den som skrivbord. Hennes blick gled upp på väggen. Där hängde en illustration, några svartvita hamnarbetare som stretade på en kaj innanför en brunröd ram. Bilden var en reklamaffisch för en utställning med Torsten Billman på Nationalmuseum den 17 juni till den 10 augusti 1986.

Bakom hennes rygg fanns två fönster, hon kikade bakom gardinerna. Samma vita järngaller som utanför entrén med alla plåtskåpen.

Jag undrar hur länge jag måste vänta. Det kanske är en bit för fångarna att gå.

Minuterna kröp fram. Hon tittade på klockan fyra gånger på tre minuter, sedan drog hon ner ärmen över urtavlan så att hon inte skulle se den. Tittade upp på metallboxen som kallades stentofon, blicken fastnade på överfallslarmet alldeles intill.

Hon kände att hon svettades, trots att det var ganska kallt i rummet.

Så rasslade det till i låset, det klankade och bonkade och sedan gled dörren upp.

– Säg till när ni är klara, sa vakten och gick åt sidan för att släppa fram fången.

Hon reste sig för att hälsa och stirrade på karln som klev in i rummet.

Vem fan är det här?

Mannen på bilderna från rättegången hade varit långhårig och givit ett muskulöst intryck, med solbrun hy och arroganta läppar. Den här karln var en gubbe med stubbat gråsprängt hår och rejäl kagge, i kriminalvårdens urtvättade kläder och med plasttofflor på fötterna.

Fyra år, kan en sådan förändring vara möjlig på bara fyra år?

Han sträckte fram handen.

– Jag hoppas att de inte var alltför besvärliga med dig i säkerhetskontrollen, sa han.

Annika fick hejda en impuls att niga.

Det här stället gör konstiga saker med människor.

– Inte värre än flyget till Göteborg, sa hon.

– Vi fångar kommer från andra hållet och går igenom samma sak, sa han utan att släppa hennes hand. Jag håller med, det är inte så farligt, fast vi måste byta skor. Det finns risk att vi karvar ur sulorna på gympadojorna och fyller dem med knark.

Annika drog åt sig handen.

– Fast när vi går härifrån och ska tillbaka till avdelningen är det värre. Då måste vi strippa. Sedan får vi gå nakna genom metalldetektorn. De måste ju kolla att vi inte kört upp några vapen i röven.

Hon skyndade sig att sätta sig ner i stolen, vilket lämnade sängen till honom. Han slog sig ner, deras knän krockade nästan. Hon drog sig bakåt och tog upp penna och block.

– De kollar metallbågarna varje dag, sa Filip Andersson. Det kan verka lite överambitiöst, men faktum är att det funkar. Kumla är en kanonkåk, med samhällets mått mätt. Finns nästan inget knark här. Väldigt få rymningar. Faktiskt inga sedan fritagningarna den där sommaren, och inte tar vi livet av varandra särskilt ofta heller…

Annika svalde så högt att ljudet slog mot väggarna.

Han är ute efter att chockera. Det är inget att bry sig om.

– Livstid, sa hon. Hur klarar man det?

Det var inte den fråga hon tänkt börja med, inte alls. Den bara kom.

Han såg på henne tyst under några sekunder, det fanns något vattnigt i hans blick.

Går han på lyckopiller?

– Jag har uppgifter till dig, sa han. Det har kommit fram nya omständigheter i målet. Jag har sökt resning i Högsta domstolen.

Han sa det som om han just släppt århundradets nyhetsbomb.

Annika såg på honom och försökte undvika att blinka, vad menade han? Hur var det meningen att hon skulle reagera? *Nej men oj då, så spännande,* eller? Varenda småtjyv sökte ju resning i HD.

Hon trevade runt i rummets tystnad, letade efter några artiga ord att gå vidare med.

– Vilken typ av nya omständigheter? sa hon och han nickade åt henne att ta upp papper och penna, vilket hon gjorde.

– Har du läst handlingarna jag skickade dig?

Hon nickade, hon hade faktiskt ögnat igenom dem. Åtminstone de översta.

Filip Andersson lutade armbågarna mot låren och böjde sig framåt, Annika drog sig försiktigt bakåt.

– Jag är oskyldigt dömd, sa han med betoning på varje ord. Den nya resningsansökan bevisar det.

Hade resningsansökan varit med i pappersbunten han skickat över? Hon trodde inte det.

– Bevisar hur då? sa hon och ritade ett litet frågetecken i sitt block.

– Mobiltelefonen, sa han och nickade eftertryckligt.

Hon såg på honom, på den stora buken, de bleka armarna. Intrycket att han tidigare varit muskulös hade förmodligen varit felaktigt, han hade nog bara haft väldigt välskräddade kostymer. Håret hade han kanske färgat tidigare. Hon visste att han var 47 år, men han såg betydligt äldre ut.

– Vad? sa Annika.

– Utredarna har ju inte kontrollerat samtalslistorna! Jag var inte på Sankt Paulsgatan när morden begicks.

– Var var du då? sa Annika.

Han spärrade upp ögonen, sedan smalnade de till springor.

– Vad fan har du med det att göra? sa han och Annika kände hur pulsen flög upp i halsen igen, hon fick tvinga sig att inte dra efter andan.

– Inget alls, sa hon, jag har inget med det att göra.

Rösten lät alldeles för ljus.

Filip Andersson höjde ett finger och pekade henne rakt i ansiktet.

– Du vet inte ett skit! sa han med en upprördhet han inte riktigt förmådde att leva upp till.

Med ens lugnade Annikas puls ner sig. Hon såg in i hans våta ögon och hittade desperationen och hopplösheten, klamrandet efter halmstrån.

Han är en trängd hund som skäller, men här inne kan han inte bitas. Det är inte farligt, det är inte farligt.

Mannen reste sig hastigt upp och gick till dörren, två ganska korta steg, vände och kom tillbaka, lade var sin hand på stolens armstöd och lutade sig över henne. Han hade dålig andedräkt.

– Du är här för att skriva om min resningsansökan, sa han. Inte för att komma med en massa nyfikna jävla frågor!

– Nu har du fel, sa hon och struntade i att han fick hennes utandningsluft i sin mun. Det är jag som bett om att få besöka dig, och det är mina villkor som gäller.

Han släppte armstöden och reste sig upp.

– Om du lugnar ner dig och lyssnar på mig så kommer du att förstå vad jag vill, sa Annika. Fortsätter du att ställa krav så går jag.

– Varför skulle jag höra på dig?

– Jag vet mycket mer än du tror, sa Annika. Jag var där.

– Vad?

– Jag var där.

Han satte sig på sängen med en liten duns, munnen halvöppen.

– Var?

– Jag åkte med polispatrullen som var först på brottsplatsen på Sankt Paulsgatan den där kvällen. Jag såg inte så mycket, men jag kände lukten.

– Var du där? Vad såg du?

Hon släppte honom inte med blicken.

– Blodet. Det hade stänkt upp på väggen, och det rann nedför trappan. Långsamt, det var ganska tjockt men ljust, alldeles ljusrött. Väggarna var gula.

– Du såg inget annat?

Hon tittade upp på hamnarbetarna som kämpade under säckarnas tyngd på Torsten Billmans konstverk.

– Håret. Det var mörkt. Hon låg på trappavsatsen och rörde på huvudet. Julia Lindholm gick först uppför trappan, sedan kom Nina Hoffman och sist jag, jag gick sist och Julia först, men det var Nina som tog befälet, det var hon som drog vapnet.

Hon såg på honom igen.

Filip Andersson stirrade tillbaka.

– Sa hon någonting?

– Hon skrek "polis", det skrek hon, "du har ett vapen riktat mot dig. Julia, ta dörren. Annika, ut härifrån." Det skrek hon. Och då vände jag och sprang därifrån.

Han skakade på huvudet.

– Inte polisen. Olga.

– Vem?

– Den mörkhåriga.

Han menar offret.

Annika kunde inte låta bli att svälja igen.

– Jag vet inte, sa hon. Jag tror inte hon sa något. Hon dog innan ambulansen hann fram.

Tystnaden som behärskade rummet hade ändrat karaktär nu, var inte längre osäkert trevande utan tung och kvävande.

– Vad vet du om Algot Heinrich Heimer? frågade hon och Filip Andersson ryckte till, bara en liten aning vid munnen men Annika såg det.

– Vem?

– Han är död, men det är knappast ditt fel. Hur kände han David?

Det visste Annika redan, åtminstone delvis. De hade haft fallskärmshoppningsfirman tillsammans.

Finansmannen såg på henne med tomma ögon.

– Om du inte har något mer att säga så går jag härifrån nu, sa Annika.

– De var barndomsvänner, sa mannen lågt. David var som en storebror för Henke.

Henke?

– Men det gick åt skogen för Henke, sa Annika.

– David försökte verkligen hjälpa honom, men det gick inte.

– Varför blev han skjuten?

Filip Andersson ryckte på axlarna.

– Han kanske gjorde något dumt.

– Eller så blev han ett redskap, kanske för att hämnas på David. Mike Stevens sitter här, känner du honom?

Ny axelryckning.

– Bertil Oskar Holmberg då? Vem är det?

– Känner jag inte till.

– Säkert?

– Jag gjorde det inte. Jag var inte där då. Jag var inte på Sankt Paulsgatan.

Annika granskade mannen framför sig, letade efter hans ögon.

Pupillen är en öppning rakt in i hjärnan. Jag skulle kunna se hans tankar.

– Om du talar sanning så innebär det att någon annan gjorde det.

Han stirrade på henne.

– Om du talar sanning, sa Annika, lite högre nu, så innebär

298

det att du vet vem som är den verklige mördaren, men du sitter hellre här på livstid än berättar vad du vet. Och vet du varför?

Hans mun hade öppnats igen.

– För här inne lever du åtminstone. Om du säger vad du vet så är du död. Eller hur? Och varför frågar du om Olga? Är du rädd att hon hann prata?

Han svarade inte. Hon reste sig upp, han följde henne med blicken.

– Jag kan till nöds acceptera, sa hon mot dörren, att du håller käft om vem som högg ihjäl de där människorna för att rädda ditt eget skinn, men det finns en annan grej som jag inte fattar.

Hon vände sig om och såg på honom.

– Varför var David Lindholm den ende som trodde att du var oskyldig? Va? Hur kommer det sig att en av Sveriges mest kända poliser var den ende som litade på ditt ord? Var det för att han var så mycket bättre än alla andra snutar? Såg helt andra saker i utredningen än åklagaren, försvararen eller domstolen? Nej, så var det ju inte.

Hon satte sig ner på den lilla byrån som innehöll lakan och filtar.

– David kan bara ha trott på din oskuld om han hade kunskap om något som ingen annan kände till. Han trodde på dig för att han visste vem som egentligen gjorde det, eller så trodde han att han visste. Eller hur?

Filip Andersson rörde sig inte.

– Att du håller truten, fortsatte Annika, det kan jag förstå. Du sitter ju trots allt där du sitter. Men en sak tycker jag är helt obegriplig. Varför höll David käft?

Hon reste sig igen.

– Dig tror ju ingen på, sa hon, men David hade alla möjligheter i världen att berätta vad han kände till. Han skulle ha blivit dagens hjälte ytterligare en gång. Det finns bara en rimlig förklaring till hans agerande.

Mannen såg rakt fram, in i gardinen. Han svarade inte.

– Jag har tänkt väldigt mycket på det här de senaste veckorna. David var livrädd han också, konstaterade Annika. Inte för att bli ihjälslagen, någon sådan dödsskräck verkar han inte ha haft, han var rädd för något annat.

Hon gick till stolen och satte sig igen, lutade sig åt sidan så att hon fångade Filip Anderssons blick.

– Vad var viktigt för David? frågade hon. Vad var det som var så betydelsefullt för honom att han höll käft om ett massmord? Var det pengar? Anseende? Hans karriär? Eller tjejer? Sex? Knark? Var han narkoman?

Filip Andersson slog ner blicken, händerna fumlade med en näsduk.

– Vad hade du och han ihop egentligen? Vad band er samman? Han kände dig före morden, ni hade kontakt långt innan det här hände, eller hur? Och du må vara oskyldig till just de här avrättningarna, det har jag faktiskt ingen uppfattning om, men du är en jävligt ful fisk. Varför umgicks du med en känd polis? Och varför i all sin dar riskerade han sin karriär för att hänga med dig?

Filip Andersson suckade tungt och tittade upp.

– Du har egentligen inte fattat ett enda dugg, sa han, vet du det?

– Jamen berätta då, sa Annika. Jag är idel öra.

Han såg på henne med en sorg som var så stor att den verkade räcka in i evigheten.

– Är du verkligen säker på att du vill veta? sa han. Är du beredd att betala vad det kostar att förstå?

– Absolut, sa Annika.

Han skakade på huvudet, reste sig sakta upp. Han såg inte på henne när han lade handen på hennes axel och tryckte in knappen för att kalla på centralvakten.

– Tro mig på mitt ord, sa han. Det är inte värt det. Vi är klara nu.

Det sista sa han i stentofonen.

– Gå inte, sa Annika. Du har ju inte svarat på någonting alls.

Hans ansiktsuttryck var nästan ömsint.

– Skriv gärna om min resningsansökan, sa han. Jag tror faktiskt det finns en chans att de tar upp den. Jag var i Bromma vid tiden för morden.

Annika tog upp block och penna.

– Din mobiltelefon var där. Vad är det som säger att det var du som ringde i den?

Han stirrade på henne utan att få chansen att svara igen, för dörren gick upp och han gick ut ur rummet med kriminalvårdens plasttofflor kippande mot golvet.

Vad är det jag inte kommer åt? Det finns något mer, något jag skulle ha frågat honom om. Skit också!

Hon svävade mot utgången, genom den hundra meter långa stålburen. Det blåste hårt. I övrigt var det alldeles tyst.

Framme vid yttersta porten blev hon stående. Staketen fortsatte i det oändliga på bägge sidor om henne, hon vred på huvudet och såg från ena sidan till den andra, drabbades av en svindel som fick henne att klamra sig fast vid porten. Hon tryckte på kommunikationsknappen, gång på gång tätt efter varandra, barnsligt och intensivt.

– Kan jag få komma ut! ropade hon och så surrade låset till och porten gled upp och hon var ute, hon stod utanför elstängslet och luften var genast kallare och klarare. Tack, sa hon till den stumma övervakningskameran ovanför.

Hon lät ståldörren slå igen med ett raspande ljud. Gick och gick längs hela inhägnaden, ända tills hon var inne i samhället igen och tog till vänster på en gata som hette Stenevägen och som hon följde och följde, förbi en skola på ena sidan vägen och en skola på den andra sidan, förbi trähus och tegelhus och något enstaka eternithus, ända tills hon såg järnvägsspåret rakt framför sig. Då stannade hon till och skakade fram sitt armbandsur.

En timme och tjugo minuter tills tåget gick.

Hon såg bort mot stationen som låg uppe till vänster. Sibyllas korvmack hade hon fått nog av.

Till höger låg ett fik som hette Sveas. Hon svalde och gick in. Satte sig vid ett fönsterbord med kaffe, biskvi och Nerikes Allehanda.

En kvinnlig cyklist hade blivit påkörd och lindrigt skadad i korsningen Fredsgatan–Skolgatan i Örebro strax före klockan 13 dagen innan.

En annan kvinna krävde sjutusen kronor i skadestånd sedan hon träffats av en spottloska på krogen.

Unga örnar i Pålsboda hade beviljats tiotusen kronor i kommunala bidrag för att bygga ett musikrum.

Hon blundade och såg blodet i trapphuset på Sankt Paulsgatan framför sig.

Sköt kakan ifrån sig och gick och hämtade ett glas vatten i stället. Satte sig vid bordet och stirrade bort mot gatuköket.

Är du verkligen säker på att du vill veta? Är du beredd att betala vad det kostar att förstå? Tro mig på mitt ord. Det är inte värt det.

Hon tryckte handflatorna mot pannan.

Han bekräftade ju faktiskt. Det skulle inte hålla i en rättegång, men han hade tillstyrkt hennes scenario.

David Lindholm hade någon sorts skumraskaffär ihop med Filip Andersson, oklart varför och av vilken typ, men de hade känt varandra länge och var på något sätt inblandade i yxmorden på Sankt Paulsgatan bägge två.

Och nu var David också mördad. Filip Andersson hade valt att sitta inlåst på livstid för att inte dödas han också.

Det kan inte vara en slump. Det måste hänga ihop.

De tre offren på Söder blev ihjälhuggna.

David blev skjuten.

Inga likheter där.

Förutom den utstuderade grymheten. Det symboliska kastrerandet.

Hon flämtade till.

Du skall icke stjäla. Av med handen. Du skall icke bedriva hor. Av med kuken.

Om Filip Andersson är oskyldigt dömd så går den verklige mördaren fortfarande fri.

Herregud! Det kan vara samma gärningsman!

Nästa slutsats dånade in i hennes huvud.

Då var det inte Julia som gjorde det! Och då kanske Alexander lever!

Hon tog upp mobilen och slog numret till Kronobergshäktet i Stockholm. Att gå via den lata advokaten var meningslöst. Restriktionerna mot Julia Lindholm var hävda, så det fanns inga juridiska hinder att besöka henne.

– Jag heter Annika Bengtzon och är reporter på tidningen Kvällspressen, sa hon till vakten. Jag åkte radiobil med Julia Lindholm för fyra och ett halvt år sedan, vi var gravida bägge två. Jag tror att hon är oskyldig och jag vill intervjua henne. Kan du framföra min begäran?

Hon lämnade sitt mobil- och hemtelefonnummer.

Sedan reste hon sig upp och sprang bort till tåget, trots att det var en halvtimme kvar tills det skulle gå.

Hon bytte i Hallsberg, precis som på nerresan. Tvingade sig till lugn och besinning, försökte strukturera tankarna och utvärdera dem objektivt.

Har jag hittat något, eller har jag hjärnspöken?

Enligt hennes förstaklassbiljett var hon placerad i vagn ett, plats tio.

Först när hon gått igenom samtliga vagnar insåg hon att det inte existerade någon första klass på hela tåget. Alla platser såg likadana ut, trånga som sardiner i en burk och utan ens ett bord att fälla ner från stolen framför.

Så jävla typiskt Statens Järnvägar. Bara ta betalt men inte leverera.

Den enda plats som var upptagen i vagn ett var dessutom just nummer tio. En kraftig man hade slagit sig ner där och brett ut sin portfölj och tjocka rock över nummer nio.

Hon sjönk ner på ett tomt säte. Tåget satte igång med ett ryck. Efter bara en halv minut hade de lämnat samhället bakom sig. Hon stirrade ut över landskapet som rusade förbi, naken lövskog med svartnande grenar, lador, en övergiven skrotbil, en depå med uppsågade vindfällen, röda stugor och upplöjda åkrar. Svenska Häftstiftsfabriken, långa stengärdesgårdar och barrskog barrskog barrskog.

Hon tog upp mobilen, tänkte noga när hon formulerade sitt sms. Ville inte lova för mycket.

Har träffat Filip Andersson. Det gav nya tankar. Tror Julia kan vara oskyldig. Har du tid att ses?

Hon suckade och lutade sig tillbaka mot sätet.

I Kilsmo skymtade brungrått vatten, tre rådjur försvann bort över ett kalhygge. Hon stirrade efter dem, försökte urskilja dem bland snåren och riset men de var redan borta, ögonblicket var förbi och hon överväldigades av det välbekanta landskapet, det Sörmland där hon vuxit upp, av dess tjurighet och avvaktande slutenhet.

Mormor!

Hon flämtade till av intensiteten i tanken, minnet brände i

hennes bröst. Blundade och befann sig i köket i Lyckebo, i det dragiga torpet mitt inne i skogen, med Hösjön nedanför och tall-kronorna susande halvvägs mot himlen. Där var lukten av fuktig mossa och droppande grenar, prassel i buskarna och porlandet från en halvfrusen bäck. Där var transistorradion i fönstret med Trackslistan på lördagseftermiddagarna och Eldorado sent på kvällen, nattens nöjen och stjärnornas musik, och så mormor som gick där och plockade och pysslade och stickade och läste. Hon mindes tystnaden och sina egna andetag, hur trattkantarellerna blev spröda av frosten och hur kylan bet i fingrarna när man plockade dem.

Tåget saktade in i Vingåker och hon öppnade ögonen: en fotbollsplan, en bilparkering, ett hyreshus i brunvit plannjaplåt. Hon blinkade och sedan var de ute ur samhället igen, en rovfågel i ett träd, mera vatten, kunde det vara Kolsnaren?

Var kommer mina barn att ha sitt fundament? Var kommer deras trygghet att finnas? I vilka lukter? I vilka rum? I vilken luft och i vilken musik?

Ett skrotupplag, ett villaområde: de närmade sig Katrine-holm.

Tiden är allt en människa äger. Som ungdomen och livet är den självklar så länge man har den, men sedan är den bara borta.

Det mörknade och hon såg sin egen spegelbild i fönsterrutan, hon var trött och mager. Inte så där tjusigt utmärglad som film-stjärnorna, bara benig och hård.

Tåget stannade, där var Sparbanken och McDonald's och alla husen inne på torget, så smärtsamt bekanta och otillgängliga. Hon hade hört dit, men hon hade valt bort. Kunde aldrig bli hennes gator igen, och aldrig hennes barns.

Hon vände bort huvudet för att stänga ute människorna som strömmade in i vagnen.

Tror Julia kan vara oskyldig.

Nina läste sms-et en gång till innan hon beslöt sig för om hon skulle svara.

Tror kan vara.

Tror kan vara.

Irriterat tryckte hon bort meddelandet.

Hon hade tagit ut två veckors semester, gick på nattpasset klockan 20 ikväll. Först hade hon suttit med och stöttat Holger och Viola under de tre rättegångsdagarna, sedan hade hon tillbringat en vecka hos dem på gården utanför Valla. Hon hade gått på åkrarna med Julias far och sett på tv-serier i soffan tillsammans med Julias mor, och hela tiden hade utrymmet i rummen och lidren och stallarna dominerats av en fullständig och överväldigande tomhet.

De har bara mig nu.

Hon sjönk ner på sängen, såg sig runt i sin trånga enrummare.

Holger och Viola hade beslutat sig för att stanna kvar i Sörmland och inte köra upp till Stockholm för att ta del av tingsrättens dom. Hon hade erbjudit dem att sova över hos henne, om de ville, precis som de gjort under rättegången, men de hade avstått. De tyckte att de var i vägen, fastän hon bedyrade att så var det inte alls, och trots att de inte hade några djur längre att ta hand om ville de inte gärna lämna gården.

Folk pratade bakom ryggen på dem. Det hade Nina själv sett. Hur nackar vreds och ryggar blev breda nere på ICA Kvantum. Båda två hade blivit gamla och krumma det senaste halvåret, Violas hår hade blivit alldeles vitt och Holger hade börjat halta.

I morgon klockan 13.30 skulle domen meddelas.

Rättegången hade varit stel och konventionell, precis som brukligt. För Holger och Viola hade formalian varit en utdragen mardröm. I väntan på domen hade de gått runt frågan som katten kring het gröt. Förstulna frågor från dem bägge när de trodde att den andra inte hörde.

Vad betyder det, Nina, det som åklagaren sa, du som vet? Är det dåligt för Julia? Blir det fängelse? Så det tror du? Hur länge då? Jaså... Var kommer hon att vara då? Örebro, jaa, det är ju inte så långt, då kan man ju hälsa på, men hon får väl komma hem till jul? Jaså inte? Men sedan då, om några år?

Och nu kommer den här journalisten och säger *tror kan vara.*

Hon tryckte hårt på knapparna när hon svarade.

Det tror inte jag. Julia är skyldig. Hon har gjort sina föräldrar otroligt illa. Vad är det du vill?

Det lät väldigt otrevligt, men det struntade hon i.

Hon skyndade sig att skicka iväg svaret innan hon ändrade sig.

Hon gick ut i köket och drack vatten, svaret plingade till i hennes mobil innan hon hunnit ställa tillbaka glaset i diskstället.

Har varit på Kumla & träffat Filip Andersson. Han betedde sig intressant. Kan vara värt att dryfta. Jag kommer till sthlms c om 5 min.

Dryfta?

Filip Andersson. Tror kan vara.

Det skulle ju kunna betyda vad som helst, innebar ingen förpliktelse.

Snabbt slet hon till sig mobilen.

Jag är hemma. Kom hit.

Hon plockade ihop några räkningar som låg på matbordet och lade in dem i bokhyllan, slätade till överkastet på sängen och satte på kaffebryggaren. Sjönk sedan ner på en av köksstolarna medan vattnet gurglade färdigt.

Hon hade precis dukat fram muggar, mjölk och socker när det ringde på dörren.

Journalisten såg ut som en obäddad säng, ungefär som vanligt.

Hon klampade in i lägenheten med sin stora väska och bylsiga jacka och orden forsande.

– Det finns ett mönster jag inte har sett förut, och jag hade nog inte trott på det om inte Filip Andersson reagerat som han gjorde. Han påstår ju att han är oskyldigt dömd, och det finns onekligen en del frågetecken kring indiciekedjan som fällde honom. Antingen är han en riktigt skicklig skådespelare, eller så är han verkligen både rädd och bedrövad...

– Varsågod och slå dig ner, sa Nina och drog ut en stol åt henne, tog till rösten hon använde till bångstyriga fyllon och bråkiga mopedtrimmare. Hur vill du ha ditt kaffe?

– Svart, sa journalisten och satte sig längst ut på stolskanten samtidigt som hon fiskade upp ett litet skrivblock ur sin väska. Jag skrev ner några saker som jag inte får ihop.

Nina hällde upp kaffet och granskade reportern i ögonvrån.

Det fanns något lätt maniskt över henne, något lite för fokuserat. Hon var som en kamphund vars käkar låste sig och inte släppte greppet.

Hon hade aldrig kunnat bli polis. Inte tillräcklig diplomatisk förmåga.

– Domen kommer i morgon, sa Nina och slog sig ner mitt emot Annika Bengtzon. Det är lite sent att presentera bevis som skulle förändra något.

– Det här är ju inga bevis direkt, sa journalisten. Det är mer omständigheter och antaganden.

Nina suckade tyst, "omständigheter och antaganden".

– Jaha, sa hon. Och vad säger de?

Reportern tvekade.

– Det är lite långsökt, sa hon. Faktum är att det är så infernaliskt att jag inte riktigt tror på det själv. Det är för grymt och utstuderat, men är man tillräckligt våldsam och hänsynslös så skulle det faktiskt vara möjligt.

Nina hittade inget att säga utan väntade tyst.

Annika Bengtzon tuggade lite på tumnageln och läste i sitt block.

– Det finns ett samband mellan morden på Sankt Paulsgatan och mordet på David, sa hon, har du tänkt på det?

Nina väntade tyst på fortsättningen.

– Alla mordoffren fick först en skada i huvudet, de på Sankt Paulsgatan ett yxhugg och David en kula i panna. Sedan stympades offren. Du skall icke stjäla, av med handen. Du skall icke bedriva hor, av med kuken. Det är mycket starka symboliska markeringar i bägge fallen...

Nina kände hur ögonen vidgades i misstro.

– Nej, vet du vad, sa hon. Det är mer än fyra år mellan brotten, och förutom att bägge inträffade på Söder så finns det inget som binder dem samman.

– Finns flera grejer som binder dem samman, sa Annika. Både du och Julia var närvarande på bägge brottsplatserna, till exempel.

– En ren slump, sa Nina.

– Kanske, sa Annika. Men den viktigaste anknytningen finns hos David. Han kände Filip Andersson, de hade affärer ihop. Enligt bloggskvallret så hade Filip Andersson någon verksamhet på spanska solkusten, visst sa du att David och Julia varit bosatta där nere under en period? Ett halvår, i ett radhus utanför Malaga?

Nina flyttade sig irriterat på stolen.

– Det var ju för att komma bort från något gäng i Stockholm, det hade inget med Filip Andersson att göra.

Journalisten lutade sig fram över bordet.

– Är du säker? Kan det ha funnits något annat skäl? Infiltrerade han Anderssons gäng? Eller jobbade han åt honom?

Nina svarade inte.

– Hur länge sedan är det som David och Julia vistades i Spanien? Du sa att Julia såg ut som ett spöke.

– Hon hade precis blivit gravid och kräktes hela tiden, sa Nina.

– Så det var precis före morden på Sankt Paulsgatan, konstaterade Annika. Julia var i fjärde månaden den där natten vi var ute.

Nina skakade på huvudet.

– Det finns inget som tyder på att David och Filip Andersson hade några affärer ihop. Ingenting överhuvudtaget.

– David blev hans förtroendeman sedan han dömts till livstid, och enligt Christer Bure var David den ende som trodde att Andersson var oskyldig. De måste ha känt varandra sedan tidigare, och David visste någonting om morden som ingen annan gjorde.

Nina kunde inte dölja en tung suck.

– Förlåt om jag är brysk nu, sa hon, men du låter som en överentusiastisk privatspanare.

– Finns fler gemensamma nämnare, fortsatte journalisten. Dels har vi morden, symboliken, och sedan ambitionen att snärja fel mördare.

Nina reste sig upp.

– Nej, men vänta nu, sa hon.

– Sätt dig, sa Annika Bengtzon och hennes blick var plötsligt sotsvart, och nu var det Nina som lydde. Om man lyckas med konststycket att först mörda flera personer och sedan få en annan person dömd för brotten, då måste man vara en oerhört förslagen och planerande typ. Det är bara en sak jag inte får ihop här.

– Vad? sa Nina.

– Julias tjänstevapen. David sköts med hennes pistol.

Nina kände hur hon vitnade. En ny typ av tystnad lade sig omkring henne och hon kände hur händerna blev fuktiga.

– Vad menar du? sa hon och rösten lät konstig.

– Det är den felande länken. Allt annat får jag ihop, men mordvapnet går inte att bortförklara.

– Julias vapen försvann för ett år sedan, sa Nina. Det var när hon mådde som sämst, det var väldigt pinsamt. Hon kom inte ihåg var hon hade lagt det. Det är ingen nyhet, det kom fram under rättegången.

Nu var det reporterns tur att blekna.

– Vad är det du säger?

Nina gned händerna mot varandra för att få tillbaka värmen i dem.

– Vi måste alltid låsa in tjänstevapnen på stationen när vi gått av vårt pass, men Julia förvarade sitt tjänstevapen hemma ibland. David hade specialtillstånd och ett särskilt vapenskåp i sovrummet.

– Så hon brukade förvara det på flera olika ställen?

– Korrekt. Och om en polis ska vara tjänstledig mer än trettio dagar ska tjänstevapnet lämnas in för förvaring på vapenverkstaden. När det stod klart att Julia skulle bli sjukskriven en längre tid så ombads hon att lämna in sitt vapen, och det var då hon upptäckte att det var borta.

– Borta?

– Det låg inte i vapenskåpet hemma på Bondegatan. Hon åkte in till stationen och kollade om hon låst in det på arbetsplatsen, vilket hon inte hade. Hon var förstås helt förtvivlad, kunde inte begripa hur det kommit bort.

– Så vad hände?

– Hon anmälde pistolen som försvunnen. Hon ville inte hävda att den var stulen, hon förstod helt enkelt inte vart den tagit vägen. En intern utredning inleddes för att ta reda på om Julia gjort sig skyldig till något lagbrott eller tjänstefel, eller möjligen ringa tjänstefel, eftersom hon uppenbarligen slarvat bort sin Sig Sauer...

– Varför har jag inte hört något om det här?

– Du har väl inte följt med. Försvaret nämnde det under rätte-gången, men det blev ingen stor sak. Att förstärka bilden av Julia som en förvirrad och oansvarig person låg inte i hennes intresse, antar jag.

– Vad hände med utredningen kring vapnets försvinnande?

– Den var fortfarande inte klar när mordet inträffade, men all-ting pekade mot ringa tjänstefel vilket inte skulle innebära någon påföljd. Den milda bedömningen skedde mest för Davids skull förstås. Att vapnet dök upp innebar bara att utredningen lades ner, eftersom hon tydligen hittat vapnet eller haft det i sin ägo hela tiden...

– Men det hade hon inte, sa Annika Bengtzon. Någon började planera det här mordet för väldigt länge sedan, och var helt klar över att ge Julia skulden redan från början.

– Det kan inte vara möjligt, sa Nina. Det låter som en konspi-rationsteori i klass med Roswellkraschen.

Men journalisten lyssnade inte längre på henne. Blicken hade blivit inåtvänd och hon talade snarare högt för sig själv än till Nina.

– Om Julia verkligen är oskyldig så är Alexander faktiskt kid-nappad. Det tyder på att den riktiga gärningsmannen borde vara kapabel att göra vad som helst. Hugga händerna av levande män-niskor med en yxa, till exempel.

Hon såg på Nina igen.

– Kan David ha varit bög, eller bi?

– Har jag svårt att tro, sa Nina. Vad skulle det ha med saken att göra?

– Mördaren **måste** ha haft en personlig relation till David, an-nars skulle hon eller han inte ha skjutit snoppen av honom.

Annika Bengtzon nickade för sig själv.

– Då fanns det verkligen en annan kvinna i lägenheten. Någon som hade tillgång till nycklar, eller hade kunnat göra kopior av nycklarna, både till ytterdörren och vapenskåpet. Det måste ha varit någon av hans älskarinnor, och hon måste ha varit oerhört angelägen om att hämnas någonting. Hon måste ha haft kännedom om Björkbacken, eftersom hon gömde Alexanders saker i kärret intill. Snacka om den ultimata kränkningen: att skjuta mannen, bura in hustrun för mordet och stjäla barnet.

Nina satt förstenad, kunde inte längre tänka.

– Domen kommer i morgon, sa hon.

– Den går att överklaga, sa Annika Bengtzon. Kan du hjälpa mig att få kontakt med Julia, eller på något sätt ordna så att jag får prata med henne? Eller kanske skriva brev? Jag har ringt advokaten hundra gånger och lämnat meddelande på häktet, kan inte du hjälpa mig?

Nina reste sig upp.

– Jag jobbar ikväll och har en del att göra.

Det blåste snålt och vasst när Annika steg ut ur porten. Hon tvekade om hon skulle ta tunnelbanan, bestämde sig sedan för att gå. Behövde bränna bort besvikelsen efter sitt misslyckande.

Jag vädjade, som en liten unge. Hon måste tycka att jag är helt knäpp i huvudet.

Om inte Nina vill se sambanden, då vill ingen.

Hon drog på sig vantarna och började gå upp mot Slussen, tvingade sig själv att lämna konspirationsteorierna kvar på trottoaren på Södermannagatan.

Visst, de hade kunnat hänga ihop, särskilt eftersom Julias tjänstevapen varit försvunnet en tid.

Annika ruskade på sig, hon var tvungen att samla ihop sig och skaffa lite perspektiv.

Det var inte hennes uppgift att fria Julia Lindholm. Julia behövde inte vara oskyldig bara för att hon själv var det.

Håller jag på att bli tokig? Har änglarna tystnat bara för att bli tvångstankar i stället?

Hon kämpade sig uppför Östgötagatan, tvingade benen att gå snabbt i kylan. Ögonen tårades, men det var mest av blåsten.

Fattar man själv att man är på väg att bli galen?

Tänk om hon snart började tolka hemliga koder i dagstidningarna, som Nobelpristagaren i filmen "A beautiful mind"? Han som ritade oändliga mängder obegriplig gallimatias på små lappar och trodde han var smartast i universum.

Hon skyndade på stegen, kom upp till Mosebacke torg. Rundade Södra teatern och ställde sig att se ut över Stockholms hamninlopp.

Det här var en av hennes absoluta favoritplatser på jorden.

Om hon någon gång fick välja att bo var hon ville, då skulle hon köpa en lägenhet på Fjällgatan eller någonstans uppe vid Ersta sjukhus. Utsikten var bedövande med sitt vatten och sina ljus, med Skeppsbrons medeltida fasader till vänster, Skeppsholmen med alla museerna rakt fram, Djurgården med sitt nöjesfält till höger och så Waldemarsudde längst ut. En Vaxholmsbåt var på väg in mot kaj, dess lanternor glittrade i vattnet. Här hade människor dragit efter andan i tusen år, redan innan Birger jarl bestämde sig för att placera Sveriges huvudstad på ön i Mälarens inlopp.

Om jag bara får ut försäkringspengarna. Om jag avskrivs från misstankarna om mordbrand. Då ska jag bo här.

Hon släppte utsikten och fick bråttom hemåt, hem till www.hemnet.se för att slå upp om det fanns några lägenheter till salu med utsikt över Saltsjön. För varje steg kom hon längre bort från misslyckandet som låg kvar och smetade på trottoaren på Södermannagatan.

Hon hade passerat Slussen och kommit in på Västerlånggatan när hon först drabbades av känslan att vara iakttagen. Kullerstenarna på de medeltida gatorna var hala av fukt, hon såg sig om över axeln och halkade till. Hon stannade upp och lyssnade, aningen andfådd.

Gatan svängde svagt åt höger framför henne, den låg tom och öde. Blåsten hade rivit med sig en trasig affisch, den virvlade förbi hennes fötter. Affärerna hade stängt men krogarna var öppna, hon såg människor äta och dricka och skratta innanför immiga glasrutor. Skenet från stearinljusen på deras middagsbord fladdrade på husfasaderna.

Inget hördes. Inga steg, inga rop.

Håller jag på att bli paranoid också?

Hon hissade upp bagen på axeln och började gå.

Där var de, stegen. Hon stannade igen, snurrade runt.

Ingen där.

Hon andades hastigt.

Skärp dig, för helvete!

Hon hade hunnit förbi Seven Eleven och var på väg att passera Yxsmedsgränd när en människa klev fram ur skuggorna och tog tag i hennes arm. Förvånat såg hon upp. Han bar en skidmask. Hans ögon var ljusa. Hon drog efter andan för att skrika. En annan person, någon annan, en annan man, kom upp bakom henne och lade en behandskad hand över hennes näsa och mun. Skriket blev ett litet förvånat och kvävt halvljud. Hon öppnade munnen och kände ett finger glida in mellan tänderna, hon bet så hårt hon orkade. En kvävd svordom västes i hennes öra, hon fick ett hårt slag i huvudet. Hon höll på att ramla och släpades in i gränden. Där inne var det helt mörkt. Hon drogs in i en port. Vinden ven men hon var alldeles varm i hela kroppen. De bägge männen, för de måste vara män, tryckte upp henne mot väggen. Hon uppfattade ett knivblad som glimmade till.

– Du ska ge fan i grejer som du inte har med att göra, sa den ene.

Det var en viskning, inte en riktig röst.

– Vilka grejer? sa hon lågt, stirrade på kniven. Eggen pekade mot hennes vänstra öga.

– Lämna David i fred. Det räcker nu. Du ska inte rota mera.

Hon flämtade ytligt, kände paniken komma rusande. Kunde inte svara.

– Har du fattat?

Ge mig luft! Jag kan inte andas!

– Tror du hon har fattat?

Den ena rösten viskade till den andra.

– Nej, jag tror vi får vara lite tydligare.

Hon kände hur de tog tag i hennes vänstra hand, drog av henne vanten. Kniven försvann från ögat. Hon fick äntligen lite luft.

– Om någon frågar dig så skar du dig då du lagade mat, viskade rösten och sedan fick hon handsken över munnen igen, och sedan brände en förfärlig smärta genom handen och upp genom armen och genom hela bröstkorgen. Det dånade i huvudet av chocken och knäna vek sig.

– Sluta ställa frågor om David. Och inte ett ord om oss. Nästa gång skär vi upp dina barn i stället.

De släppte henne och hon sjönk ner mot gatstenen medan varmt blod pumpade ut ur hennes sönderskurna pekfinger.

På akuten sa hon att hon skurit sig när hon lagade mat.

En stressad AT-läkare sydde ihop henne med åtta stygn och sa åt henne att vara försiktigare i fortsättningen.

– Vad var det du skar?

Hon såg upp på honom, tänk att läkarna var så unga nuförtiden. Yngre än vikarierna på tidningen.

– Skar?

– Var det kyckling? Eller något annat animaliskt? Du kan ha

fått in bakterier i såret.

Hon blundade.

– Lök, sa hon.

– Har du otur kan du få bestående men. En del senor är skadade.

Han lät ogillande, som om hon tog upp hans tid med sitt slarv.

– Förlåt, sa hon.

– Gå till distriktssköterskan på Vårdcentralen och lägg om såret varannan dag. Hon kommer att kolla så att du inte får någon infektion och sedan tar hon bort stygnen om någon vecka.

– Tack, sa Annika.

Hon sa inget om bulan som bultade i bakhuvudet utan satte sig i en ledig taxi som stod och väntade på någon annan utanför entrén. Bad att få åka till Västerlånggatan 30 och lutade huvudet bakåt mot sätet för att domna bort.

– Går det bra om jag kör upp Kåkbrinken? frågade chauffören och hon satte sig upp med ett ryck.

Då måste jag gå förbi Yxsmedsgränd.

– Nej, sa hon. Du måste köra ända fram till porten.

– Det går inte.

– Det skiter jag i.

Han släppte av henne längst upp på Kåkbrinken, hon smällde igen bildörren så att rutan skallrade.

Hon blev stående på Västerlånggatan med hjärtslagen larmande som kyrkklockor i huvudet och stirrade på valvet som utgjorde korsningen ner till Yxsmedsgränd. Det bultade och brände i vänsterhanden, hon kände lukten av mannens handske, smaken av dess skinn.

De är borta nu. Vilka de än var så är de inte kvar. Skärpning!

Hon satte ena foten framför den andra och förflyttade sig långsamt längs gatan med blicken stint fäst på öppningen ner mot gränden. Skuggorna i gränden var större än alla andra mörker, de sög åt sig allt syre och fick henne att kippa efter andan. Hon strök sig mot Flodins skyltfönster på andra sidan gatan och tog sig förbi, hon var på andra sidan valvet och gick vidare mot sitt hus utan att släppa Yxsmedsgränd med blicken.

– Annika, sa någon och lade en hand på hennes axel.

Hon skrek rakt ut och snurrade runt med högerhanden lyft till slag.

– Men snälla du, hur är det?

Annika stirrade på människan som klivit fram ur porten till Västerlånggatan 30. Lång, blond, bred, med ett uttryck av förvåning och förebråelse i ansiktet.

– Anne, flämtade Annika. Vad fan gör du här?

Anne Snapphane log nervöst.

– Jag skulle vilja prata med dig. Det är viktigt för mig.

Annika slöt ögonen och kände ilska och vanmakt välla fram som en flodvåg, en uppdämd reaktion av tidigare kränkningar som aldrig fått komma fram.

Hon spärrade upp ögonen och tog in hela den trampande människan i sitt synfält.

– Vet du vad? sa hon. Jag skiter i dig. Jag skiter i vad som är viktigt för dig. Jag kunde faktiskt inte bry mig mindre om dig.

– Jag förstår dig, sa Anne, och det är det jag vill prata om...

– Stick härifrån, sa Annika och rotade efter nycklarna i jackfickan.

– Om du bara gav mig chansen att förklara...

Något brast i Annikas huvud, hon snurrade runt och knuffade till Anne med sin friska högerhand.

– Dra åt helvete, skrek hon. Jag hoppas du dör, din egocentrerade jävla parasit.

På något sätt fick hon upp porten och drog igen den efter sig och sprang uppför trapporna utan att tända någon belysning.

Hon stannade utanför sin ytterdörr och lyssnade nedåt, mot rytande tystnad och dammiga skuggor.

Låste upp lägenheten och gick in i vardagsrummet utan att tända, precis som hon tagit för vana. Hon blev stående på trägolvet och väntade medan dånet från livet långsamt klingade av och dog bort.

Det fanns något försonande i mörkret och tystnaden, i att landa i något svart och mjukt. Själva mörkret skrämde henne inte, hade aldrig gjort. Tvärtom, det dolde henne och gav henne manöverutrymme att prova nya vägar.

Telefonen ringde och slet sönder stillheten.

Hon gick bort till sin madrass, som hon inte bäddat ihop i morse, och tvekade om hon skulle svara men lyfte sedan luren.

Det var Thomas.

– Förlåt att jag ringer så sent, men det har kört ihop sig.

Nykter den här gången, och hemifrån.

Hon sjönk ner invid fönstret och tittade upp mot den diffusa mörkerhimlen som skymtade mellan huskropparna.

– Hur då?

– Ellen är sjuk, så jag måste jobba hemma i morgon och det är inget problem egentligen. Men det är så att vi ska bort i morgon kväll, Sophias mamma fyller år och vi har biljetter till Operan, och jag kan inte lämna barnen ensamma och barnvakten har precis ringt och sagt att hon också är sjuk, och du sa ju att du... så jag undrar om du kanske kunde ta barnen i morgon kväll...

Han hade talat i en och samma utandning.

Han vill väl. Han är riktigt angelägen.

– Hur är det med Ellen?

– Hon kräks och har hög feber, men det får hon ju alltid när hon är sjuk.

– Är det något allvarligt? Har du talat med sjukvårdsupplysningen?

– Det är ingen fara, men jag vill inte gärna flytta henne. Så jag undrar om du kanske skulle kunna komma hit.

Komma... vart?

– Till oss. På Grev Turegatan. Så får hon ligga kvar i sitt rum.

Sitt rum? Hennes rum är här. Med rosa överkast!

– Jag tänkte att de kanske kunde vara här, sa Annika.

– Det är ju min vecka, och hon har feber...

Sophia Fucking Jävla Grenborg börjar bli less. Hon vill att jag ska ta mera ansvar så att Thomas slipper.

– Okey, sa hon lågt. Jag kommer. Vilken tid?

Hon fick adressen och lade på luren med en svidande känsla av nederlag i bröstet.

Jag vill att du ska vara full av längtan när du ringer. Full! Från krogen!

Hon kände sig plötsligt spyfärdig. Skulle precis resa sig för att gå på toaletten och stoppa fingrarna i halsen då telefonen ringde ytterligare en gång.

– Sluta för helvete, skrek Annika åt apparaten och slängde iväg den över golvet. Luren ramlade av och studsade iväg på träplankorna så långt sladden räckte. Hon satte händerna för ögonen och kämpade mot paniken.

– Hallå? Hallå?

Någon pratade i luren, det lät som en kvinna.

Är det Anne så åker jag till Artillerigatan och slår ihjäl henne.

Hon hasade sig bort till telefonen, tryckte handen till stöd över bröstet och tog upp luren. Blodet hade trängt igenom bandaget. Hon tog upp luren.

– Hallå? sa hon kvävt.

– Hallå? sa en ljus kvinnoröst. Är det Annika Bengtzon?

– Ja, viskade Annika, det är jag.

– Det är Julia Lindholm. De sa att du ringt, att du ville komma hit.

Annika reste sig upp och försökte få luft.

– Hej, fick hon fram, ja, jo, det vill jag.

– Jag fick en pojke, sa Julia. Vad fick du?

Annika blundade.

– En flicka. Hon heter Ellen.

– Bor hon hos dig?

Hon stirrade in i skuggorna som behärskade lägenheten.

– Ibland, sa hon. Vi… ska skiljas.

– Vad tråkigt.

– Ja, jo…

Hon harklade sig och tvingade sig att samla ihop sig.

– Jag jobbar fortfarande på tidningen Kvällspressen. Jag vet att domen mot dig kommer i morgon, sa Annika, men oavsett vad den säger så tror jag inte att du gjorde det. Jag skulle vilja prata med dig om det.

Det blev tyst i luren.

– Varför tror du att jag är oskyldig?

– Lång historia. Jag berättar den gärna, om du vill lyssna.

– Du kan komma hit i morgon bitti om du vill. Jag får ta emot besök från klockan 8.

– Jag kommer, sa Annika.

ANNE SNAPPHANE GICK UTMED Västerlånggatan och stannade till vid nummer 30. Hon tittade upp på husfasaden och såg att det lyste i några fönster på andra våningen. Kanske fanns Annika i något av de upplysta rummen, för någonstans i det här huset bodde hon.

Hon är säkert vaken, hon har alltid varit morgontidig.

Hela hösten hade Anne gått förbi här, varenda dag sedan hon hyrde in sig på kontoret med de andra frilansjournalisterna på Tyska brinken. Nästan varje dag hade hon tittat upp på huset och stannat till i porten, funderat över om hon skulle gå upp och ringa på. Hon saknade verkligen Annika. Varje gång hon körde fast i sitt artikelskrivande eller inte fick tag i någon intervjuperson så fick hon hejda sig med handen på telefonen. Annika hittade alltid alla på ett kick, Anne hade aldrig fattat hur hon bar sig åt. Och när livet trasslade till sig och grabbarna svek så saknade hon Annika extra mycket, för hon hade alltid kaffe och mörk choklad hemma, och nästan alltid några nya stövlar som man blev glad av.

Karriären som föreläsare hade gått i stå under hösten, hon hade inte lyckats sätta ihop något nytt föredrag och agenturen hade slutat höra av sig. Lika bra det. Hon behövde tid för sig själv, för att tänka och mogna. Hetsen att synas i media och vara ett känt ansikte var bara yta, hon hade bestämt sig för att leta efter de inre värdena, de som gjorde henne till en bra människa. Hon ville leva sitt bästa liv, och då måste hon göra upp med de människor som blivit hennes energitjuvar, sådana som blivit små stenar i hennes skor och låg där och tryckte och skavde.

Annika var den hon verkligen behövde prata med. Faktiskt hade hon försökt få till stånd ett samtal ända sedan i somras, hade både mejlat och ringt utan att någonsin få svar.

Hon frös till, och det berodde inte bara på den råkalla morgonen.

Mötet igår kväll här i porten gjorde att hon fortfarande kände sig uppriven. Hon hade jobbat sent och var på väg hem till Artillerigatan, som vanligt hade hon stannat till vid nummer 30 och tittat upp på fasaden, tänkt på saker som varit viktiga. Hon hade stått där någon minut, eller möjligen ett par, när hon såg Annika komma gående medan hon hela tiden sneglade sig om över axeln.

Det hade inte blivit något bra samtal, Annika hade verkligen varit otroligt elak, och Anne ville inte längre utsättas för sådant.

Hon tog ett djupt andetag, plockade fram mobiltelefonen och slog Annikas välbekanta nummer.

Signalerna gick fram, tre, fyra, och sedan var hon där.

– Hej, det är Anne. Jag skulle vilja prata lite med dig.

– Varför det?

Hon lät väldigt trött, men inte nyvaken.

– Det blev så fel igår… Du, jag står utanför din port, kan jag komma upp?

– Vad gör du här?

– Jag är ingen stalker, jag delar kontor med några andra på Tyska brinken, du vet i det där huset där jag bodde förut…

– Jaha du.

Hon lät kort och mycket avvisande.

– Har du tid med mig en liten stund?

– Jag är precis på väg ut.

– Halv åtta på morgonen?

Hon svarade inte.

– Jag står här nere. Du kan välja att gå förbi mig om du vill.

Anne lade på.

Det var verkligen riktigt ruggigt ute. Fukten banade väg för kylan och fick den att gå igenom märg och ben. Hon stampade med fötterna och gned händerna mot varandra. Mörkret hängde fortfarande tungt över takåsarna. Trafikbruset från Munkbroleden förmådde inte tränga genom kylan och stenhusen. De medeltida gatorna lämnades märkligt tysta och öde.

Usch, här skulle jag aldrig kunna bo. Fattar inte hur Annika står ut.

Ljuset tändes i trapphuset, en halv minut senare sköts dörren upp.

Annika steg ut på trottoaren med mobiltelefonen i handen.

Hon var blek och håret vildvuxet.

– Vad vill du? sa hon och tittade inte på Anne.

– Jag vill be om ursäkt, sa Anne. Jag har betett mig som en idiot, och jag hoppas att du kan förlåta mig.

Annika såg upp på henne med sina enorma ögon, de där öppna och sårbara och tillitsfulla.

Hon vet inte om att hon har dem. Hon vet inte hur avslöjande de är.

Anne ville sträcka fram sin hand och ta i henne, men avstod. Annika hade svårt för beröring. Det skulle mycket till innan hon utbytte någon form av kroppskontakt.

– Du har hjälpt mig på alla sätt man kan, sa Anne och märkte att hon kände sig spänd och nervös. Du har skaffat mig jobb och kontakter, du har givit mig pengar och barnvakt och vänskap. Du fanns alltid där och jag tog dig för given...

Hon stannade upp och hämtade andan och bestämde sig för att vara lugn.

– Du blev självklar, jag blandade ihop mig själv med dig. Jag tyckte att allt ditt skulle vara mitt. När jag inte fick allt som du hade, så tyckte jag att det var orättvist.

Annika stod alldeles stilla och svarade inte, tittade bara ner i backen. Anne såg att hon fått några gråa hårstrån.

– Jag fattar ju att det var fel, nu fattar jag det. Men jag förstod det inte tidigare.

Annika såg bort längs Västerlånggatan.

– Jag är på väg till ett möte, sa hon.

– Jag saknar dig, sa Anne. Du är en av de personer som jag tyckt mest om. Jag är jätteledsen om jag har sårat dig.

Annika såg upp, en hastig blick med de nakna ögonen.

– Jag måste gå nu, sa hon.

Anne nickade.

Annika gick iväg med mobiltelefonen i handen, en stor täckjacka och ett par spinkiga ben som försvann ner i svarta cowboyboots.

Kommunikation var verkligen inte Annikas starka sida.

Nå, då får väl jag vara kommunikatören. Hon kan ju inte vara bäst på allt.

Annika gick snabbt bort mot Kronobergshäktet.

Det senaste halvåret, sedan den förfärliga brandnatten då Anne inte släppt in henne när hon stått med barnen i trapphuset, hade hon blockerat Anne Snapphane ur sitt medvetande. Hon hade gjort henne till en zeroperson, en sådan man icke-hälsade på. Faktum var att hon börjat glömma bort Anne.

Att hon plötsligt dök upp och bad om ursäkt ruskade om.

Jag gjorde mig själv till en curlingkompis, en som sprang i förväg och sopade banan så att den skulle bli lättare för Anne att glida fram på.

Hon stannade till vid ett övergångsställe och svalde förtreten.

Med ögonen vidöppna och självkritiken ekande i kroppen erkände hon för sig själv att hon sopat där hon själv ville, att hon styrde Anne åt det håll som hon själv hade bestämt.

Och deras relation hade kantrat. Anne tog för givet att Annika skulle fixa allting åt henne, från pengar och kläder och lägenheter till föredrag och nya uppdragsgivare. Annika, i sin tur, hade utgått från att Anne var en underlägsen förlorare som inte klarade någonting själv.

Som om jag ville att hon skulle vara beroende av mig, så att jag fick känna mig betydelsefull.

Det blev grönt och hon skyndade över gatan.

Anne vägrade att ställa upp för mig när mitt liv störtade samman. Hon skickade ut mig på gatan med barnen när Thomas lämnat mig och huset brunnit ner.

Ilskan var fortfarande vass och vitglödgad.

Hon kom fram till Kronobergshäktet klockan 07.59, gick in i receptionen och fick legitimera sig, lade sina saker i ett skåp och åkte upp i hissarna med penna och anteckningsblock.

Inga metallbågar, inga röntgenapparater.

Hon låstes in i ett fönsterlöst rum med ett bord och fyra stolar.

Annika blev stående och stirrade på väggarna.

Tänk, att vi spärrar in människor på det här sättet än idag för att de brutit mot regler som någon annan har satt upp. Det är faktiskt fullständigt barbariskt.

Dörren öppnades. Vakten gick åt sidan och en blond liten kvinna klev in i besöksrummet. Hon bar jeans och tofflor och en grå tröja, håret var uppsatt i hästsvans. Några testar hade smitit ut och dansade runt hennes ansikte. Hon stannade innanför dörren och drog i tröjärmarna.

– Hej, sa hon.

– Hej, sa Annika.

– Du ser ut som jag minns dig.

– Detsamma.

Det är inte sant. Hon har blivit mindre. Äldre och mindre. Eller så var det uniformen som gjort henne stor den gången.

De tog i hand och satte sig mitt emot varandra vid bordet. Annika lade upp block och penna på bordsskivan. Den svaga lågenergilampan i taket kastade djupa skuggor under Julias ögon. Tröjan satt löst över hennes axlar.

– Så du fick en flicka, sa hon. Sover hon ordentligt?

Annika nickade.

– Har alltid gjort. Min första, Kalle, han skrek på kvällarna tills han var ett halvår. Jag var så trött att jag trodde jag skulle bli galen.

Julia slappnade av.

– Jag vet precis hur det är. Alexander sov inte en hel natt förrän han var två. Tror du det är lättare med flickor?

Annika granskade kvinnans ögon bakom skuggorna, de var vidöppna och tomma på ett sätt som fick det att krypa längs hennes ryggrad.

Det här är inte riktigt friskt.

– Jag tror det är lättare med andra barnet, sa Annika. Man har ju fått öva en gång. Och så vet man att det går över, koliken och sömnlösheten och allt det jobbiga...

Julia skakade på huvudet.

– Jag vet inte om jag törs skaffa något mer barn, sa hon. Jag mådde så dåligt efter Alexander.

– Det kanske inte bara berodde på pojken eller förlossningen, sa Annika, utan på andra saker också.

Julias ögon stannade på en punkt på väggen. Hon satt tyst en lång stund.

– De tror att jag har dödat honom, sa hon sedan.

– Jag vet att de säger det, sa Annika, men det tror inte jag.

Skuggorna djupnade under Julias ögon när hon drog sig bakåt mot väggen.

– Nina säger att jag kommer att hamna i fängelse. Tror du det?

Annika kände halsen bli torr, hur tvekan steg fram i hennes ögon.

– De som är experter säger så, sa hon, och om de har rätt så tror jag att ett stort fel har begåtts. Jag tror inte att du gjorde det. Jag tror att det fanns en annan kvinna i lägenheten, och jag tror att hon tog Alexander.

Julia satt alldeles stilla.

– Varför tror du det?

– Jag tror det finns ett samband mellan mordet på David och det där hemska trippelmordet som vi travade rakt in i den där natten när jag åkte med er i patrullbilen. Kommer du ihåg Filip Andersson?

Julia Lindholm lutade huvudet bakåt och tittade upp i taket.

– Ingen tror mig, sa hon. Inte ens Nina. Alla frågar bara vad jag gjorde, inte vad den andra kvinnan gjorde.

Hon vände blicken mot Annika.

– Visst känner du Nina? Det är lite synd om henne, hon är så ensam. Hon bodde med sin mamma i ett litet torp utanför Valla, hon hade visst syskon fast de var mycket äldre. Mamman var en riktig hippie, bodde i något kollektiv på Kanarieöarna när Nina var liten. När hon började i Vallaskolan så var hon nio år och kunde varken läsa eller räkna. För det mesta sov hon över hos oss på gården, har hon berättat det?

Hon böjde sig framåt över bordet.

– Det finns en kille på stationen, en jättehäftig inspektör som heter Pelle Sisulu, han har varit kär i Nina i alla år och hon vägrar ta det på allvar. Hon tror inte att hon är värd att älska. Jag önskar jag kunde hjälpa henne…

Hon lutade sig bakåt mot den obekväma stolsryggen igen, tittade granskande på Annika.

– Det är så synd om folk, sa hon. David växte upp utan sin pappa, han hade bara den där styvpappan som kom och gick. När David var nitton så försvann han utan att höra av sig igen. Jag tror det var därför David blev polis.

Hon lade huvudet på sned.

– Är det synd om dig, Annika?

Annika drog efter andan.

– Nej, det tycker jag inte.

– Så då har du någon som älskar dig?

Jo, barnen.

– Är det synd om mig? frågade Julia.

Annika nickade.

– Är det därför du tror på mig?

– Nej, sa Annika. Det finns flera samband mellan morden, och jag tycker inte polisen har undersökt dem tillräckligt.

– Så du tror det fanns en annan kvinna?

Ny nickning.

– Det är ju det jag har sagt hela tiden!

– Jag vet. Frågan är bara vem hon kan vara, och vart hon kan ha tagit Alexander. Har du någon aning?

Julia skakade långsamt på huvudet.

– Minns du Filip Andersson? Yxmördaren.

Julia rös. Hennes blick gled iväg längs väggen.

– Jag besökte Filip Andersson på fängelset i Kumla för några dagar sedan, sa Annika. Jag tror att han kanske också är oskyldigt dömd. Det kan ha varit någon annan som begick de där yxmorden, och om den personen kom undan skulle han, eller hon, kunnat mörda David också…

Det blev tyst en lång stund i besöksrummet. Ventilationen

susade någonstans under taket. Julia satt alldeles stilla och stirrade in i väggen.

– Jag vet att det var någon där när jag vaknade.

Annika satt tyst och kände håret resa sig i nacken. Julia fingrade på några av hårtestarna som smitit ur snodden och fäste dem bakom örat.

– Det small, sa hon lite skrovligt. Jag tror att jag vaknade av att det small. Jag visste inte vad det var, om jag kanske hade drömt eller något.

Hon tittade upp i taket.

– Det luktade konstigt. Lite äckligt, inte som det brukar i vårt sovrum. Lite bränt, kanske... Någon rörde sig i rummet, jag tror jag sa något.

Ventilationens sus ökade i styrka i tystnaden. Annika stirrade på kvinnan, kunde inte ta blicken från hennes mun.

– Sedan small det igen, det slog lock för mina öron, ringde och tjöt liksom...

Skottet i skrevet. Du skall icke bedriva hor.

Julia drog efter andan, det lät hackigt och rosslande.

– Lite förkyld, sa hon ursäktande. Jag har blivit snorig, hur jag nu har kunnat bli det när jag varit isolerad i ett halvår, det är väl några av vakterna som smittat mig, eller vårdarna som de heter...

Annika andades med öppen mun för att inte harkla sig eller svälja.

Julia nickade för sig själv och torkade bort lite snor med tröjärmen.

– Hjärtat slog i hela huvudet och i hela kroppen, jag vet inte hur jag ska förklara...

Hon strök bort håret ur ansiktet.

– Såg du någon? frågade Annika lite kvävt. Såg du den som sköt?

– Det var alldeles mörkt, David kan ju inte sova om det inte är kolsvart. Jag vet inte, jag såg ingen.

– Minns du vad du tänkte?

Julia skakade på huvudet. De satt tysta en stund. Julia drog upp en pappersnäsduk ur jeansfickan och snöt sig, kramade ihop den till en liten boll.

– Så vad hände sedan? frågade Annika.

– Alexander grät. Jag hörde att han grät, fast jag hade lock för öronen. Så jag gick upp för att se hur det var med honom.

– Var var Alexander?

Julia tittade förvånat upp på henne.

– I sitt rum så klart. Han låg och sov. Det var ju mitt i natten.

– Och vad hände sedan?

Julia kröp ihop och drog upp axlarna, det såg ut som om hon försökte göra sig mindre. Håret ramlade fram i ansiktet på henne.

– Alexander stod i hallen. Han kramade Bamsen. Hon stod bakom honom och hon höll i kniven. Han sa "mamma". Hon såg på mig. Jag kände att hon såg på mig.

– Den andra kvinnan? Hon som var i lägenheten? Hur såg hon ut?

Julias blick irrade över väggen.

Annika hade läst hennes beskrivning av "den andra kvinnan" i Berits referat från rättegången. Halvlångt hår, eller ganska kort. Inte ljust och inte mörkt. Av medellängd, normal kroppsbyggnad.

Julia såg ner i bordet. Rättspsyk hade kommit fram till att hon beskrivit sig själv när hon berättat om mördaren. Advokaten måste ha förklarat det för henne.

– Det var inte jag, sa hon och kliade sig på handlederna. Annika såg att hon hade stora rivsår på armarna.

– Vad gjorde hon med kniven?

Kliandet ökade i intensitet.

– Hon skar...

– Det är inte farligt att berätta, sa Annika.

Julias händer stillnade, hon såg på väggen utan att blicken riktigt fokuserade.

– Och hon... hon skar honom på kinden och lade handen för hans mun... och hon hade handskar...

– Hon skar Alexander i ansiktet?

Tårarna steg upp i hennes ögon.

– Och jag gjorde inget, sa Julia. "Jag kväver honom" sa hon. "Jag kväver honom om du skriker. Det är så lätt att döda små barn", så sa hon... åh Gud... vad har jag gjort...?

Och Julia Lindholm började gråta, tyst och stilla.

Annika satt stilla på andra sidan bordet och såg på.

Så sträckte hon sig efter sin bag för att ge Julia en pappersnäsduk, men kom ihåg att hon varit tvungen att låsa in väskan nere i receptionen.

Julia suckade djupt och gråtskakigt och torkade sig på tröjärmarna.

– Jag hjälpte honom inte. "Om du följer efter mig så skär jag halsen av honom" sa hon. Han grät. Han sa "mamma". Då skar hon honom på kinden, hon skar honom i ansiktet och jag vet att jag försökte skrika men det gick inte, och sedan vet jag faktiskt inte vad som hände...

Hon skakade till och började gråta igen.

– Jag kunde inte hjälpa honom. Hon skar honom över kinden med kniven och jag visste inte vad jag skulle göra, jag var så rädd att han skulle dö...

Blodet på golvet. Det hade Alexanders DNA.

– Jag tror att kvinnan kände David, sa Annika. Kan du hjälpa mig att leta rätt på henne?

Julia skakade på huvudet, sträckte sig efter den begagnade pappersnäsduken och torkade sig under ögonen.

– Hon är jättefarlig, sa hon. David var jätterädd för henne. "Hon är galen" sa han. "Du ska inte komma i närheten av henne."

Annika fick gåshud, *är det sig själv hon pratar om?*

– Vem kan hon vara? Vet du vad hon heter?

Julia skakade på huvudet igen.

– Hon gjorde en abort, sa hon. Medan jag väntade Alexander. David erkände det aldrig, men jag visste att det var så. Jag hittade bilden på ultraljudet, det skulle ha blivit en flicka. Jag borde ha lämnat honom då, jag borde ha förstått. Han skulle aldrig sluta vara med andra kvinnor.

– Var det hon som ringde? frågade Annika. Hon som ringde när Alexander var liten och sa att du skulle låta honom gå?

Julia ryckte lite på axlarna.

– Vet inte. Kanske. Han hade ju flera.

– När sa David det där om den farliga kvinnan? frågade Annika.

Julia tittade förvirrat upp på henne.

– Vilken kvinna?

– Du sa att David pratat om henne, den farliga kvinnan. När gjorde han det? Var det när Alexander var liten?

– Åh, sa Julia, nej, inte alls, det var inte så länge sedan.

– Strax innan han dog?

Julia satte ena handen för munnen, ögonen fylldes av tårar.

– Det var mitt fel, sa hon kvävt. Jag gjorde ingenting alls, för jag blev så rädd att hon skulle skada honom mera. Hon var ond! Blodet rann på hans kind, du skulle ha sett hur rädd han såg ut, och hon lade handen både över hans näsa och mun så att han inte kunde skrika eller andas, hon hade handskar på sig, och jag blev så rädd...

– Men när sa han det?

– När han var full. Jag och Alexander hade varit ute i stugan, grillat korv och tittat på majbrasan inne i Hälleforsnäs, och när vi kom hem så var han full, men han var inte så arg, utan mest rädd.

– Var det nu i år? Alltså fyra veckor innan han dog?

Hon nickade.

– David var rädd, sa du? Sa han varför?

Hon skakade på huvudet.

– Hur märkte du det? Att han var rädd?

– Han bad mig om förlåtelse. Sa att han gjort mig illa. Att han inte menat det. Att jag skulle vara försiktig när jag svarade i telefonen, inte öppna om det ringde på dörren.

Annika mindes att Nina beskrivit hur uppriven Julia varit de sista veckorna före mordet, hur hon dragit sig undan och inte svarat i telefon.

– Men han sa aldrig vad hon hette? Eller vem hon var?

Ny skakning på huvudet.

Annika satte sig till rätta på stolen.

– Det måste handla om en djupt störd person, sa hon. Förmodligen rör hon sig i kriminella kretsar. Om hon nu gjorde en abort och skickade en bild på fostret till David så måste han ha varit pappan. Det innebär att hon måste ha haft någon form av kontakt med David under lång tid, minst fyra och ett halvt år. Från tiden då ni bodde i Spanien, alltså. Minst. Hade du sett henne någon gång förut?

Julia skakade bara på huvudet igen.

– Skulle du känna igen henne, om du fick se henne igen?

Julia tvekade, sedan nickade hon.

– Om jag tar fram bilder på kvinnor som David kommit i kontakt med av olika anledningar, skulle du kunna titta på dem då och se om du känner igen någon av dem?

Julia nickade igen.

– En sak till, sa Annika. Jag är ju reporter på Kvällspressen. Får jag intervjua dig och skriva om dig i tidningen?

Julia såg förvirrat på henne.

– Men vad ska jag säga?

– Du kan väl börja med att berätta hur du har haft det här på häktet?

Anders Schyman tog emot tidningens styrelseordförande på sitt lilla rum med en stor gest.

– Kan jag få bjuda på något? sa han och tog Herman Wennergrens ytterrock och placerade den sirligt tvärs över sitt skrivbord. Ett glas vatten? Eller en kopp automatkaffe?

– Du behöver inte göra dig till, snäste ordföranden och rättade till manschettknapparna.

Schyman hade fått en inbjudan att äta lunch med Herman Wennergren på Grands veranda, men hade tackat nej med hänvisning till ägarfamiljens dåliga ekonomi. Det hade inte fallit väl ut, kunde han konstatera. På nästa styrelsemöte fanns nämligen ett förslag om att sänka hans eget representationskonto, vilket han i och för sig struntade i. Det var den elaka lilla hämnden som gnagde honom.

– Jag måste säga att jag tycker det här låter extremt illavarslande, sa ordföranden och slog sig ner i den något vingliga besöksstolen. En redaktionsledning som består av åttiotvå personer, det är ju helt orimligt. Hur ska vi ha råd med det?

Anders Schyman gick runt skrivbordet, satte sig och drog in kontorsstolen under sig. Han halade fram en bunt med beräkningar under styrelseordförandens rock och sträckte dem mot sin besökare.

– Det är det enklaste, billigaste och snabbaste sättet att göra de nödvändiga nedskärningarna, sa han. I enlighet med de lokala avtalen, du har dem i bilaga fyra, så utgår inget arbetsledartillägg till representanter i redaktionsledningen. Alla sådana tillägg bakas in i den ordinarie grundlönen eller kompenseras på "annat sätt". Vi har valt att införa begreppet "ansvarsersättning" i stället, och de pengarna utgår enbart till personer i aktivt nyhetsledande befattningar.

– Ähum, sa Herman Wennergren och bläddrade bland pappren. Och det här löser frågan om nedskärningarna?

– Vi rättar oss efter fackets krav att följa las-listan. Sextiotvå tjänster försvinner, de flesta på redaktionen. Som du ser av förslaget så rensar vi upp i ledningen också. Styrelsen entledigar vd-n och lägger ut hans arbetsuppgifter på mig i stället. Jag ska förhandla med fackklubbens ordförande direkt efter vårt möte. Därför ville jag bara förankra mitt alternativa drag hos dig innan jag skrider till verket.

– Jaha ja, sa Herman Wennergren. Ja, den där vd-n klarar vi oss utan. Vad är det för alternativt drag du har?

– Om facket krånglar så sparkar jag hela redaktionen. Alla får söka om sina tjänster, och jag återanställer dem jag vill.

Ordföranden rynkade ogillande på ögonbrynen.

– Det där har vi provat förr, det fanns någon hake med det.

Anders Schyman slog ut med händerna.

– Det är ni som vill göra nedskärningarna, jag är bara en enkel verkställare. Går ägarfamiljen med på mitt förslag, även om det skulle innebära en del turbulens?

Herman Wennergren reste sig upp och tittade på sitt armbandsur, en Rolex Oyster (vilket Anders Schyman betraktade som en riktig fjollklocka).

– Vi uppskattar om turbulensen kan hållas nere på ett minimum, sa han. Kan jag få min rock, tack?

Anders Schyman log och visste att han, genom att förlägga mötet här och inte på Grands veranda, hade sparat minst tvåtusen kronor åt ägarfamiljen och åtminstone tre timmar av sitt eget liv.

– Jag ska göra mitt bästa, sa han.

Så snart ordföranden försvunnit bort mot hissarna för att åka ner till sin väntande Volvo med privatchaufför bad han växeln ringa på Eva-Britt Qvist.

Hon måste ha stått med spikskorna i startblocken, för hon befann sig utanför hans rum efter tio sekunder.

– Vad ville Herman Wennergren? frågade hon och drog igen glasdörren efter sig.

Ytterligare en bra anledning att träffa honom här.

Chefredaktören lade pannan i djupa veck.

– Jag ville bara förankra nedskärningarna hos styrelsen och ägarfamiljen en sista gång, verkligen få dem att förstå att det här är allvar. Men de är obevekliga, de vill verkligen att det här ska genomföras. Inte ens sina egna skonar de, vår nya vd är en av dem som sparkas. Hela styrelsen står bakom vårt preliminära förslag, men är också beredda att stötta våra alternativa planer.

Eva-Britt Qvist nickade allvarligt och satte sig i besöksstolen.

– Vi tycker det är utmärkt att tidningen tar sitt ansvar och följer turordningslistan, sa hon.

Han sträckte över ett dokument innehållande en rad med namn.

– Och med stöd i de lokala avtalen så kommer alltså listan med friställningarna att se ut på det här sättet, sa han.

Eva-Britt Qvist började läsa.

Jag undrar hur lång tid det tar innan hon fattar.

Han hejdade en impuls att se på klockan och ta tiden.

Minst två minuter gick.

– Men, sa Eva-Britt Qvist sedan, det här är ju inte turordningslistan. Var är Emil Oscarsson, till exempel? Han är ju den senast anställde, han skrev väl på så sent som i somras?

– Åh, sa Schyman och sträckte fram en annan lista. Han ingår i den nya redaktionsledningen.

Eva-Britt Qvist bleknade. Hon läste länge och tyst, hela listan flera gånger. Sedan lät hon dokumentet sjunka.

– Så det är så här du tänkte komma undan, sa hon. Men det ska jag tala om för dig, att det här går vi inte med på.

Hon reste sig från stolen.

– Sätt dig ner, sa Schyman.

– Nej, sa hon högt och tydligt. Jag går nu.

– I så fall har vi ett mycket större problem, du och jag.

Han reste sig också upp, huvudet högre än hon.

Hon hejdade sig med handen på glasdörren.

– Jag fick precis styrelseordförandens godkännande att lägga ner och fristställa hela redaktionen, sa chefredaktören. Sedan kommer jag att återställa dem jag vill, inte dem jag måste. Även om det innebär att tidningen måste läggas ner så kommer vi att genomföra detta. Vi har inget alternativ, nämligen. Att fortsätta att driva verksamheten som tidigare är bara en långsammare väg mot samma avgrund.

– Och om vi protesterar?

Han såg stint på henne.

Allt på ett kort.

– Det finns många viktiga arbetsuppgifter för dig på den här tidningen, Eva-Britt. Låt inte en sådan här strid förstöra hela din karriär.

Hon flämtade till.

– Det där är ett hot.

– Inte alls, sa Schyman och såg bestört ut. Jag är bara angelägen om att få behålla dig, även efter nedskärningarna. Vi behöver erfarna organisatörer, och en sak ska vi komma ihåg. Inte ens jag sitter säkert längre.

Han drog upp dörren.

– Ingen av oss är här på livstid.

Där utanför passerade just Annika Bengtzon.

– Så ni har hört? sa hon. Det hade man ju kunnat räkna ut, med det stolpskottet till försvarare.

– Vad? sa Schyman.

– Hon blir den sjätte kvinnan som kommer att sitta på livstid i Sverige.

– Vi går inte med på det här, viskade fackklubbsordföranden och verkade ha nära till tårarna.

– Vi ska nog komma överens, sa han med låg röst och log förbindligt.

Eva-Britt Qvist såg helt förstörd ut, noterade Annika på väg till sin plats vid dagreporterbordet. Hon packade upp sin dator och alla handlingar och utskrifter från fallet med David Lindholm. Först och främst skrev hon ner intervjun med Julia, kallade den "åtalade polishustrun talar ut". Julia sa inte så mycket i texten, Annika utelämnade hela beskrivningen av den andra kvinnan och vad hon gjort. Artikeln blev mer en beskrivning av häktet och Julias tid där, inget märkvärdigt men heller inget direkt kränkande.

Hon mådde lite illa, gick bort till kaffeautomaten och bryggde sig en mugg med tjära. Drog i sig några Panodil och intalade sig att illamåendet inte hade med den stundande kvällen att göra, att hon gått med på att ta hand om barnen i Sophia *Fucking Jävla* Grenborgs lägenhet. Hon gjorde det för deras skull, för Ellens och Kalles, för att de behövde henne och längtade efter henne.

När artikeln väl susat över i burken satte hon sig ner för att strukturera sitt egentliga arbete.

Kvinnor som haft en personlig relation med David. Vilka hade han varit ihop med? Var träffar man vänsterprassel? På jobbet? På krogen? På fritiden? Bland gemensamma vänner, med gemensamma ambitioner och affärsintressen?

Och hur skulle hon få fram bilderna, även om hon lyckades sätta samman en lista med namn?

Passregistret var inte offentligt längre, inte körkortsregistret heller. Många fanns på bild på nätet eller i olika bildarkiv, men hon var tvungen att ha garanterad identifikation på alla foton. Annars var alltsammans bortkastad tid och möda.

Nåja, det fick bli en senare fråga.

Kriterierna var ganska klara. Det borde inte finnas alltför många alternativ.

Någon som kände David väl. Som hade en sexuell relation till honom. Som hade tillgång till hans bostad. Som var tillräckligt kriminell och gränslös för att döda David, sätta dit Julia och kidnappa Alexander.

Det är ett angrepp på hela familjen. Hon måste ha planerat det sedan vapnet försvann.

Hon skakade av sig tanken på Thomas, Sophia och barnen.

Kvinnan måste ha kommit över nycklarna till lägenheten på Bondegatan, stulit Julias Sig Sauer ur vapenskåpet i David och Julias sovrum, utan att ta i det med sina egna fingrar, och utan att sudda ut Julias fingeravtryck.

Svårare än så är det ju egentligen inte.

Snabbt spred hon ut de utskrifter hon hade, plockade upp block och penna ur bagen och bestämde sig för att strukturera letandet.

1. Alla kvinnor som suttit med i samma styrelser som David.

Lätt fixat, men det skulle bli en ansenlig mängd namn. Den listan var inte särskilt trolig, så hon bestämde sig för att vänta med den.

2. Alla anhöriga kvinnor till de män som satt i fängelse på grund av David: fruar, mödrar, döttrar, systrar, helst älskarinnor också.

Svårare att få fram uppgifter, men inte jättesvårt, och betydligt mer troligt att få napp. Den fick bli hennes första prioritet.

3. Alla kvinnor som David jobbat med.

Måste vara hundratals. Bästa sättet att kolla dem alla var om man kunde hitta någon gruppbild.

4. De kvinnor han varit övervakare åt.

Fanns det några sådana?

Hon insåg att hon inte hade hört något från Kriminalvårdsverket efter att hon begärt offentlighetsprövning av Davids förtroende-mannauppdrag, så hon bläddrade i anteckningsblocket och slog direktnumret till juristen. Fyra signaler senare hade hon henne i luren. Hon försvann för att leta upp Annikas begäran och åter-kom efter någon minut, prasslade med papper i luren.

– Jag kan bekräfta det faktum att David Lindholm fungerat både som övervakare och förtroendeman under en lång rad av år, sa juristen. Vissa perioder har han varit övervakare åt upp till... ja, det är tre personer samtidigt ser jag, men under tiden som förtroendeman har han inte tagit på sig några andra uppdrag.

– Är det mer ansträngande att vara förtroendeman?

– Jo, det får man nog säga. Att stötta någon som sitter på livs-tid är ett tungt åtagande.

– Kan du säga något om de intagna? frågade Annika och höll andan.

– Nej, jag kan inte kommentera deras identiteter. Här gäller sekretesslagen inom kriminalvården, om den enskildes person-liga förhållanden. Vi har kommit fram till att de inte är offentliga och alltså inte kan lämnas ut.

– Okey, sa Annika. Kan du bara svara på en fråga: Var någon av dem en kvinna?

Juristen prasslade ännu mer.

– Ja du, det vet jag inte...

– Kan du inte kolla? Jag vet inte hur det här funkar. Kan en

341

man vara övervakare åt en kvinna?

– Det finns väl inget som hindrar, och det kan vara tvärt om också.

– Du behöver inte säga vem hon är, bara om det varit så…

Det prasslade och bläddrades.

– Nej, sa juristen. Här finns inga kvinnor, bara män.

– Tack, sa Annika och lade på.

Okey. Punkt fyra kunde hon stryka.

Hon satte igång med punkt nummer två.

Gick in på infotorg.se och slog Stevens, Michael Harold. Det var bökigt att inte kunna använda vänster pekfinger när hon skrev.

Stevens var skriven på en adress i Sundsvall. Annika behöll adressen och efternamnet men ändrade könstillhörighet på sökningen och *bingo!* Där fanns två kvinnor på samma adress med samma efternamn, Linda Helena och Sarah Linda Hillary. Den förstnämnda var 33 år gammal och den andra åtta.

Frun och dottern. Frun tar jag!

Hon printade ut uppgifterna och slog sedan in herr Ahmed Svensson från Malmö i databasen. Hon hittade honom på en historisk uppgift, och genom att leta sig bakåt fann hon snart både dottern Fatima och ex-hustrun Doris Magdalena.

Henne tar jag också!

Filip Andersson, vars fullständiga namn var Arne Filip Göran, var inte gift och hade aldrig varit. Det verkade inte som om han hade några barn heller. Eftersom han bar ett alldeles för vanligt efternamn så gick det inte att spåra hans mamma via Statens person- och adressregister.

Hon sträckte på nacken, huvudvärken började släppa. Det var väl Panodilen som kickade in.

Får väl googla honom i stället.

Han återfanns i Wikipedia under kategorin "Svenska brottslingar", men där stod inget om någon fru eller fästmö. Sökorden "filip andersson fru" fick många googleträffar, men inga som handlade om att yxmördaren kunde ha varit gift.

Hon suckade. Resultatet var magert så här långt.

I stället gick hon in på www.polisen.se för att se om hon kunde hitta några gruppbilder på personal vid olika polisstationer, men de enda hon hittade var några porträtt på grånade gentlemän som titulerades rikspolischef och generaldirektör, och så några vackra blonda kvinnor som var överdirektörer och rikskriminalchefer.

Shit. Det här går inget bra.

Hon slet tag i utskrifterna av David Lindholms styrelseuppdrag och bestämde sig för att beta av och skriva upp alla namn och personnummer på kvinnorna som ingått i hans gamla företag.

Den första utskrift hon fick upp var den som preciserade detaljerna kring Fly High Equipment, det gamla fallskärmshopparföretaget som David drivit tillsammans med två män, Christer Bure och den alltför tidigt bortgångne Algot Heinrich Heimer, Henke kallad.

Hon beslöt sig för att söka på kvinnorna i Henkes liv, och nu hände det saker.

Algot Heinrich Heimer hade efterlämnat en hustru, Clara Susanna, och tre döttrar som numera var 23, 21 respektive 19 år gamla. De hette Malin Elisabeth, Lisa Katarina och Claudia Linn.

Chansen var stor att David varit bekant med de här kvinnorna. Han kunde mycket väl ha haft sex med dem, åtminstone någon av dem. Annika bestämde sig för att begära ut bilder på alla fyra.

Nästa företag hon fick upp var det styrelsetunga Pettersson Catering & Arrangemang AB, som förutom att bedriva matservering också skulle handla med hästar, och skrev upp de fyra kvinnorna som suttit i styrelsen. Dessutom slog hon fram Bertil

Oskar Holmbergs fru, hon hette Victoria Charlotta och var arton år yngre än sin man.

Kan kanske vara något!

Hon bläddrade lite bland de återstående utskrifterna, Advice Investment Management AB och B Holmberg Fastigheter i Nacka AB. Tittade på klockan, hon ville hinna hem och tvätta innan hon skulle gå bort till Grev Turegatan.

Äsch! Vad spelar det för roll vilka kläder jag har på mig? Thomas har ju verkligen sett mig utan. Och förresten hinner de inte bli torra...

Hon ruskade på sig och koncentrerade sig på personerna bakom Advice Investment Management AB, Lena Yvonne Nordin i Huddinge och Niklas Ernesto Zarco Martinez i Skärholmen.

Lena Yvonne skrev hon upp, och ögnade igenom de andra styrelseuppdrag som hon haft, städbolaget i Skärholmen som hon drivit tillsammans med Niklas Ernesto Zarco Martinez och investmentföretaget med Arne Filip Göran Andersson...

Det blev alldeles tyst omkring henne. Ljuset från fönstren blev frätande och vitt och hon öppnade munnen för att säga något men kunde inte.

Arne Filip Göran Andersson.

Yxmördaren från Sankt Paulsgatan.

Hon drog hårt efter andan.

Det kunde inte vara någon annan.

Det var det jag visste! Jag VISSTE att jag sett hans fullständiga namn någon annanstans, det var här i utskrifterna, det är det här jag har letat efter...

Med darrande fingrar letade hon igenom de utskrifter hon nyss gjort från infotorg, jo för helvete, finansmannen Filip Andersson hette också Arne och Göran.

Annikas blick flyttades tillbaka till kvinnan som band dem samman.

Lena Yvonne Nordin.

Hon sorterade pappren framför sig, försökte se sambanden.

Lena Yvonne hade drivit två investmentbolag, ett tillsammans med Niklas Ernesto Zarco Martinez och David Lindholm, det andra tillsammans med Filip Andersson.

Här är kopplingen! Här är beviset att David och Filip Andersson har haft kontakt! En kvinna som heter Lena Yvonne Nordin.

Annika skrev upp hennes namn och personnummer, fick med fumliga fingrar upp sin mobiltelefon och slog numret till Nina Hoffman.

– Jag har kommit på något! sa hon och ställde sig upp och kunde inte dölja upphetsningen i rösten. Jag tror förbanne mig att jag har kommit något på spåren. Du vet att jag sa att jag haft en tanke som jag inte riktigt fått fatt i? Nu vet jag vad det var! Du vet yxmördaren, Filip Andersson... Nina...?

Hon hejdade sig, lyssnade mot tystnaden i luren.

– Nina? Vad är det? Har det hänt något? Gråter du?

– Livstid, sa Nina och drog stötigt efter andan. Jag förstod ju att hon skulle dömas, men inte att det skulle bli *livstid!* Och för mord på Alexander också, det är ju helt förfärligt...

Annika svalde och sjönk ner på stolen igen, fingret satte igång att dunka och värka.

– Jag vet, sa hon lamt. Det är verkligen...

– Advokaten, den lille sprätten, han har sagt att han överväger att överklaga eftersom Alexanders kropp inte återfunnits. Som om det skulle spela någon roll!

Hon grät högt nu, argt och våldsamt.

– Vad säger Julia?

– Vet inte, Holger har fått beskedet att de har fört tillbaka henne till sjukavdelningen igen. Hon måste ha kollapsat.

Annika försökte hitta något deltagande att säga men fann inget.

– Det är så typiskt, fortsatte Nina, att de gav henne en oerfaren liten besserwisser till ombud, bara för att de visste att han skulle misslyckas. Maken till summarisk rättegång och slarvig mordutredning har jag aldrig varit med om! Det är klart att hon fick livstid! Allt annat är otänkbart! Det är ju David Lindholm som är död, någon måste betala priset och de enades om att det skulle bli hon, det skulle bli Julia, och av bara farten så offrade de hennes barn också...

– Nina, sa Annika. Du skulle kunna hjälpa mig med en sak. Jag har sökt i olika arkiv och jag har kommit på en grej som vi kan pröva.

– Vad? sa Nina.

– Jag har hittat ett samband. Det finns en kvinna som knyter ihop David Lindholm och Filip Andersson.

– Vad då för samband?

– Två investmentföretag. Båda ägdes av en Lena Yvonne Nordin, det ena drev hon tillsammans med David Lindholm och det andra med Filip Andersson. Säger det dig något? Lena Yvonne Nordin?

Nina Hoffman tystnade, hon andades stötvis i luren några gånger och sedan snöt hon sig.

– Inte ett dugg.

– Det finns andra också, andra kvinnor... Jag har en lista med namn och personnummer, skulle du kunna plocka fram foton på dem från Rikspolisstyrelsens jourcentral?

– Varför det?

– Jag tror att kvinnan i lägenheten kanske kan finnas bland dem. Passbilderna är ju inte tillgängliga för mig längre...

Nina Hoffman andades några gånger i luren.

– Varför vill du ha tag i de där bilderna?

– Julia tror att hon känner igen kvinnan som tog Alexander.

Polisen stönade.

– Så du har tänkt visa dem för Julia?

– Det är klart.

– Jag kan inte, sa hon. Jag kan inte hjälpa dig.

– Klart du kan! sa Annika. För dig är det ju bara att begära ut dem!

– Jag vill inte bli inblandad...

– Men lägg av! sa Annika, hårdare än hon avsett. Jag faxar över listan till stationen på en gång.

– Nej! sa Nina. Absolut inte. Kollegorna får inget veta.

– Ett brev då? Ska jag skicka det hem eller till stationen?

– Eh, jag jobbar ikväll, om du vill posta det...

– Jag budar det på direkten.

Annika lade på. Tittade på klockan.

Det var hög tid att åka hem.

Hon packade ihop datorn och stoppade ner listan i ett kuvert och ringde vaktmästeriet för att beställa ett bud.

Lägenheten var ostädad, Annika hade inte brytt sig om att bädda sedan barnen åkte iväg till Thomas. Hon lät bagen falla ner på hallgolvet och ställde sig i dörröppningen och tittade på röran i vardagsrummet.

Eftersom hennes bostad egentligen var en orenoverad kontorslokal så fanns det inga garderober någonstans, vilket innebar att både kläder, sänglinne och handdukar låg staplat i dammiga högar längs ena kortväggen.

Jag måste få ordning på mitt liv, och jag måste börja med mitt hem.

Hon suckade lätt, hängde upp ytterkläderna och kavlade upp ärmarna.

Tolv namn, fler hade det inte blivit för Nina att leta fram bilder på.

Där var Stevens fru och Svenssons fru och Henkes fru och döttrar. De fyra kvinnorna i styrelsen för cateringföretaget och

så Bertil Oskar Holmgrens fru och så kvinnan med investment-
företagen.

Tolv stycken.

Hon började frenetiskt plocka upp kläderna från vardagsrums-
golvet och trycka ner dem i en tvättkorg, hade kommit halvvägs
när telefonen ringde.

– Hallå! sa hon surt i luren och släppte smutstvätten i golvet.

– Jag söker Thomas Samuelsson, sa en mörk mansröst med
utpräglad stockholmsdialekt.

– Jaha du, sa Annika och satte sin friska hand hårt i sidan. Han
bor inte här längre.

– Vet du var jag får tag i honom?

– Gör som resten av befolkningen, ring honom på mobilen.

– Jag har provat, men den är avstängd. Har du hans nya hem-
telefon?

Annika drog efter andan och tog sats.

– Han har flyttat ihop med sin älskarinna, sa hon, du kan ju
prova att ringa dit.

– Åh fan, sa mannen, och till Annikas irritation verkade han
nästan road. Så älskarinnan har telefon?

– Vem kan jag hälsa ifrån? sa Annika och hörde själv hur avig
hon lät.

– Jag heter Jimmy Halenius och ringer från departementet. Är
det Annika jag pratar med?

Annika sträckte på ryggen.

Jimmy Halenius, statssekreteraren. Thomas chef och minis-
terns närmaste man.

– Ja, sa hon, jo.

– Tack för senast, får jag väl säga, fast det var ju ett tag sedan.

De hade träffats en gång, på den ödesdigra middagen hon och
Thomas haft i villan i Djursholm några dagar innan den brann
ner.

– Detsamma, sa hon kort.

Var det rätt? Ska man säga "detsamma" när någon tackar för senast? Hon måste köpa en bok av Magdalena Ribbing.

– Jag har läst Thomas promemoria på mejlen och måste få tag i honom omedelbart, kan du hälsa honom det?

– Varför det? sa hon. Vad är det som är så viktigt?

Mannen tystnade. Hans raljanta ton hade fått henne att vänta sig något klämmigt och sexistiskt, *det ska du inte bry din söta lilla hjärna med* eller något liknande, men inget sådant kom.

– Jag har lämnat meddelande på hans telefonsvarare, men han har inte ringt tillbaka, sa han och lät lite ställd.

Annika drog ett djupt andetag.

– Han jobbar hemma idag. Ellen är sjuk. Jag kommer att träffa honom i kväll, jag ska ta hand om barnen för han och Sophia ska gå på operan...

Hon tystnade och bet på insidan av kinden, varför berättade hon detta för Jimmy Halenius?

– Be honom ringa mig, sa han.

– För annars får jag läsa om det i tidningarna i morgon bitti? sa hon och höll på att bita av sig tungan, *vad fan sa jag så där för?*

Men statssekreteraren skrattade bara lite.

– Typ, sa han, och lade på.

Hon blev stående med telefonluren i handen några ögonblick.

Thomas hade tydligen inte sagt något på jobbet om att de skulle skiljas, och varför skulle han egentligen göra det?

Hon lade på och samlade ihop resten av smutstvätten. Det sista plagget i högen var den blåa tröjan som Thomas köpt åt henne i julklapp i fjol, den enda som överlevt från hennes förra liv. Hon hade haft den på sig den där natten när huset brann ner. Därför hade hon tänkt ta den på sig ikväll igen, för att den knöt ihop tiden, den som hon var då och den som hon blivit. Dessutom visste hon att Thomas uppskattade henne i den. Modellen var feminin och lite draperad framtill med en djup urringning, inte alls hennes stil egentligen, men hon gillade den kornblå färgen.

Hon boxade på plagget nere i korgen och bet ihop om tårarna, *varför ska jag bry mig om vad han tycker?*

Honungsgul och tung av stuckaturer, burspråk med spröjsade fönster. Det här var en av släkten Grenborgs gedigna penningplaceringar.

Annika stod i mörkret på andra sidan gatan och tittade upp mot vindsvåningen, på det skarpa sken som steg upp från takfönstren.

Där inne, där är de. I det vita ljuset.

Hon hade varit här förut. För ett år sedan, i november i fjol, dagen efter att hon insett att Thomas hade ett vänsterprassel hade hon stått precis här och stirrat upp på just den här fasaden. Det gungade till i hennes huvud, hon fick ta stöd mot husväggen bakom sig för att inte ramla. Hon kämpade mot svindeln och illamåendet några sekunder innan hon kunde ta sig över gatan och fram till porten, mörkbrun och utsirad.

Tryckte på porttelefonen, hon hade inte fått någon kod.

Det var hon som svarade, Sophia *Fucking Jävla* Grenborg.

– Kom in, kom in, du är så välkommen. Sex trappor upp, högst upp, i penthousevåningen…

Penthousevåningen…? Jeezez!

Trapphuset gick i gul och svart marmor, med bröstpaneler i mörk ek och rökfärgad mässingsbelysning. Golvmattan var mörkblå och mjuk som en dybotten.

Hon tog trapporna upp, tungt och ostadigt.

Vindsvåningen var mycket tristare än resten av huset, en vit säkerhetsdörr mitt på en vägg av vitslammat tegel. Hon kom ihåg namnskylten, spretig i borstat stål, med en handskriven lapp strax intill.

T. Samuelsson

Hon ringde på.

Tack och lov var det Thomas som öppnade.

Hon hade inte sett honom sedan i juli.

Han hade klippt sig. Hans lugg spretade rakt upp och såg lite konstig ut, fick honom att se äldre ut. Anletsdragen var tydligare än hon mindes dem. Han var klädd i svart kostym och blanka skor.

Det var alltid jag som putsade hans skor. Jag undrar om han börjat göra det själv nu.

– Får du inte ha något förnamn? frågade hon och pekade på lappen.

– Du är lite sen, sa han. Vi måste gå på en gång.

Han var påtagligt nervös, vände ryggen till och sträckte sig efter sin ytterrock som hängde på en utsirad hatthylla i järnsmide.

Sophia *FJ* Grenborg kom trippande bakom Thomas med handen utsträckt och ett inställsamt leende stadigt fastlimmat i ansiktet. Hon hade en klargul tröja på sig, tillsammans med det gula håret fick den henne att se ut som en påskkyckling. Det tog en sekund innan Annika insåg att tröjan var av exakt samma modell som hennes kornblå, *vilken jävla tur att jag inte hann tvätta den.*

– Mamma!

Tjuten kom inifrån lägenheten och ackompanjerades av springande fotsteg. Kalle knuffade undan Sophia *FJ* Grenborg och kastade sig runt Annikas ben, Ellen kom skuttande bakom honom med sin nya Poppy i famnen och trängde sig också fram förbi *FJ.* Annika släppte bagen och jackan på golvet och sjönk ihop med bägge barnen i famnen, skrattade högt och vaggade dem från sida till sida. Det kändes som om hon inte träffat dem på ett halvår, trots att hon lämnat dem på dagis och skolan så sent som i måndags. Hon kysste dem på håret och på kinderna och kramade dem och kittlade dem och pussade Poppy också för säkerhets skull.

Thomas harklade sig.

– Ja, sa han, vi borde börja röra på oss...

– Hur mår du? frågade Annika, strök dotterns hår ur pannan och granskade hennes ansikte. Har du kräkts något mer idag?

Flickan skakade på huvudet.

Annika lyfte blicken mot Thomas.

– Är hon feberfri?

– Sedan lunch, svarade han. Hon får gå på dagis i morgon, så hon borde lägga sig vid åtta. Vad har du gjort i handen?

Annika reste sig med dottern i famnen.

– Skar mig när jag lagade mat. Jag måste jobba lite när barnen somnat. Finns det någon dator jag kan använda?

– Visst, visst, sa Thomas och visade med handen mot en stor ateljé som verkade ta upp största delen av vindsvåningen.

Annika passerade förbi *FJ* Grenborg utan att ta någon notis om henne.

– Här är mitt arbetsrum, sa Thomas och öppnade dörren till ett trångt litet utrymme bakom köket. Här kan du sitta. Vi blir inte så sena, eller hur, Soffan?

Soffan? Herregud!

– Nja, sa Soffan *FJ* Grenborg och drog på sig en kappa och ett par handskar i svart nappaskinn, jag tror nog mor ville äta middag efteråt, jag tror till och med hon bokat bord på Operakällaren...

Fast mig kallade han förstås för Ankan...

– Jag går ingenstans, sa Annika kort utan att se på den andra kvinnan, tog Kalle i handen och gick bort mot ljudet av Bolibompa. Thomas följde efter och såg på dem medan de parkerade sig i den svarta lädersoffan framför plasmateven med barn-programmen. Han blev stående i dörröppningen, Annika kände hans blickar och märkte hur pulsen gick upp.

Han är så fin, han är jättefin i kort hår också.

– Tack för att du gör det här, sa han lågt.

Hon svalde och släppte inte teven med blicken.

– Thomas, kommer du?

Hur står han ut med den där rösten?

Han försvann ur dörröppningen och hon hörde rasslet av nycklar och mobiltelefoner som placerades i fickor och väskor, och sedan gick dörren igen och tystnaden bredde ut sig i Soffan *Fucking Jävla* Grenborgs hemska *penthousevåning.*

Barnen gick och lade sig vid samma tid och med samma krumbukter som hemma hos henne, det var ingen större skillnad. Man tvättade sig och borstade tänderna och plockade ihop sina kläder och lade de smutsiga i tvättkorgen och vek ihop de rena på stolen, man tog på sig pyjamas och valde godnattsaga och kröp sedan ihop tätt, tätt, tätt i sängen och myste. Ellen var lite bångstyrig, hon hade sovit en stund på dagen och hade svårt att komma till ro. Annika lade sig bredvid henne i den smala sängen och sjöng för henne tills hon somnade. Kände med handen över hennes runda huvud och mjuka axlar. Blundade och drog in doften av hennes hår, kände hur det kittlade i näsan.

Du är ett litet mirakel.

Försiktigt lirkade hon sig loss från flickans sängvarma kropp och ställde sig i dörröppningen för att titta på henne. Hon blev allt mer lik Thomas med sitt blonda hår och blåa ögon. Det kändes trångt i bröstet, hon vände bort huvudet och gick ut i den kyliga våningen. Hon rös och önskade att hon tagit med sig en kofta.

Det var inte bara temperaturen som var låg i lägenheten, det drog någonstans ifrån och den avskalade inredningen förstärkte känslan av kyla. Allting var vitt, utom skinnmöblerna som var svarta och borden som glimmade av krom och glas.

Barnen hade två minimala rum bredvid varandra i bortre hörnet av den stora ateljén. Där rymdes bara deras sängar och en liten hylla med några leksaker, väggarna var kala och det fanns inga mattor på golvet, inga gardiner och inga överkast.

Jag letar bara fel. Det går ingen nöd på barnen här. Om bara Thomas bryr sig om dem så kommer de att få det bra.

Hon hade aldrig trott att hon skulle skiljas. Naivt nog hade hon inbillat sig att det räckte med kärleken: om hon bara älskade tillräckligt så skulle allting bli bra, ungefär som i godnattsagorna.

Jag glömde att leva med honom, och nu är det för sent.

Hon tittade in till Kalle, stoppade om honom och tog upp Chicken som hade trillat ner på golvet. Gick sedan genom våningen och bort till utrymmet bakom köket och satte sig vid Thomas bärbara dator. Han hade inte bytt vare sig användarnamn eller lösenord, använde fortfarande sitt förnamn till bäggedera. Uppkopplingen var snabb, lika bra som den på tidningen.

Hon gick in på infotorg.se och skrev in Lena Yvonne Nordins personuppgifter i Statens person- och adressregister. Hon hade Yvonne som tilltalsnamn, var 42 år gammal och skriven på en boxadress i Skärholmen. Enligt de historiska uppgifterna hade hon tidigare varit bosatt i Uppsala och uppgavs i kolumnen "civilstånd" vara änka sedan tio år. Slog in Nordin med olika kön och öppen ålder på samma boxadress för att se om hon hade några barn.

Nix. Inga som hette Nordin i efternamn i alla fall.

Annika såg ingen skrivare i arbetsrummet. Hon gick ut till hallen och hämtade block och penna ur bagen och noterade uppgifterna för hand. Tog upp ett explorerfönster till och kollade det mest primära, om hon hade någon fast telefon eller mobil. Fick 49 träffar på Yvonne Nordin, från Boden i norr till Simrishamn i söder men ingen vare sig i Skärholmen eller Uppsala. Lena Yvonne Nordin fick en träff, i Uddevalla, men den kvinnan hette Mari också så hon kunde det knappast vara.

Loggade sedan in sig på fastighetsregistret och letade efter lagfarter kopplade till Lena Yvonne Nordins personnummer.

Ingenting.

Annika loggade in sig på bilregistret.

Ingenting där heller.

Hon bet sig i läppen.

Företag, hon drev ju några företag...

Hon gick in på bolagsregistret och klickade upp de tre bolag som Lena Yvonne Nordin förekom i. Det var bara Advice Investment Management AB, bolaget där David hade ingått i styrelsen, som fortfarande var aktivt. Bägge de andra var avregistrerade.

Men här fanns ett namn hon sett förut men inte kollat: Niklas Ernesto Zarco Martinez, också han skriven i Skärholmen.

Hon tog upp ett nytt fönster och slog hans uppgifter också.

Personen avliden.

Annika blinkade till.

Niklas Ernesto Zarco Martinez, 35 år gammal, hade dött på julafton förra året.

Hon har en förmåga att sprida död omkring sig, Lena Yvonne.

Olustig till mods gjorde hon en sökning på Advice Investment Management AB:s verksamhetsuppgifter. Bolaget hade sitt säte på boxadressen i Skärholmen, precis som Yvonne själv. Plockade upp bilregistret igen och knappade in bolagets organisationsnummer och *hoppsan! Har man sett på fasen!*

Företaget disponerade en Toyota Landcruiser 100 med registreringsnummer TKG 298. Fordonet hade ett par år på nacken men uppgavs vara både skattat, försäkrat och besiktigat, vilket tydde på att det var i bruk och rullade någonstans i eller inte alltför långt från Sverige.

Yvonne, jag har hittat din bil.

Uppmuntrad av framgången gick hon in på fastighetsregistret och slog bolagets organisationsnummer där också, väntade tålmodigt medan datorn tuggade sig igenom ett par miljoner lagfarter.

Jag ska vara glad att han bryr sig om barnen. Det är jävligt elakt att beskylla mig för branden i huset, men kan jag egentligen klandra honom? Alla tror ju att jag är skyldig. Och barnen tar han väl hand om...

Datorn plingade till och Annika tittade upp på skärmen.

En träff.

Lybacka 2:17 i Tysslinge församling i Örebro kommun.

Vad?

Yvonne Nordins företag ägde en fastighet norr om Örebro!

Annikas puls ökade.

Lagfarten var daterad för exakt ett år sedan, den 2 december.

Vad betyder det här?

Lybacka 2:17, det var ingen adress utan en sådan där hopplös fastighetsbeteckning som inte sa henne någonting.

Var skulle hon leta för att få reda på var Lybacka 2:17 låg?

Hon gick in på Örebro kommuns hemsida för att kolla om de hade några kartor, och hade man sett på maken! Man kunde söka fastighetsbeteckningar på deras virtuella satellitkartor.

Jag älskar internet! Det här är nästan för enkelt!

Hon skrev in fastighetsbeteckningen i formuläret "sök efter", kartan till höger blinkade till och sedan dök det upp en satellitbild med extremt dålig upplösning som förmodligen föreställde barrskog.

2:17 stod det mitt i bilden, hon zoomade utåt för att se var någonstans hon befann sig.

Ett par klick senare såg hon på satellitbilden att Lybacka 2:17 bestod av ett litet hus med tillhörande ladugård som låg mitt ute i skogen. Efter ytterligare ett par klick hamnade hon i en vanlig karta som visade vägar och byar. Eftersom hon inte hade någon skrivare ritade hon av kartan på fri hand, zoomade ut ytterligare lite till och såg att fastigheten låg nordväst om Örebro, förbi Garphyttan och vidare uppåt skogen.

Varför köpte du det stället för ett år sedan, Yvonne? Fyller det en funktion i din plan?

Hon gick tillbaka till Örebro kommuns hemsida och letade information om Tysslinge församling och trakten som hette Lybacka, läste att det fanns en liten nationalpark där och några övergivna gruvhål som kallades Lybackagruvorna. Intill fanns en mosse som hette Ängamossen, vilken uppgavs vara "bevuxen med enstaka låga tallar. Runt mossen finns trolska, urskogslika omgivningar..."

Hon klickade bort naturbeskrivningarna och gick in på Eniros telefonregister men hittade inget nummer till fastighetsbeteckningen Lybacka 2:17. Till slut gick hon ut i hallen och hämtade sin mobiltelefon i bagen för att ringa nummerbyrån, inget napp där heller.

Hon tvekade ett ögonblick, sedan ringde hon Nina Hoffman. Frågade om hon plockat fram bilderna.

– Jag har inte hunnit, sa polisen.

– Det ska bli intressant att se om Julia känner igen någon av dem. Jag sitter här och kollar upp...

– Förlåt att jag avbryter dig, men jag sitter i bilen. Ska vi ses utanför polishuset i morgon bitti? Vid åtta?

Annika hörde raspande röster från en kommunikationsradio i bakgrunden.

– Visst, sa hon.

De lade på, och Annika klickade bort alla explorerfälten.

Hennes blick landade på Outlook Express.

Jag har läst Thomas promemoria på mejlen och måste få tag i honom omedelbart, kan du hälsa honom det?

Varför det? Vad är det som är så viktigt?

Hon startade mejlprogrammet Outlook, klickade fram "skickat" och ögnade igenom avsändarna. Det senast skickade mejlet hade gått till sophia.grenborg@skl.se, för Sveriges Kommuner och Landsting förstås, och hade rubriken "darling, saknar dig".

Hon svalde och lät blicken gå vidare.

Nästan längst ner på sidan såg hon det.

jimmy.halenius@justice.ministry.se, rubriken var "promemoria".

Hon tog upp mejlet och plockade fram bilagan utan att blinka.

Ryste medan hon läste.

Thomas avslöjade för statssekreteraren att direktiven i den utredning han var satt att arbeta med inte gick att följa. Det var helt enkelt inte möjligt.

Om man avskaffade livstidsstraffet skulle det få sådana stora kostnadsökningar för kriminalvården att de långsiktiga riktlinjerna för statsbudgeten skulle vara tvungna att omförhandlas.

Herregud! Det här är ju rena dynamiten!

Sedan följde en noggrann genomgång av de effekter som tidsbestämda straff skulle få på kriminalvårdsverkets budget. Själva resonemanget byggde på bedömningen att ett mycket långt, tidsbegränsat straff i stället för livstid skulle driva upp alla de andra straffsatserna i brottsbalken, vilket skulle få till följd att anslagen till kriminalvården skulle behöva öka med minst 25 procent inom tre år.

Hon lämnade datorn på och gick tillbaka ut i det stora rummet. Blev stående och stirrade upp i taket, det kändes som att stå i en kyrka.

Penthousevåning, hur märkvärdig kan man bli?

Hon tittade på klockan, operasällskapet borde vara tillbaka snart. Rastlöst trampade hon runt i ateljén, förföljd av sina egna fotsteg, förbi matgruppen och de stiliserade sittmöblerna och gick tillbaka till tv-n i det lilla vardagsrummet. Sena Rapport skulle börja om några minuter. Hon lyckades få igång digitalboxen och ställa in rätt kanal lagom tills vinjetten drog igång.

Livstidsdomen mot Julia Lindholm inledde sändningen. Nyhetsankaret, en ung kvinna med domedagsstämma, lyckades kalla Julia både "dubbelmördare" och "polismördare" i sin korta påannons till inslaget.

Först ut var åklagaren Angela Nilsson som, raskt promenerande med rak rygg och kamerorna vobblande som vid värsta dogmaproduktionen, förklarade att domen var såväl väntad som rättvis. Hon såg samtidigt nöjd och barsk ut.

– En enig tingsrätt delar alla mina bedömningar, sa hon. Därför tycker jag att det är en korrekt motiverad dom.

Konstigt vore det ju annars.

Trängseln i tingsrättslokalerna på Fleminggatan 14 verkade ha varit kaotisk. Journalister krockade med varandra och åklagare Nilsson fick höja handen mot kameralamporna för att se vart hon gick.

– Den utstuderade grymhet som Julia Lindholm visat de anhöriga går inte att uttrycka i ord, sa hon och susade iväg genom en säkerhetsdörr.

Vilka anhöriga? Det är ju bara hon själv kvar, hon och hennes föräldrar. Och så Nina.

Sedan kom advokaten i bild, den unge Mats Lennström, med lockar stela av hårgelé och svettpärlor i pannan. Han råkade luta sig så långt fram att han stötte näsan i kameran, det blev en liten suddig fläck på linsen.

– Öh, det var ju självklart att domslutet skulle bli så här eftersom min klient inte släppts ur häktet, sa han och irrade med blicken över journalisthopen. Däremot delar jag inte tingsrättens uppfattning om brottets straffvärde. Bland annat har jag svårt att förstå rättens resonemang kring brotten mot pojken, öh, Alexander. Svagheten är att vi fortfarande inte vet hur han dödades.

Annika vred sig irriterat i soffan, *hur vet du att han är död?*

– Kommer du att överklaga? skrek en manlig reporter.

– Öh, jag överväger det, men jag har inte hunnit tala med min klient, så jag har ingen uppfattning i frågan...

Mats Lennström snubblade vidare längs en korridor och försvann in bakom en annan säkerhetsdörr.

En tredje person dök upp i rutan, polisprofessorn Lagerbäck, en kriminolog av det mer populistiska slaget som raskt summerade domen mot Julia Lindholm i tre klatschiga formuleringar:

– Klart hon skulle få livstid, något annat fanns inte på kartan. Hon sköt mandomen av en polisikon, och sedan drog hon den om att höra röster. Det enda jag tycker är häpnadsväckande dåligt i det här polisarbetet är att man inte har lyckats hitta kvarlevorna efter den lille pojken. Det tycker jag faktiskt är ren skandal.

Annika slog av teven, tystnaden var påtaglig.

Alla är så säkra. Varför kan inte jag släppa tanken på att pojken faktiskt lever?

Hon såg på klockan igen, tjugo över elva.

Var håller de hus?

Irriterat reste hon sig ur soffan och gick ut till hallen och sin mobiltelefon. Skickade ett kort och neutralt sms till Thomas.

Vet ni när ni kommer tillbaka?

En minut senare fick hon svar.

Om en timme, drygt.

Hon suckade. Vad fasen skulle hon göra här till halv ett?

Gick en sväng förbi rummet med de sovande barnen, böjde

sig ner och snusade på deras mjuka nackar. Gick ut i köket för att ta något att äta ur kylskåpet men ändrade sig, hon ville inte röra Soffan *FJ* Grenborgs sura mat.

Blev stående utanför sovrummet, deras sovrum. Lyssnade utåt mot stjärnor och trapphus.

Minst en timme innan de är hemma. Jag lägger tillbaka allt som det var.

Andlöst och ljudlöst sköt hon upp dörren. En sänglampa lyste. Sängen var obäddad. Hon gick fram till dubbelsängen, påslakanen var svarta. Det fanns intorkade, vita fläckar på underlakanen. På golvet låg ett par svarta trosor med flytningar i grenen. Hon vände bort blicken och lät den landa på garderoberna.

De upptog hela långväggen. Hon gick fram till den första och gläntade försiktigt på dörren.

Kostymer. Thomas hade köpt nya. Hon slog upp garderobsdörren på vid gavel.

De här var dyrare än hans gamla, de som brunnit upp. Försiktigt strök hon över materialen, ylle, bomull, silke.

Han har alltid haft bra smak, fast han är snyggast i jeans och tröja.

Hon stängde dörren och öppnade nästa.

Soffans klänningar. De var gula och röda och vita och svarta och blommiga och andra var översållade med paljetter.

Trycket ökade över bröstet, hon stängde dörren och öppnade nästa.

Hennes underkläder. Där var trosor och strumpebandshållare och behåar, alltsammans i spets och med hakar och pärlor.

Jag äger inte en enda sådan här behå, har aldrig gjort. Går han igång på sådana?

De var crèmefärgade och röda och djuplila och svarta, med eller utan axelband, med eller utan push-up.

Hon tog upp en riktigt silkig sak med bygelbågar och strass

och höll upp den framför sig. Den var alldeles för liten. Hon lade tillbaka den, men hejdade sig.

Hon skulle aldrig få reda på att jag tagit den. Hon skulle kanske fundera över vart den tagit vägen, men hon skulle aldrig säkert veta.

Hon stängde garderobsdörren med behån i handen, såg sig omkring i rummet. Hade inte rört någonting annat.

Snabbt gick hon ut och stängde sovrumsdörren efter sig, gick tillbaka till hallen och knölade ner behån i innerfacket i sin bag.

Just då kom ett sms.

Från Thomas.

Vi blir lite sena.

Hon kastade mobilen ifrån sig.

Jag vill inte vara här mera nu! Jävla skit!

Tårarna steg upp i ögonen. De kritvita väggarna lutade sig mot henne, hon sprang in till Kalle och böjde sig ner vid hans säng.

– Älskling, viskade hon. Jag saknar dig så mycket...

Pojken öppnade ögonen och såg förvirrat på henne.

– Vad är det, mamma? Ska jag gå upp nu?

Hon tvingade sig att le.

– Nejdå, jag bara pussar på dig lite. Sov nu.

Hon reste sig och backade ut ur rummet, snubblade sig genom ateljén och stannade intill en skänk vid bortre väggen. Ovanpå stod en rad med bilder uppställda i tjusiga ramar, ungefär som de brukade i amerikanska tv-serier. Där var Thomas och *FJ* som höll om varandra ombord på en segelbåt, där var Thomas och *FJ* som höll om varandra framför Eiffeltornet i Paris, där var Thomas och *FJ* och barnen på en gruppbild vid hans föräldrars lantställe ute i skärgården...

Plötsligt kunde hon inte andas längre, *den jäveln!*

Hon började gråta.

Så nöjd hans mamma måste vara nu när jag är ute ur bilden.

Hon tycker säkert att Soffan Fucking Jävla Grenborg är en mycket bättre mamma än jag. Hur kan han göra så här mot mig?

Självömkan slog emot henne med en kraft som fullständigt tog andan ur henne.

Han ska få betala, den jäveln!

Snabbt gick hon tillbaka till Thomas arbetsrum bakom köket, satte sig vid datorn och torkade bort tårarna med ilskna fingrar. Datorn hade gått ner i viloläge men kvicknade genast till när hon ruskade på musen.

Hon tog fram mejlet till statssekreteraren igen.

Om den här promemorian läckte ut skulle konsekvenserna bli gigantiska för hela utredningen. Om direktiven inte gick att följa skulle hela betänkandet haverera. Alltsammans skulle slängas i papperskorgen och arbetet skulle få börja om från allra första början, med att regeringen formulerade ett nytt utredningsuppdrag med nya direktiv och nya medarbetare.

Thomas skulle bli av med jobbet.

Hon stirrade på promemorian, kände pulsen bulta. Tittade på klockan.

Halv ett. De skulle komma snart.

Han klarar sig ändå. Han har ju lilla Soffan.

Hur skulle hon bära sig åt för att ingen skulle fatta varifrån mejlet kom?

Hon kunde inte vidarebefordra det, då skulle Thomas adress synas. Inte kunde hon skicka det från sin egen mejl heller, då skulle alla fatta varifrån hon stulit pm-et.

Hon var tvungen att skapa en fejkadress, en anonym och allmän men ändå så trovärdig att medarbetarna på tidningen hajade till när de såg den i tipskorgen.

Hon tittade på klockan igen och gick in på hotmail.com.

Med darrande fingrar skapade hon en alldeles pinfärsk mejladress.

deep-throat-rosenbad@hotmail.com.

Det tog tre minuter.

Sedan skickade hon Thomas mejl vidare till den nya adressen och väntade nervöst tills den dök upp på hotmailkontot. Därefter strök hon bort alla uppgifter som visade vem som skrivit promemorian, varifrån den skickats, sedan sände hon iväg den ytterligare en gång, till tidningen Kvällspressens mejladress för tips från allmänheten.

På tidningen skulle det alldeles strax plinga till i tipsburken.

Reportern som kollade mejlet skulle upptäcka en avsändare, Deep Throat Rosenbad, döpt efter den hemliga källa som Bob Woodward och Carl Bernstein haft när de avslöjade Watergateaffären. Man skulle klicka upp mejlet och läsa hennes korta meddelande:

> Det här som jag nu skickar över till Er är en
> intern och mycket hemlig promemoria från
> justitiedepartementet. Innehållet kommer att
> få stora konsekvenser för regeringens framtida
> arbete. Statssekreterare Halenius är informerad.

Inget mer. Det skulle räcka. Alla signalorden fanns där, de som fick kvällstidningsredaktörer att gå igång; intern, hemlig, regeringen, justitiedepartementet, stora konsekvenser, statssekreteraren, informerad...

Till sist raderade hon samtliga hotmailfiler ur Explorers minne, gick in i Outlook och raderade mejlet hon vidarebefordrat och stängde av datorn.

I tystnaden som följde hörde hon hissen starta ute i trapphuset.

Snabbt släckte hon lampan i arbetsrummet och sprang på tysta fötter genom ateljén och landade i den svarta skinnsoffan samtidigt som ytterdörren gick upp. Hon reste sig direkt igen, gick ut i hallen och försökte se trött och sammanbiten ut.

– Hur har det gått? frågade Thomas.

– Bra, sa hon, och utan att titta upp på någon av dem tog hon sin bag och sin jacka och försvann ut genom dörren.

ANNIKA GICK IN PÅ Seven Eleven på Klarabergsgatan och köpte en frukostchorizo och bägge kvällstidningarna. Händerna skakade en aning när hon lade upp pengarna på disken, illa till mods inför hur tidningen hanterat den hemliga promemorian.

Tänk om den leder till en regeringskris.

Tänk om de inte har fattat grejen och struntat i att ta in den i tidningen.

Hon visste inte vad som skulle kännas värst.

Storögt granskade hon Kvällspressens förstasida. Den upptogs av en vacker bild på en leende Julia med blomsterkrans i håret och rubriken *Livstid.* Nedryckaren löd *Exklusivt: Polisfrun Julia Lindholm talar ut om mordet på maken David, sonens försvinnande och framtiden i fängelset.*

Det höll inte i texten, men hon orkade inte bli upprörd.

På ettan fanns inget om pm-et.

Hon bläddrade snabbt upp tidningen och insåg att hon stod i vägen för resten av kunderna, flyttade sig snabbt bakåt i butikslokalen och bredde ut tidningen över glassfrysen. Tog en stor tugga av korven och fick senap på bandaget, *skit också.*

Sexan och sjuan bestod av hennes intervju med Julia Lindholm. Åttan och nian var en genomgång av livstidsdomen, men där, *åh där var den*, på sidan tio fanns artikeln om justitiedepartementets hemliga promemoria.

Det var Emil Oscarsson som skrivit den. Han hade fattat potentialen i grejen och ringt och väckt statssekreteraren och ministerns pressekreterare och en partiledare ur oppositionen också. Vinkeln var att utredningen hade varit på väg mot en katastrof och justitiedepartementet hade varit tvunget att göra en brandkårsutryckning för att inte kriminalvårdens kostnader skulle skena iväg helt okontrollerat.

Annika svalde hårt.

Vad håller jag på med?

Hon undrade om Ekot tagit upp det och gått vidare i sina morgonsändningar, hon hade ingen radio så hon visste inte.

Vilka konsekvenser får det här? För Thomas, och för regeringen?

Hennes mobil ringde, hon tappade korven på golvet när hon kastade sig ner i bagen för att gräva fram den.

Det var Nina.

– Julia ligger kvar på sjukavdelningen. Hon får inte ta emot några besök.

Skit i helvete också!

– Två minuter.

Annika tryckte ner korven och bägge tidningarna i papperskorgen och sprang mot Bergsgatan.

Nina Hoffman hade polisuniformen på sig. Hon såg ut som om hon inte sovit en blund på hela natten.

– Har jag inte heller, sa hon kort. Klockan halv fem hittade vi en död man i en lägenhet vid Hornstull. Det tog lite tid.

– Vet tidningarna om det? frågade Annika andfått.

– Såg ut som en överdos, så jag tror inte de bryr sig. Men vi måste ju utreda ändå. Vad har du gjort med fingret?

De stod utanför ingången till polishuskomplexet på Kungsholmen, Annika drog in vänsterhanden i jackärmen.

– Skar mig då jag lagade mat, sa hon och tittade bort mot Scheelegatan, kände Ninas skarpa blick.

– Det var ett rejält bandage, sa polisen.

Annika såg ner i marken, på löven som smetade vått mot asfalten, på sina boots och Ninas kraftiga uniformskängor.

– Litar vi på varandra eller inte? undrade polisen och drog henne ett steg åt sidan för att släppa fram en kvinna med barnvagn på trottoaren.

– De var två stycken, sa Annika sedan mamman passerat. Två män, de drog in mig i en gränd när jag var på väg hem från dig häromkvällen, strax intill min port i Gamla stan. De skar mig i fingret, sa att jag skulle säga att jag skurit mig när jag lagade mat. Jag fick inget berätta om dem, då skulle de skära upp... barnen... nästa gång...

Hon hade svårt att få luft.

Nina tog tag i hennes hand och tittade på bandaget.

– Vad är det du har spillt på det?

– Senap. Stark.

– Du fick sy förstås.

– Åtta stygn. Det gick av någon sena. Jag bet en av dem, han slog mig i huvudet för att få mig att släppa.

Nina såg på henne, ögonen var svarta av sömnbrist.

– Du vet vad jag har sagt. Du måste vara försiktig. De där människorna är inte att leka med.

Hon såg bort längs med Bergsgatan.

– Jag tycker du ska släppa det här, sa hon. Tänk på dina barn.

– Har du bilderna?

Nina tvekade, sedan nickade hon.

– Kom, sa Annika. Sockerbagaren på Hantverkargatan har precis öppnat.

De satte sig vid ett trångt litet bord intill fönstret.

Annika köpte kaffe, Nina ville inget ha. Hon tog av sig polismössan och lutade huvudet mot väggen.

– Det här är på gränsen till tjänstefel, sa hon matt. Jag får egentligen inte komma i närheten av den här utredningen.

Hon letade i sina fickor och tog upp ett kuvert, Annika tog det och kände pulsen öka. Försiktigt öppnade hon det och bläddrade bland porträtten.

– Vem av dem är Yvonne Nordin?

– Vem tror du? sa Nina tonlöst.

Annika bredde ut polaroidfotografierna från Rikspolisstyrelsens jourcentral på det lilla bordet mellan dem, tog upp det ena fotot efter det andra och granskade det noggrant.

– Nej, sa hon sedan. Jag kan inte gissa.

Nina vände på ett av korten och pekade på baksidan, där stod kvinnans namn och personnummer.

Yvonne Nordin var en mörkblond kvinna med alldagligt utseende någonstans i nedre medelåldern, med allvarlig uppsyn och möjligen lite övervikt.

Annika Bengtzon tog upp fotot och granskade det.

– Tror du hon har pengar?

Nina fnös.

– Det är en rent hypotetisk fråga.

Annika såg ingående på bilden.

– Om hon utförde morden på Sankt Paulsgatan så var hon involverad i Filip Anderssons ljusskygga affärer, och då har hon nog några bankkonton gömda på olika tropiska öar. Jag försökte leta upp henne igår kväll. Hon är skriven på en blindadress i Skärholmen, men jag tror inte hon bor där.

– Varför inte? frågade Nina.

– Om hon verkligen sköt David och kidnappade Alexander så fanns det ett syfte med det. Jag tror hon har Alexander hos sig, och han får inte bli sedd av andra människor, inte än på länge i alla fall. Alltså går Skärholmen bort. Däremot...

Hon drog upp ett anteckningsblock ur sin bag och visade några ojämna linjer på ett av bladen.

– ... så köpte hon ett litet hus mitt ute i skogen för precis ett år sedan, nordväst om Örebro. Ovanför Garphyttan, här!

Hon visade med en penna på ett litet kryss i blocket.

Nina såg väldigt trött ut.

– Julia nämnde att ett par olika kvinnor, eller om det möjligen var samma, hade hört av sig till David och krävt att han skulle lämna Julia. En av dem hade gjort en abort. Tror du att det är viktigt?

– Jag får nog ta en kopp kaffe i alla fall, mumlade Nina och Annika reste sig genast och köpte en åt henne.

– Tror du det är viktigt med aborten? upprepade Annika och placerade koppen framför polisen.

– Det kan vara ett väldigt trauma, sa hon och blåste på drycken. En del kommer aldrig över det.

– Åja, sa Annika och sjönk ner på andra sidan bordet, nu ska vi inte överdramatisera. Så mycket trauma behöver det inte vara. Jag gjorde en abort när Ellen var ett halvår, och jag är jättenöjd med den.

Nina drack av kaffet.

– Så du upplevde inte några problem alls?

Annika knölade ner sin plånbok i väskan.

– Jo, att komma fram på telefon var jättekrångligt. Jag ringde runt som en dåre för att kunna boka tid för en undersökning var som helst i Stockholms län, men de gynmottagningar som orkade lyfta luren hade inga tider på flera veckor. Till slut gav jag upp och gjorde aborten i Eskilstuna. Jag minns fortfarande hur otroligt lättad jag kände mig när jag kom ut på parkeringen. Hur så, du ser tvivlande ut?

– Alla reagerar inte så. Det kan vara en stor sorg, och ett stort svek...

Annika vred sig irriterat på stolen.

– Det är ju vad man förväntas säga. Det är liksom inte okey att säga att man gillade sin abort, men det gjorde verkligen jag. Jag ville absolut inte ha en unge till just då.

Hon såg Ninas ogillande uppsyn.

– Vad? Tycker du jag är en dålig kvinna för att jag är glad över att ha gjort abort? Har jag förverkat min rätt att vara mamma?

– Nej, nej, sa Nina. Men jag måste verkligen gå nu.

Hon reste sig, Annika noterade att kvinnan bakom disken kastade en förstulen blick åt deras håll. Polisuniformen hade förmågan att få folk att känna sig skyldiga, trots att de inget gjort.

– Då behåller jag bilderna, sa Annika och stoppade ner dem i kuvertet igen.

Nina stannade till och såg ut som om hon tvekade. Sedan böjde hon sig fram mot henne och sänkte rösten.

– Var försiktig, sa hon. De där människorna som skar dig menade allvar.

Sedan satte hon på sig uniformsmössan, försvann ut genom dörren och vek av ner mot Scheelegatan.

Annika plockade upp bilderna igen och tittade på dem, en efter en.

De var mörka och ljusa och unga och äldre, en del var välsminkade och andra okammade.

Hon stannade vid Yvonne Nordin, de lite sorgsna ögonen, det tunna håret.

Är du en galen massmördare? Hur ska jag bära mig åt för att visa upp dig för Julia?

Hon bet i kaffeskeden några sekunder, plockade sedan upp penna och papper ur bagen och skrev ett kort meddelande till Kronobergshäktet.

"Dessa bilder ska vidarebefordras till Julia Lindholm. Bästa hälsningar, Annika Bengtzon."

Hon reste sig upp och skyndade sig bort till Bergsgatan och lämnade kuvertet i receptionen. Sedan sprang hon tillbaka till busshållplasten utanför Hantverkargatan 32, hennes gamla port, hennes hem i Stockholm ända fram till haveriet på Vinterviksvägen. Hon vägrade att ens titta på porten och klev på bussen.

Vädret var jämngrått och blytungt. Förmodligen hade solen gått upp någonstans bakom järnridån av fukt och gråhet, men hon var inte säker på att den någonsin mer skulle visa sig.

Bussen var full med folk och hon fick ingen sittplats, krängde hit och dit i kurvor och korsningar. Luften var unken av fuktiga ytterplagg och dåligt borstade tänder.

Hon hoppade av vid Gjörwellsgatan och andades ut.

Redaktionen var nästan tom. Anders Schyman satt i sitt lilla glasrum med fötterna på skrivbordet och dagens Kvällspressen uppslagen framför sig.

– Jävla bra grej med polismördaren som talar ut, sa chefredaktören när hon klivit in i rummet utan att knacka. Men har du sett grejen på sidan tio? Vi har fått tag i en hemlig promemoria från justitiedepartementet som visar att livstidsstraffet inte går att avskaffa, det blir för dyrt.

– Såg det, sa hon och sjönk ner i hans besöksstol. Jag har en jättegrej på gång. Julia Lindholm hävdar ju att hon är oskyldig, det har hon gjort hela tiden. Det kan finnas sätt att belägga det.

– Det kom som tips på mejlen inatt, sa Schyman. Från Deep Throat Rosenbad. Vad säger det dig?

– Jag tror hon har rätt, jag tror inte hon gjorde det. Alexander lever.

Chefredaktören lät tidningen sjunka.

– Jag antar att du kan konkretisera det där på något sätt.

Annika började med att dra historien om trippelmordet på Sankt Paulsgatan fyra och ett halvt år tidigare, om hur offren först fick yxan i huvudet och sedan ena handen avhuggen, att finansmannen Filip Andersson dömdes till livstid för morden både i tingsrätt och hovrätt men att han hävdar att han är oskyldig.

Hon drog parallellerna med mordet på David, först våldet mot huvudet och sedan stympningen av kroppen, att Julia hävdade att hon inte gjorde det.

Hon berättade om Davids företag, om att han suttit i samma styrelse som en kvinna som hette Yvonne Nordin som samtidigt drev ett annat företag med Filip Andersson (ser du inte sambandet!), att han berättat för Julia om en galen kvinna som förföljde honom och ville skada honom, men vi tror att det var hon som gjorde aborten...

Det blev alldeles tyst sedan hon berättat färdigt.

Anders Schyman såg stadigt och sammanbitet på henne.

– Aborten? sa han.

– Ja alltså, jag vet inte hur viktig den är.

– Och Alexanders kläder och nalle, hur hamnade de i kärret intill Julias sommarstuga?

– Hon gjorde sig av med dem där.

– Vem då? Den här Yvonne? Var det hon som gjorde aborten? Som Alexander alltså ska finnas hos?

Annika drog upp sin egenhändigt fabricerade karta ur bagen och lade fram på chefredaktörens skrivbord. Han tog den och studerade den tveksamt.

– Där, sa Annika och pekade på krysset i mitten som representerade Lybacka 2:17 i Tysslinge församling i Örebro kommun.

– Och Filip Andersson är oskyldig och Julia Lindholm är oskyldig?

– Filip Andersson är säkert skyldig till massor med saker, men inte till morden på Sankt Paulsgatan.

– Och Alexander är alltså inte död?

– Det var ett angrepp på hela familjen: döda mannen, sätta dit hustrun och stjäla barnet. Han lever.

Anders Schyman lade ner pappret på skrivbordet och såg ingående på henne.

– Blev det någonsin utrett vem som tände eld på ditt hus? frågade han.

– Vad har det med något att göra? frågade hon.

Chefredaktören verkade uppriktigt bekymrad.

– Hur mår du, Annika?

Hon blev tvärilsken.

– Så det är din slutsats, sa hon. Att jag försöker rentvå mig själv.

– Förfölj inte oskyldiga människor, Annika. Tänk dig för.

Hon reste sig och tappade kartan på golvet, Schyman böjde sig ner och plockade upp den.

– Vet du vad det här påminner om? sa han och räckte henne papperslappen.

Hon tittade på de krokiga linjerna och förkortningarna av de olika vägarna.

– "A beautiful mind", sa hon lågt.

– En vad för något?

Hon svalde hårt.

– Behöver du hjälp? frågade han.

Hon ruskade irriterat på sig.

– Jag har varit lite ur form bara, sa hon, med skilsmässan och allt.

– Ja, sa han och satte sig på skrivbordet med armarna i kors. Hur går det med den?

– Den går igenom i tingsrätten nu i december, sa hon. Sedan är allt över.

– Allt?

Hon strök håret ur ansiktet.

– Nej, sa hon, inte allt så klart, bara det här jobbiga. Sedan blir det bättre.

– Du är kvar i det där gamla kontoret? När kan du skaffa dig ett riktigt boende?

– När polisutredningen är klar och jag får ut försäkringspeng-arna.

– Och din man...?

– Bor med sin älskarinna.

– Om skilsmässan är klar så är hon väl hans sambo.

Hon tog upp sin bag och stoppade ner kartan i väskan.

– Är han kvar på justitiedepartementet?

– Tror jag väl.

– Vad var det han jobbade med? Utredningen kring avskaf-fandet av livstidsstraffet, eller hur?

– Kan jag använda en bil under dagen? Jag är tillbaka ikväll.

– Vad tänker du göra?

– Träffa en källa.

Anders Schyman suckade.

– Okey, sa han och sträckte sig efter en bilrekvisition. Men jag vill inte att du gör några dumheter.

Hon gick därifrån utan att se sig om.

Bilen var en anonym Volvo av något äldre årsmodell, mörkblå och ganska smutsig. Hon körde ut ur tidningsgaraget och sväng-de upp på Essingeleden.

Det fanns två vägar till Örebro, norr och söder om Mälaren. Utan att reflektera styrde hon söderut, ner mot Södertälje för vidare färd mot Strängnäs och Eskilstuna. Hon valde instinktivt den, bara för att hon var van vid den.

Det är ju så vi är, vi människor. Vi stannar hellre vid något väl-bekant och dåligt än byter till något främmande och bra.

Trafiken var gles och vägen tämligen torr, hon kunde ha kört fort. Efter att hon passerat Södertälje och tagit av på E20 satte hon fartkontrollen på 135 kilometer, strax under gränsen där hon skulle bli av med körkortet om hon åkte fast. Det var Anne som hade lärt henne det, att man kunde köra "med moms". På 30 och 50-väg fick man köra 20 kilometer för fort, på 70, 90 och 110 steg momsen till 30. Man torskade visserligen när man körde med moms också, men det kostade bara böter.

Se det som en trängselavgift, hade Anne sagt.

Hon skrattade lite när hon tänkte på det, hon hade saknat Anne. Passerade en långtradare från Estland, bilen flög längs vägen. Landskapet rann förbi utan att hon noterade det, hon hade sett det hela sitt liv, vuxit upp i det. De platta, bruna åkrarna runt Mariefred och Åkers styckebruk, Sörfjärden som glimmade svagt på höger sida när hon passerat Härad, skogspartierna när hon närmade sig Eskilstuna.

Hon kastade en blick på instrumentpanelens digitala klocka, en minut i tio.

Ellen var tillbaka på dagis nu, Kalle hade första rasten.

Hon slog på radion för att lyssna på Ekot. Nyhetsuppläsaren var en man med magstöd i klass med pansarplåt. Toppnyheten fick henne att börja svettas.

– Den parlamentariska utredningen kring straffsatserna och avskaffandet av livstidsstraffet kommer att läggas ner, eftersom direktiven inte gick att följa. Det meddelar justitiedepartementet i ett pressmeddelande idag. Det innebär att livstidstraffet kommer att finnas kvar i den svenska lagstiftningen på obestämd tid, vilket kritiseras hårt av oppositionen...

Inget cred till Kvällspressen, inget om vad som skulle hända med dem som jobbade med projektet.

Hon slog av radion, tystnaden som följde var enorm. Hjulens dån mot asfalten ekade i kupén, bildade nya ord med Ekomannens röst. Hon böjde sig fram och slog på radion igen, tryckte fram inställningarna till slutet av fm-bandet. Mix Megapol hade en stark sändare i Eskilstuna på 107,3, hon hamnade mitt i ett evighetslångt reklamblock som slutade med en glitterglad försäkran om att kanalen blandade dagens hits med det bästa från igår. Hon vred upp volymen för att hålla alla rösterna och tankarna borta, Anders Schymans och Anne Snapphanes och Ekomannens och Nina Hoffmans och Soffan *Fucking Jävla* Grenborgs...

Hon var precis på väg ut ur Köping och såg att det låg en bensinmack lite längre fram, hon kunde lika gärna passa på att tanka. Slog på blinkern och svängde av på Kungsgatan och in på macken. Fyllde på diesel och gick in för att betala.

Sedan gick hon in på toaletten, kissade och upptäckte att toalettpappret var slut. Med ett stön slet hon till sig sin bag för att se om hon hade några pappersnäsdukar, när hon rotade runt i väskan hamnade hennes hand på något lent och silkesmjukt.

Bygelbehån med spets och strass från Sophia Grenborgs garderob.

Hon lade plagget på tvättstället, spolade och tvättade händerna och satte sig på toalettlocket med den silkiga trasan i händerna. Prislappen var kvar. Den var köpt i Paris. 169 euro.

Hon mindes bilden framför Eiffeltornet, barnen på verandan ute på Gällnö.

Bröstet blev trångt och ilskan steg upp över hjässan.

Hon böjde sig ner och tog upp fickkniven ur väskan, *Kvälls-pressen – bäst när det gäller,* och sedan skar hon sönder Sophia Grenborgs lyxiga bysthållare i strimlor strimlor strimlor, tunna först och sedan allt grövre och trasigare, höll på att slinta med kniven mot själva metallbyglarna och skära sig i vänsterhandens långfinger också, hon skar och slet tills hon blivit alldeles andfådd och tills det lilla plagget bestod av vitt spetsludd och små fransiga trasor. Hon ville gråta lite men bet ihop om smärtan och kastade alltsammans i papperskorgen, rev ner några pappershanddukar som hon blötte under kranen och stoppade ner runt spetsluddet.

Så där ja. Borta för jävla alltid.

Hon försökte känna sig nöjd, stoppade ner fickkniven bland

resten av röran i bagen och gick ut till bilen igen. Rullade bort mot Arboga. Hon fick sänka farten och stängde av radion, hamnade bakom en bärgningsbil som masade sig fram i 60 och höll på att bli tokig.

Det var med lättnad hon kunde köra om och svänga ut på E18 mot Örebro.

Vad ska jag göra om hon är där? Vad ska jag ta mig till om hon står där med Alexander?

Hon skulle inte göra något alls, bestämde hon. Hon skulle bara titta lite och åka därifrån och sedan ringa till polisen, om det behövdes.

Nöjd med beslutet kryssade hon sig genom Örebro och hittade så småningom avfarten till Garphyttan. Vägen blev smal och krokig igen, på vissa ställen hal av frost. Temperaturmätaren i bilen visade på nollgradigt, hon sänkte farten ytterligare.

Inne i själva Garphyttan tog hon höger vid en Coop Forumbutik, följde vägen med villor på höger sida och tät barrskog på den vänstra, hon passerade en idrottsanläggning med fotbollsplan och löparbanor och sedan var hon ute ur samhället.

Det började snöa, stora tveksamma flingor som virvlade runt i luften utan att kunna bestämma var de ville landa. Barrskogen blev allt mörkare och tätare. Hon slog på radion för att få lite sällskap, den enda kanal hon fick in var P1 där en allvarlig man läste något skönlitterärt om bruna kuvert som var upplösta av fukt och mögel. Hon stängde av igen.

Jag får stå ut med tystnaden. Jag måste lära mig att leva med mig själv.

Landskapet öppnade sig och hon passerade några gårdar i en by som hette Nytorp, sedan tog hon av åt vänster och var inne på vägar som påminde om skogsstigarna runt Hälleforsnäs.

Efter någon kilometer hamnade hon vid en stoppskylt där hon kunde ta antingen höger eller vänster. Hon fiskade upp kartan ur bagen och kisade på sina färdriktningar, här skulle hon ta höger och sedan nästan omedelbart vänster, och sedan skulle hon följa den vägen ända tills den tog slut.

Bestämt sköt hon ifrån sig Anders Schymans reaktion när han räckt henne papperslappen.

Hon körde den slingrande vägen i närmare tjugo minuter, passerade några kalhyggen men såg inte en enda människa, inte ett enda hus.

Du gillar att vara i fred, Yvonne, eller hur?

Till slut kom hon fram till en vändplan som hon sett på satellitbilden, bromsade in och flämtade till.

En gigantisk stadsjeep stod parkerad intill en vägbom längst bort på vändplanen, hon noterade bilnumret TKG 298.

Det är hennes bil, hennes Toyota Landcruiser. Hon är här! Jag visste det!

Annika stannade intill suven och stängde av bilmotorn, öppnade bildörren och klev ut med dunkande hjärta. Snabbt gick hon fram till Toyotan och kikade in genom fönstren. Ingen barnstol. Inga barnleksaker i baksätet. Inga godispapper på golvet såvitt hon kunde se.

Längst bak i bagageutrymmet hade en grå textilduk dragits för så att innehållet där under doldes, hon hade haft en likadan i sin suv som brann upp.

Hon såg sig omkring och försökte orientera sig, Yvonne Nordins stuga borde ligga några hundratal meter norrut.

Hon måste ha hört bilen komma. Det är ingen idé att jag smyger mig fram.

Hon drog upp dragkedjan på täckjackan, hissade upp bagen på axeln och kröp under vägbommen.

Skogen var massiv och mörk, den tryckte sig mot henne på bägge sidor om stigen. Annika försökte göra den ofarlig, granskade den och såg att den bestod av gran med inslag av björk.

Mossan var tjock och orörd som golvmattan i Soffan Grenborgs trappuppgång. Trädkronorna sträckte sig ända upp mot den järngrå himlen. Flingorna hade slutat falla, men hon kunde fortfarande känna lukten av dem i luften. I sänkor och bakom stenar låg isiga rester efter tidigare snöfall.

Den frusna leran knastrade under bootsen, trots att hon försökte gå tyst.

En bäck porlade någonstans i närheten, hon kisade in bland stammarna men såg inget vatten. Tordes hon lämna stigen? Skulle hon hitta den igen? Hennes lokalsinne var värdelöst, hon hittade ingenstans utan kartor.

Hon bestämde sig för att hänga upp bagen på en gren intill vägen som riktmärke. Sedan klev hon in bland träden.

Om Alexander finns här så älskar han att leka vid bäcken. Han har säkert byggt en damm och seglar där med sina båtar.

Efter någon minut hittade hon det lilla vattendraget. Det porlade stillsamt mellan stenar och små istappar, ett obrutet och harmoniskt sorlande som inte stördes av vare sig dammar eller små träbåtar.

Hon svalde och trängde undan känslan av besvikelse. Följde bäcken upp och ner en liten bit, där fanns inga tecken alls på mänsklig aktivitet.

Tack och lov hittade hon tillbaka till grusvägen.

Efter en kort stund skymtade hon en röd fasad bakom träden, hon saktade ner stegen lite till och stannade slutligen bakom en stor gran.

Det var ett gammalt torp, en parstuga med dubbla murstockar och tegeltak. Det rök ur den ena skorstenen och lyste i två av fönstren, som kantades av vitmålade fönsterluckor. På taket satt en stor parabolantenn. Till vänster om boningshuset fanns ett uthus, det som hon trott var en ladugård på satellitbilden. Nu såg hon att det snarare var ett förråd, hade kanske varit hönshus eller verkstad förr i tiden. En liten skogsbilväg gick förbi huset och försvann upp till höger. Det var alldeles tyst omkring henne, till och med vinden och träden höll andan.

Så skärpte hon blicken och letade efter tecken på att ett barn vistades här. En sandlåda, en cykel, en spade, vad som helst. Hon tog ett steg fram bakom granen, och i samma ögonblick såg hon en kvinna stiga ut ur uthuset med ett par stora resväskor i händerna. Kvinnan fick syn på henne, stannade upp och ställde ner väskorna.

Annikas första instinkt var att fly.

Hon styckar mig. Hon hugger mig i huvudet och sedan kapar hon av mina händer.

– Hallå där! sa kvinnan glatt. Har du gått vilse?

Annika svalde och steg fram på gårdsplanen.

– Det ser inte bättre ut, sa hon och gick mot kvinnan, räckte fram handen och hälsade. Annika heter jag.

– Yvonne Nordin, sa kvinnan och log. Hon såg lite förvånad men inte orolig ut. Kan jag hjälpa dig med något?

Det var kvinnan från passbilden, ingen tvekan om den saken. Medellängd, cendréfärgat hår i page under en virkad mössa, varma och lite sorgsna ögon.

– Jag ska upp till gruvhålen, sa Annika. Lybackagruvorna, de ska ju ligga här någonstans. Är det den här vägen?

Kvinnan skrattade till.

– Du är sannerligen inte den första som går fel, sa hon. Den är helt omöjlig att hitta, den där lilla skogsvägen. Jag har sagt åt projektgruppen som jobbar med landskapsprojektet att de måste skylta mycket bättre, men det är som med allting annat. Man måste göra det själv för att det ska bli gjort.

Annika kunde inte låta bli att skratta.

– Så jag har alltså kört för långt?

– Ungefär fyrahundra meter. Det finns en liten rödmålad

stolpe på höger sida, du svänger upp precis efter den.

– Tusen tack, sa Annika och såg sig omkring, ville inte alls gå ännu. Här har du det fint, sa hon.

Yvonne Nordin drog in luft i lungorna och blundade njutningsfullt.

– Jag tycker det är fantastiskt, sa hon. Jag har bara haft stället ett år, men jag stormtrivs verkligen. När man jobbar som jag gör så kan man arbeta var som helst nuförtiden, det är ett riktigt privilegium.

Annika såg öppningen och tog den omedelbart.

– Så spännande, sa hon. Vad jobbar du med?

– Jag är konsult, sa hon. Driver ett företag som sysslar med investments och management. Långa tider måste jag befinna mig rent fysiskt på de företag som jag anlitas av, som en sorts stand-in-vd, men så snart jag får chansen så åker jag hit ut för att hämta kraft och styrka.

– Blir det inte ensamt?

Frågan hade halkat ur henne innan hon hunnit hejda den, och den lät alldeles för skarp.

Yvonne Nordin såg lite förvånat på henne, sedan tittade hon ner i marken och nickade.

– Jo, sa hon, ibland.

Hon såg upp på Annika och log lite sorgset.

– Min sambo dog i fjol, på julafton faktiskt. Jag har inte kommit över det ännu. Skogen ger mig tröst och lugn. Jag tror inte jag skulle ha klarat det senaste året utan det här stället.

Annika kände långsamt hur skammen steg upp i bröstet och halsen, hon hittade inget mer att säga.

– Jag skulle gärna ha bjudit in dig på en kopp kaffe, sa Yvonne, men jag är faktiskt precis på väg att åka härifrån.

– Plikten kallar? fick Annika ur sig och tittade på hennes resväskor.

Kvinnan skrattade till.

– Tänk att man alltid packar för mycket. Det enda man egentligen behöver är ju passen och biljetterna.

Annika hissade upp bagen på axeln och kämpade mot den brännande skulden i mellangärdet.

– Trevlig resa, sa hon, och tack för hjälpen.

– Ingen orsak, sa Yvonne Nordin. Titta gärna in någon annan gång…

Annika gick tillbaka längs grusvägen, förbi stället där hon gått in i skogen och letat efter bäcken, tillbaka under vägbommen och bort till sin bil.

Det var riktigt rysligt kallt, snön hade börjat falla igen. Hon satte sig i bilen, slog på motorn och vräkte på värmen för fullt. Hon blundade hårt och knäppte sina händer på ratten.

Oj, vad pinsamt. Vilken jävla tur jag har.

Blundade hårt, hårt och kände skammen stiga som ett illamående i halsen.

Vilken jävla tur att jag inte gjorde bort mig mera. Tänk, om jag verkligen hade sagt något…

Hon hörde Anders Schymans ord eka.

Förfölj inte oskyldiga människor, Annika. Tänk dig för.

Hon svalde hårt och kände skammen dunka.

Förlåt för att jag är en sådan inbilsk idiot. Förlåt att jag stjäl och förstör och saboterar.

Hon började plötsligt gråta, tårar som sved och stack i kinderna.

Sluta sjåpa dig. Du har inget att tycka synd om dig själv för.

Hon ruskade på sig, torkade bort tårarna med jackärmen och lade i växeln. Körde iväg på den krokiga vägen och passerade efter några hundra meter den röda stolpe som Yvonne Nordin nämnt.

Jag måste ta itu med mig själv, jag kan inte hålla på så här.

Hon rullade genom landskapet, snöfallet hängde i luften utan att riktigt bryta ut. Det vred om i magen på henne, hon insåg att hon inte ätit någonting på hela dagen (förutom två tuggor chorizo klockan kvart i åtta i morse).

I Garphyttan letade hon upp en pizzeria som hette Garpen och beställde en dagens lunch. Den visade sig bestå av pizza och valfri läsk.

Annika tog en Loka och satte sig vid ett fönsterbord.

Där ute låg en stor industri, Haldex Garphyttan AB, hon lät blicken glida över parkeringsplatsen.

Så många bilar. Så många människor som äger de där bilarna, som tvättar dem och vårdar dem och besiktigar dem, som lever sina liv i Garphyttan utan att jag har en aning om det...

Hon höll på att börja grina igen men skärpte sig.

Jag borde göra som Anne. Jag borde verkligen be om förlåtelse.

Utan att tänka tog hon upp sin mobiltelefon och såg att hon hade ett missat samtal. Dolt nummer, det var säkert tidningen.

Hon samlade sig och slog sedan ett nummer som hon inte känts vid på ett halvår, ett nummer hon tidigare tryckt in minst två gånger per dag men sedan raderat ur sitt medvetande.

– Ja, det är Anne Snapphane...

– Hej, sa Annika. Det är jag.

Kort liten tystnad.

– Hej Annika. Vad kul att du ringer. Vad glad jag blir.

– Förlåt, sa Annika. Jag har också betett mig som en idiot.

Anne lade telefonen åt sidan och sa "kan jag ringa dig senare?" i någon annan lur och kom sedan tillbaka igen.

– Du behöver inte be om ursäkt till mig, sa hon.

– Jag har så många att be om ursäkt, sa Annika. Jag kör fram som en ångvält utan att ta hänsyn till någon annan än mig själv. Thomas har rätt, jag gör om världsbilden så att den passar mig och mina kriterier. Allt annat skiter jag i.

– Du är engagerad, sa Anne, och ibland går du lite för långt.

Annika skrattade till, ett litet och glädjelöst skratt.

– Det var nog dagens understatement. Jag utnyttjar människor, och stjäl och bedrar. Jag vägrar att erkänna när jag har fel.

– Alla har fel, sa Anne. Alla gör fel. Du är inte den enda människan på jorden som gör det. Det är väldigt bra om du kan försöka acceptera det.

– Jag vet, viskade Annika och tittade bort mot pizzaugnen. En mjölig bagare med ölkagge och knallrött hår höll precis på att strö oregano över hennes capricciosa.

– Var är du någonstans?

Hon skrattade igen.

– På en pizzeria i Garphyttan. Min lunch är på väg.

– Var fan ligger Garphyttan?

– Du vill inte veta, och du vill inte veta hur här ser ut...

– Säg inget mer. Glasfiberväv på väggarna och volanggardiner med tryckta blommönster som är blanka på ena sidan.

Annika skrattade högt.

– Exakt.

– Vad gör du där?

– Bort mig, precis som vanligt. Orkar du lyssna?

– Självklart.

Pizzan ställdes ner framför henne, hon mimade ett "tack" mot den rödhårige bagaren som tydligen fungerade som servitör också.

– Jag har betett mig som ett svin mot Thomas. Jag har sabbat för honom på jobbet och grävt igenom garderoberna i hans nya hem, riktigt äckligt.

– Jätteäckligt, bekräftade Anne. Och jätteelakt.

– Och så har jag hållit på och rotat runt i en mördad polis liv, och jag har insisterat på att där finns spår och mönster som ingen annan har sett. Jag har tyckt att jag har varit mycket bättre och smartare än alla andra.

– Du har en tendens att tycka att resten av världen består av idioter, sa Anne. Det är ett av dina karaktärsdrag.

Annika suckade och rullade ihop pizzan till en tjock korv, lyfte sedan ena änden och bet i den. I andra änden rann fettet ut, blev en liten flodfåra som letade sig ut på bordsduken.

– Jag vet, sa hon med munnen full av ost och vetedeg. Jag har gjort så många dumma grejer, jag har gjort bort mig för min chef och för en polis som heter Nina, men det får jag leva med.

För att inte tala om vad jag gjort mot Thomas.

– Schyman har ju redan sett de flesta av dina dåliga sidor, sa Anne.

Annika suckade igen.

– Nu tror han att jag börjar bli galen också, men det är inte så farligt. Jag är bara dryg och envis, och så ska jag alltid ha rätt.

– Men nu börjar du få lite självinsikt, sa Anne. Det kommer att göra livet mycket enklare för dig.

Annika svalde pizzatuggan.

– Jag har varit väldigt orättvis mot dig, sa hon.

– Nåja, sa Anne. Jag överlever. Jag är bara väldigt glad att du är beredd att ta tag i dig själv och ditt liv. Du kanske skulle gå och prata med någon, vad tror du?

– Kanske det, sa Annika lågt.

– Det är nog inte så lämpligt att du går till samma terapeut som jag, men jag kan fråga om hon kan rekommendera någon.

– Mmm.

Det blev tyst på linjen.

– Annika?

– Ja?

– Kör försiktigt tillbaka till Stockholm, och hör gärna av dig när du kommer hem. Jag har Miranda nästa vecka, hon har saknat Ellen och vill gärna leka.

Tårar steg upp i Annikas ögon igen, av lättnad den här gången.

– Absolut, sa hon.

– Jamen då hörs vi.

Hon satt kvar på pizzerian en bra stund, drack kaffe som var riktigt gott och spelade en låt på jukeboxen i hörnet, "Losing my religion" med R.E.M. Det kändes nog lite lättare att andas, det hade varit rätt att släppa taget om all prestige.

Hon betalade (den rödhårige var även kassabiträde) och gick ut i den tveksamma skymningen. Luften var klarare och kyligare, det hade klarnat upp och börjat blåsa.

Hon satte sig i bilen och hade precis kört ut på vägen ner mot Örebro när mobilen ringde. Den låg på passagerarsätet bredvid henne, hon kastade en blick på displayen. Dolt nummer. Det var väl tidningen igen. Hon suckade och svarade.

– Annika? Det är Q. Var är du?

Med ens var rädslan där, stor och svart och syreslukande.

– Ute och kör bil. Har det hänt något med brandutredningen?

– Julia Lindholm fick kuvertet med dina bilder.

Åh nej, helvetes skit.

– Personalen på häktet ringde efter mig när hon skrikit i en timme.

Annika saktade in bilen och stannade till vid vägrenen.

– Alltså förlåt, det var verkligen inte meningen…

– Det är jävligt irriterande att du lägger dig i vår utredning.

Hon blundade hårt och kände kinderna hetta.

– Jag är jätteledsen om jag ställt till med något elände.

– Det står på baksidan av bilden att en av kvinnorna disponerar ett torp ovanför Grythyttan. Är det dina uppgifter?

– Eh, ja, hon bor där. I ett torp intill Lybackagruvorna. Jag pratade med henne för en timme sedan.

– *Pratade* du med henne? Herre jävla gud… Var fan är du?

Hennes röst var bara ett pip när hon svarade.

– I Garphyttan. Och jag är jätteledsen att jag lämnade de där bilderna, det var bara ett missförstånd…

– Julia hävdar att hon känner igen Yvonne Nordin. Hon säger att det var Yvonne Nordin som befann sig i deras lägenhet den där natten. Att det var hon som tog Alexander.

– Jag är så olycklig över hur jag har rört till det, sa Annika. Verkligen. Det är helt fel, det finns inget barn där uppe vid torpet. Yvonne Nordin har ingenting med det här att göra.

– Det tänker jag bedöma alldeles på egen hand, sa Q. Jag har precis skickat en patrull från Örebropolisen för att plocka in henne på förhör.

– Åh nej, sa Annika. Men det är inte hon, allt hon sa stämde.

– Vad? Vad stämde?

– När hon köpte huset, att hennes sambo dog. Företaget hon driver, bilen hon kör. Hon är en uppriktig människa.

Hon hörde att Q stönade.

– Förresten så är hon nog inte där, sa Annika. Hon var precis på väg att åka därifrån. Skulle iväg och jobba någonstans.

– Vart? Sa hon vart?

– Utomlands, antar jag, för hon pratade om passen. Har patrullen åkt?

– Vilken minut som helst. Gör mig en tjänst och håll dig undan nu.

– Visst, sa Annika. Självklart. Absolut.

Hon satt kvar med telefonen i handen och ville sjunka rakt ner genom jorden.

Hon hade fått Julia att hoppas, Yvonne Nordin kanske skulle missa sitt flyg… Vilken jätteloser hon var.

Hon tog tag i bilnyckeln för att starta bilen igen men stelnade till.

Missa sitt flyg? Biljetterna? Tänk att man alltid packar för myck-et. Det enda man egentligen behöver är ju passen och biljetterna.

Hon släppte startnyckeln.

Passen och biljetterna?

Varför talade Yvonne Nordin i pluralis? Och varför behövde hon flera resväskor för en jobbresa?

Därför att hon inte tänkte åka ensam.

Därför att hon tänkte ha ett barn med sig.

Hon bet ihop om sina egna tankar.

Nu är jag ute och cyklar igen.

Man kunde inte hålla ett barn inlåst i ett halvår. Det var inte möjligt att gömma en fyraårig pojke i ett hus i skogen utan att någon fick reda på det.

Eller var det det?

I så fall hade han inte fått vara ute i friska luften på sex måna-der. Inte fått bygga några dammar i bäcken eller gräva i jorden med spaden. Han hade inte fått äta tablettaskar i bilen eller välja filmer i Videobutiken...

Parabolantennen! Han har sett på Cartoon Network!

Hon såg på klockan, kvart över två. Om någon timme skulle det vara helt mörkt.

Men Julia kände ju faktiskt igen henne.

Hon hade ett par timmars körning tillbaka till Stockholm, fast bilen behövde egentligen inte vara tillbaka förrän i morgon bitti.

Tvekade med handen på nyckeln, *tänk om hon hinner iväg innan polisen kommer fram. Jag har en halvtimmes försprång.*

Hon vred igång motorn, vände bilen och körde tillbaka mot Garphyttan. Genom samhället och förbi idrottsplanen, upp ge-nom skogen och kalhyggena utan att få ett enda möte.

Kan det finnas fler vägar? Det gör det så klart. Skogsbilvägar, och inte ens sådana behövs, inte med den bilen.

Toyota Landcruiser 100 var den typ av fordon som de amerikanska specialstyrkorna använt när de invaderat Irak, hon hade känt igen den från tv-sändningarna. Thomas hade kommenterat det en gång när de såg på Rapport, att USA nyttjade japanska bilar när det verkligen gällde.

Yvonne Nordin skulle kunna köra genom skogen hela vägen till Norge, om hon så ville.

Hon kom fram till den röda stolpen som visade avfarten upp till Lybackagruvorna, de vattenfyllda gruvhålen där man brutit järnmalm redan under förhistorisk tid. Hon svängde in på vägen, körde in bakom en gran, drog i handbromsen och slog av motorn. Satt tyst i bilen och lyssnade till sin egen andhämtning. Såg sig runt i skogen, det hade blåst upp riktigt ordentligt.

Jag behöver inte gå ända fram, jag kan bara titta lite. Polisen är ju på väg, borde komma om högst en halvtimme.

Hon steg ut ur bilen och stängde dörren försiktigt.

Yvonnes hus borde ligga nästan en kilometer bort över skogen. Hon såg på träden, vinden kom från nordost. Hon hoppades att ljudet av bilmotorn inte hade hörts upp till torpet.

Hon tog bagen och började gå, hade sinnesnärvaro nog att sätta mobilen på ljudlöst. Hennes steg knastrade mot underlaget, hon gillade inte det utan gick in bland träden i stället. Mossan svalde hennes steg med ett svagt och sugande rassel.

Det mörknade snabbt, särskilt nere vid trädrötterna. Hon fick gå ganska försiktigt.

Snart såg hon vändplanen framför sig. Bilen var borta.

Hon bet sig i läppen, *skit också.*

Sedan såg hon att vägbommen var öppen.

Hon kanske har kört upp till huset för att packa bilen.

Annika småsprang in bland träden och kom rakt på den lilla bäcken, beslöt sig för att följa den mellan stammarna och upp mot huset. Hon flämtade i vinden, av ansträngning men kanske mest av anspänning. Snavade på en sten och ramlade raklång i mossan, kravlade sig upp och skyndade vidare.

Bilen stod på gårdsplanen, med strålkastarna på och motorn igång. Yvonne Nordin kom just ut ur huset med en resväska i var hand, de såg ut att vara tunga.

Annika tryckte ner sin ljusa bag i mossan och hukade sig ner bakom en liten gran.

Yvonne Nordin gick till sidan om bilen och ställde in väskorna i baksätet, stängde bildörren och gick tillbaka in i huset utan att dra igen ytterdörren.

Annika väntade i mörkret och försökte kontrollera sin egen andhämtning.

Så kom kvinnan ut igen med ytterligare två väskor. Den här gången gick hon till andra sidan om bilen och försvann ur Annikas synfält. Belysningen tändes inne i fordonet när passagerardörren bak gick upp, Annika såg henne ställa in också de här väskorna i baksätet. Sedan gick hon in i huset igen, och nu drog hon igen ytterdörren.

Annika blev sittande i mörkret och stirrade på bilen, på huset, på dörren, på skuggorna innanför fönstren där någon rörde sig. Det blåste och riste i skogen, knarrade i träd och grenar.

Jag måste hindra henne från att åka iväg. Går det att komma närmare?

Till vänster låg uthuset där Yvonne Nordin hämtat väskorna, till höger gick hjulspåren som försvann upp i skogen.

Halvvägs upp mot huset fanns en brunn med hink och traditionell handpump, därifrån var det bara några meter till bilen.

Hon tittade på skuggorna i fönstren, inga rörelser.

Hon drog tre snabba andetag, greppade tag i sin bag och sprang hukande fram till brunnen.

Hur skulle hon kunna få stopp på en Toyota Landcruiser? Hon visste ju ingenting om bilar.

Öppnade sin bag och rotade runt i röran, fanns det något hon kunde använda?

Hennes hand landade på fickkniven med budskapet *Kvällspressen – bäst när det gäller*, den hon skurit sönder Soffan *Fucking Jävla* Grenborgs behå med.

Jag måste sluta tänka på henne på det där sättet. Det är under min värdighet.

Hon tog upp kniven, tvekade bara en halv sekund och rusade sedan fram och högg den i vänstra bakdäcket. Gummit gav vika och släppte ut luften med ett ljudligt pysande. Hon tog två steg till höger och skar sönder det andra bakdäcket också. Sprang sedan framåtlutad tillbaka till brunnen och hade precis krupit ner bakom den igen då ytterdörren öppnades.

Yvonne Nordin steg ut på trappan, och i handen höll hon en liten flicka. Barnet hade rosa klänning och blonda lockar som ringlade sig ner över axlarna. Yvonne slet i tösen så att hon snubblade på trappstegen, barnet protesterade inte utan följde lydigt med bort mot bilen.

Varför har hon inga ytterkläder på henne? Det är ju minusgrader.

Annika kurade ihop sig till en liten boll när de närmade sig fordonet, och hon slutade andas när de gick förbi bägge sidodörrarna och ställde sig vid bakluckan. Hon tordes inte sticka upp huvudet, men hon hörde att bakluckan öppnades och Yvonne Nordin säga "in med dig".

Hon kunde inte låta bli, utan stack upp huvudet så pass att hon såg flickan kravla sig in i bilen och lägga sig i bagageutrymmet, hur Yvonne Nordin drog den grå textilduken över utrymmet och stängde luckan.

Sedan tvekade kvinnan plötsligt, stannade upp och såg sig omkring. Annika dök ner bakom brunnen och blundade stenhårt.

Bara hon inte upptäcker punkteringarna! Titta inte nedåt!

Så hörde hon fotsteg som avlägsnade sig och kikade fram, oändligt försiktigt.

Kvinnan var på väg in i huset, förmodligen för att släcka och låsa.

Annika tog ett djupt andetag och sprang fram till bilen. Hon öppnade bakluckan, drog bort duken som dolde bagageutrymmet och stirrade på flickan som låg där.

Barnet stirrade tillbaka med ögon som verkade alldeles döda, och Annika såg direkt att det inte var någon flicka. Det var en pojke och han var blek och skrämd. Det gick ett skarpt och rött ärr längs hela högra sidan av ansiktet. Annika svalde, grävde i sin jackficka och fick upp en påse skumbilar.

– Hej, sa hon andlöst. Vill du ha godis?

Barnet tittade på henne, ögonen glimmade till.

– Jag har en hel påse, sa hon. De är jättegoda. Här!

Hon stoppade en ljusgrön godisbit i hans mun, pojken tuggade och satte sig upp.

– Kom så får du fler, sa hon och sträckte armarna mot honom.

Och innan hon hann tänka mer klev barnet in i hennes famn och hon drog igen den grå textilduken, sköt igen bakluckan och rusade bort mot brunnen, lämnade bagen åt sitt öde och tog sikte mot skogen.

Hon dök ner bakom den lilla granen igen i samma stund som lyset släcktes inne i huset och ytterdörren gick upp. Hon placerade pojken i mossan, drog av sig täckjackan och svepte den om honom.

– Här, viskade hon och gav honom en skumbil till. Det finns olika färger. Jag tycker de rosa är godast.

Pojken tog godisbiten i handen och stoppade den i munnen, kröp sedan ihop intill Annika med täckjackan omkring sig.

Yvonne Nordin kom fram till bilen, ställde in en handväska på passagerarsätet framtill och gick sedan bort mot bakluckan.

Öppna den inte! Öppna inte! Åk bara iväg!

Annika försökte skicka tankar till kvinnan genom mörkret, med det fungerade inte. Yvonne Nordin slog upp bakluckan, drog undan duken och såg att barnet var borta.

Hennes rörelser blev blixtsnabba.

Hon kastade sig bort mot huset, fick upp ytterdörren, tände ljuset och försvann in i huset.

Annika lyfte upp pojken i famnen och rusade åt andra hållet, in bland träden och blåsten och skuggorna. Det hade blivit helt mörkt, hon såg inte ett endaste dugg och snavade och höll på att ramla. Trädkronorna sjöng och dånade ovanför henne, kylan bet.

Yvonne Nordin skulle ha vapen, kanske mörkersikte också.

Jag måste bort, så långt bort som möjligt, helst till bilen.

Hon sprang med pojken skumpande i famnen, följde den lilla bäcken ner mot vändplanen. Mossan var mjuk och hal, hon halkade och ramlade, *är det här rätt håll? Springer jag i rätt riktning?* Tog sig upp igen med pojken intill sig, ena handen runt hans kropp, den andra om hans ljusa huvud.

Det första skottet slog in i en trädstam flera meter till höger om henne.

Ingen panik nu, ingen panik. Spring, spring!

Det andra var närmare, strax till vänster.

Det är en älgstudsare, eller något annat kraftigt kulvapen. Det är ganska svårt att träffa.

Det tredje visslade alldeles förbi hennes huvud.

Nästa gång missar hon inte. Jag måste ur sikte.

Hon dök ner bakom en stubbe, höll pojken hårt intill sig.

– Jag vet att du är här, skrek kvinnan genom mörkret, vinden bar med sig hennes ord. Det är ingen idé. Ge dig frivilligt så låter jag barnet leva.

Var fan håller polisen hus?

– Finns det mera godis?

Pojken tittade upp på henne med blanka ögon.

– Visst, viskade hon och drog upp en bil ur jackfickan, hennes händer skakade så att hon knappt kunde hålla den.

Ett fjärde skott slog in i stubben framför dem och kastade upp träbitar i hennes ansikte, hon kände en flisa tränga in i ena kinden och fick bita ihop för att inte skrika.

Pojken började gråta.

– Hon är dum, sa han. Hon är jättedum.

– Jag vet, viskade Annika, och i nästa sekund lystes skogen upp av helljuset från en bilstrålkastare. En polisbil körde långsamt grusvägen upp mot Yvonne Nordins stuga. Ett nytt skott small och vindrutan på polisbilen exploderade, Annika hörde en människa skrika av smärta. Bilen stannade och backade sedan undan, lämnade skogen igen lika plötsligt som den kommit.

Kom tillbaka, lämna oss inte, hon skjuter oss!

Hon satt alldeles stilla med barnet intill sig, alldeles stilla medan en hel minut kom och gick. Ingenting rörde sig, ingenting hördes. En minut till passerade, sedan ytterligare en.

Hennes ben höll på att somna av den obekväma ställningen, hon försökte röra på fötterna för att väcka dem.

– Kom, viskade hon. Jag har en bil, vi ska gå till min bil.

Pojken nickade och tog ett stadigt tag om hennes hals.

Hon reste sig försiktigt och kikade bort mot huset. Så hörde hon en bilmotor som startade och långt borta mellan träden såg hon billyktor som tändes.

Hon kan inte köra bil och använda kikarsiktet samtidigt.

Annika ställde sig upp i sin fulla längd och kände jackan glida ner på marken, hon struntade i det och sprang som vinden bort mot vägen med pojken fastklamrad runt halsen, bort mot vändplanen, bort mot poliserna.

En strålkastare rakt i ansiktet förblindade henne och fick henne att ramla.

– Du har ett vapen riktat mot dig, hörde hon en man säga där hon låg på marken med pojken intill sig. Är du beväpnad?

– Nej, fick hon fram. Men hon flyr, Yvonne Nordin, hon har satt sig i bilen…

– Är du Annika Bengtzon?

Hon nickade mot ljuset.

– Vem är flickan?

Strålkastaren försvann, lämnade henne i totalt mörker.

– Det är ingen flicka. Det är Alexander Lindholm.

Vinden sjöng i träden. Stjärnorna skimrade i revorna mellan molnen, månen höll på att gå upp. Annika satt insvept i en stor filt bakom polisbilen utan vindruta, pojken hade somnat i hennes famn med huvudet mot hennes bröst. Hon lutade huvudet bakåt och såg upp mot himlen men gav upp, slöt ögonen och lyssnade till sången.

Hon hörde kommunikationsradion knastra, uppfattade mansröster som mumlade.

Ambulansen skulle snart vara här, den som skulle ta polismannen med glassplitter i ansiktet ner till universitetssjukhuset i Örebro. Piketen och hundpatrullen låg strax efter dem, polishelikoptern från Stockholm var på väg med strålkastare och värmekamera.

– Och du är säker på att hon inte kommer särskilt långt med bilen? sa polismannen till henne.

– Ett däck kan hon kanske byta, sa Annika lågt utan att öppna ögonen, men inte två. Och det går inte att köra off road på fälgen särskilt länge.

En stor samordningsinsats förbereddes, eftersom den misstänkta visat sig vara kapabel att skjuta mot poliser. Annika lät sig gungas bort på ljuden omkring sig, hon satt med barnet intill sig och kände hans värme och lugna andetag.

När piketbussen anlände hjälpte man henne upp och placerade henne längst bak tillsammans med pojken, motorn stod på tomgång och spred sommarvärme i kupén. De hällde ut resten av skumbilarna på filten.

– Tycker du också att de rosa är godast? frågade hon och höll upp en godis. Av någon anledning visste hon att varje skumbil innehöll nio kalorier, det måste ha varit Anne Snapphane som lärt henne det.

Pojken skakade på huvudet.

– Jag tycker om gröna.

Så de delade upp godiset enligt färgprincipen, de gröna till honom och de rosa till henne, och så delade de på de vita.

Barnet hade just somnat då hon hörde på polisradion att de lokaliserat Yvonne Nordin fjortonhundra meter ovanför hennes torp, i färd med att byta däck på bilen. Hon hade skjutit mot patrullen som hade besvarat elden.

Ambulans rekvirerades till platsen, men det var ingen brådska.

Yvonne Nordin hade träffats av motelden och bedömdes ha omkommit omedelbart.

ALEXANDERS FÄNGELSE

Här hölls pojken fången ett halvår

Av Patrik Nilsson och Emil Oscarsson

Kvällspressen (Garphyttan). I en jordkällare, två meter ner i marken, har Alexander Lindholm, 4, tvingats leva i sex månader.

Ibland har han fått komma upp i vardagsrummet för att se på tv, men bara när fönsterluckorna varit stängda.

– Alexander verkade må ganska bra, säger Kvällspressens reporter Annika Bengtzon, som träffade pojken efter befrielsen.

Torpet ligger djupt inne i skogen, flera mil från allfarvägarna. En vägbom spärrar effektivt all trafik upp till huset.

Här hittades Alexander Lindholm, 4, av Örebropolisen igår kväll.

– Vi tror att han hållits gömd i det här huset ända sedan han kidnappades från sitt hem på Södermalm den 3 juni, säger Örebropolisens presstalesman. Fynd i huset tyder på det.

Framför allt har Alexander tvingats leva i en potatiskällare som nåddes via en lucka i köksgolvet.

– Där hittade vi det som fungerat som hans bäddplats.

Fanns det lyse i källaren?

– Jadå, den var inredd som ett rum, med trasmattor på golvet och lampa i taket. Det fanns några sagoböcker och serietidningar där också.

I torpets vardagsrum stod en tv-apparat, och tecken tyder på att Alexander ibland fått se på barnprogram.

– Vi hittade spår av chips och kladdiga barnfingrar i soffan, säger presstalesmannen.

Polisen är ännu inte beredda att lämna några kommentarer kring Alexanders kidnappare, den kvinna som troligtvis också mördade hans far.

Klart är dock att kvinnan planerat bortförandet väl. Vissa av sakerna i jordkällaren inköptes för över ett år sedan, framför allt i Göteborg och Oslo.

Kvällspressens reporter Annika Bengtzon befann sig på platsen vid tidpunkten för Alexanders befrielse.

– Jag vill inte uttala mig om hans fysiska eller psykiska status, men han kunde gå och prata.

Så han verkade må ganska bra?

– Ja.

Alexanders mirakulösa återfinnande reser många frågor kring den svenska rättssäkerheten.

– Här har det uppstått en juridiskt oerhört intressant nöt att knäcka, säger polisprofessor Hampus Lagerbäck. Här har vi ett fall där en person har dömts till livstids fängelse för mord på en människa som lever. Ska bli spännande att se hur lagvrängarna tar sig ur och förklarar den lapsusen.

THOMAS SLÄNGDE MORGONROCKEN PÅ en stol och kröp försiktigt ner i sängen bredvid Sophia igen. Rösterna från den tecknade barnfilmen var effektivt utestängda av den låsta sovrumsdörren, lördagsmorgonen var fortfarande ung och full av möjligheter.

Sophia sov. Hon låg på sidan med ena benet uppdraget och med ryggen mot honom, han makade sig intill henne och lade sitt knä mellan hennes lår. Hon rörde sig lite i sömnen. Han bet henne i örsnibben. Långsamt lät han handen glida från hennes midja och uppåt mot brösten. Han var fortfarande fascinerad över hur små de var. Försiktigt nöp han henne i bröstvårtan och hennes kropp stelnade till.

Hon vände sig om och såg på honom.

– Hej, sa hon och log.

– Hej, viskade han och kysste henne på halsen. Han lät fingrarna följa hennes ryggrad och landa på hennes ena skinka, han drog henne intill sig.

Hon krånglade sig lös och satte sig upp.

– Måste gå och kissa…

Hon krängde på sig sin morgonrock, låste upp sovrumsdörren och gick ut i badrummet.

Han låg kvar i sängen och tittade upp i taket, kände lemmen slakna.

Hon tog god tid på sig, vad hon sysslade med där inne begrep han aldrig.

Aningen trumpet slet han tag i påslakanet och virade det omkring sig.

Hade nästan slumrat till när hon kom in igen.

– Älskling, sa hon och rörde vid hans hår. Ska vi gå på museum idag? Jag har inte sett Rauschenbergs Combines.

Han såg upp på henne och log, tog ett stadigt grepp om hennes midja.

– Kom och lägg dig, sa han grötigt, välte henne över sig och ner i sängen och skrattade. Nu har jag dig!

Hon trasslade sig irriterat loss.

– Jag har fixat håret, sa hon och satte sig upp i sängen igen, på armlängds avstånd från honom. Och jag frågade om du ville gå på Moderna, du kan väl åtminstone svara.

Besvikelsen blev till ilska, han boxade till huvudkudden så att den åkte upp och bildade ett litet ryggstöd mot sänggaveln.

– Och jag försökte få lite närhet, sa han.

– Närhet, ekade hon. Du ville ha sex, säg som det är.

– Och vad är det för fel med det?

Hon såg på honom med sina bleka ögon, de syntes nästan inte när hon inte hade något smink.

– Man kan faktiskt ha närhet utan sex.

– Jo, fast jag gillar sex.

– Det gör jag med, men...

– Fast det går ju inte för dig.

Han sa det innan han hade hunnit tänka sig för. Hon reagerade som på en örfil, ryckte till och bleknade.

– Vad menar du med det?

Han kände munnen bli torr.

– Det var ingen kritik, sa han.

– Det var det ju, sa hon och satt alldeles stilla.

– Jag tänkte bara att det kanske skulle bli lite roligare för dig, om du också kunde få orgasm. Du skulle kanske kunna hjälpa till lite själv? Eller skulle vi kunna prova att jag…

Hon reste sig upp utan att se på honom.

– Det är inte viktigt för mig. Säg inte åt mig vad jag ska känna. Jag tar ansvar för min egen sexualitet så får du ta ansvar för din.

Han bet ihop käkarna, *jag och min stora käft.*

– Jag förstår att det har varit väldigt svårt och jobbigt för dig, sa hon. Att bli av med arbetet på det här sättet måste verkligen kännas orättvist, du gjorde ju bara din uppgift…

Han slog undan täcket och sträckte sig efter morgonrocken han också, lördagsmorgonens möjligheter var uttömda och förverkade.

– Jag har inte blivit av med jobbet, sa han. Var har du fått det ifrån?

Hon såg förvånat på honom.

– Men du sa ju att utredningen redan har lagts ner.

– Jo, sa han, men jag har kontrakt till oktober nästa år. Jag träffade Halenius igår eftermiddag, jag kommer att ingå i en utredning om gränsöverskridande valutatransaktioner.

Han studerade hennes anletsdrag, fanns där ett litet korn av besvikelse?

Hon tog av sig morgonrocken och ställde sig och valde underkläder i sin garderob.

– Vet de vem som skvallrade för pressen? frågade hon över axeln.

Han suckade tungt.

– Antagligen så läckte pressekreteraren. Ledningen verkar bara lättad över att beredningen är borta, de ville aldrig höja straffsatserna vilket oundvikligen skulle ha blivit resultatet.

– Så du är inte alls i onåd?

Hade han inte vetat bättre skulle han ha trott att hon lät besviken.

Han såg på henne.

– Jag kommer nog aldrig att jobba med Per Cramne igen, sa han, men det kan jag verkligen leva med.

Hon vände sig mot garderoben igen.

– Du har inte sett min nya behå? Den franska, med sidenkupor?

Han suckade igen, tyst och djupt.

Annika steg in på kommissarie Q:s kala tjänsterum. Det värkte i hennes finger, hon hade fått en infektion i skärsåret och distriktssköterskan hade sett till att hon fått antibiotika. Träbiten i kinden var utplockad men efterlämnade en sårskorpa och ett rejält plåster.

Hon satte sig i polismannens besöksstol och mötte hans blick. Han bar en rejält urtvättad skjorta idag, någon gång hade den nog varit gul.

Polismannen nickade mot hennes hand.

– Vad har du gjort i fingret?

Hon såg lugnt på honom.

– Några typer sa åt mig att jag rotade för mycket.

– Har du anmält det?

Hon skakade på huvudet.

– Vem kan ha gjort det? frågade Q.

– Finns flera att välja på. Yvonne Nordins hejdukar, eller Filip Anderssons, eller kanske Christer Bures...

Kommissarie Q suckade.

– Vad fan skulle du upp till Lybacka och göra?

Annika kände hur ögonen smalnade.

– Är det här ett förhör? Är det därför jag är här? I så fall vill jag att du håller dig till formalian. Jag vill se en utskrift och godkänna alltsammans efteråt.

Han stönade irriterat. Reste sig upp, rundade skrivbordet och stängde till dörren ordentligt. Blev stående intill fönstret med ryggen mot henne och armarna i kors.

– Du ska inte fara iväg och söka upp misstänkta mördare alldeles ensam, fattar du inte det?

Hon såg på hans ryggtavla.

– Det är nästan så att jag tror att du bryr dig om mig.

– Jag bryr mig om kvällstidningsredaktörer, sa han. Eller har gjort, åtminstone vissa...

Han lät egendomligt spak för ett ögonblick, vände sig om och gick tillbaka mot sitt skrivbord.

– Är Julia släppt ännu? frågade Annika.

– Häktningsförhandlingen genomfördes klockan två i morse, sa han och satte sig på sin stol. Hon är på ett vårdhem för familjer tillsammans med Alexander just nu, de kommer att få stanna där ett tag.

– Blir det någon ny rättegång?

– Jo, både åklagaren och advokaten har redan överklagat till hovrätten, och i den förhandlingen kommer Julia att frikännas. Sedan är det juridiska avklarat.

– Hur är det med pojken?

– Han ska läkarundersökas ordentligt, men han uppvisar tydligen alla vitala funktioner som fyraåringar ska ha, han går och pratar och vet vad man gör på toaletten och allt sådant. Det vet du förmodligen bättre än jag...

Annika nickade. Hans varma tyngd kändes fortfarande som bomull i hennes bröst. Nattens långa väntan hade inte gjort henne rastlös, utan lugn.

En kvinna från socialtjänsten i Stockholm hade hämtat honom i Örebro strax efter midnatt, pojken hade gråtit och velat stanna hos Annika. Hon hade lovat att hälsa på honom och ta med sig mera skumbilar.

– Jag undrar vad som händer med ett litet barn som är med

om något sådant här, sa Annika för sig själv. Blir han normal någon gång?

– Det är ett par saker jag vill fråga dig om, sa Q, men det finns ingen större anledning att göra det till ett formellt förhör. Yvonne Nordin kommer ju inte att åtalas för mordet på David eller för bortförandet av Alexander, så vi kan vara lite informella. Sköt hon mot dig?

Annika svalde och nickade.

– Fyra skott. Hur dog hon?

– Vår prickskytt träffade henne i bröstet. Det blir ju en utredning, men jag har svårt att se att han skulle klandras. Förhållandena var mycket svåra, mörkt och mitt ute i skogen med allt vad det innebär av dålig sikt och komplicerade bedömningar. Och så sköt hon faktiskt för att döda poliser, vilket hon gjort förut.

Annika såg ut genom fönstret.

– Hon hade packat väskorna. Jag undrar vart hon var på väg.

– Mexiko, sa Q. Hon hade biljetterna i bilen, från Gardermoen via Madrid. Falska pass där Alexander var en flicka och hette Maja.

– Så hon hade verkligen tänkt köra över skogen till Norge?

– Som ett alternativ, säkert.

Q klickade fram något på sin dator, Annika pillade på sitt bandage.

– Tror du vi någonsin får reda på vad som egentligen hände? sa hon. Med David, eller morden på Sankt Paulsgatan?

– Eftersom Yvonne Nordin är död så har Filip Andersson bestämt sig för att prata, sa Q. Hans advokat har redan hört av sig nu på morgonen och meddelat att de söker resning i Högsta domstolen.

– Tror du han har någon chans?

– Det fanns fingeravtryck på Sankt Paulsgatan som aldrig kunnat matchas, sa Q. De var Yvonnes. Men vi måste hitta något mer för att hon ska kunna bindas till gärningarna. Ett mordvapen, till exempel, eller offrens DNA i hennes bil eller något liknande. Men det avgörande blir att Filip Andersson är beredd att sjunga ut. Han påstår att det var Yvonne som satte dit honom, att hon tipsade polisen och lämnade in hans byxor på tvätt.

Annika såg på Q och försökte förstå vad han sa.

– Du förspiller ingen tid, sa hon. Du har redan pratat med Filip Andersson.

– Han vet mycket mer än vad vi tidigare anat. Det finns samband mellan de här människorna som vi inte vetat om förut.

– De hade ett företag ihop, sa Annika. Något investmentföretag.

– Jo, sa Q, men deras relation är betydligt närmare än så. Filip Andersson och Yvonne Nordin var syskon. Eller halvsyskon, rättare sagt.

Annika blinkade till.

– Är det sant?

– Hur så? De flesta människor har ju syskon.

– Ja, jo, jag visste att Filip hade en syster, men inte att det var Yvonne Nordin. Hon hälsade på honom på Kumla en gång i månaden.

– Det har du missuppfattat, sa Q. Yvonne Nordin, eller Andersson som hon hette innan hon gifte sig, var extremt osams med sin bror. Man sätter inte dit någon på livstid om man inte är rejält förbannad.

– Hans syster hälsade på honom regelbundet, det sa de när jag var där.

– Vad då "där"? Har du varit på Kumla också?

Hon skruvade lite på sig i besöksstolen, gled undan frågan.

– Varför var hon så arg på sin bror?

– Det får vi anledning att ta reda på. Men några visiter på

Kumla har hon inte gjort, det kan jag lova dig. Han har väl en syster till. När var du där?

– Tidigare i veckan. Men Yvonnes relation till David Lindholm då? De hade ihop det?

– Under flera år. De drev företaget tillsammans och planerade att gifta sig så snart de jobbat ihop tillräckligt mycket pengar, det var vad Yvonne trodde.

– Och hon gjorde en abort som hon aldrig kom över?

– David lovade henne att de skulle skaffa ett nytt barn så snart han skilt sig från Julia.

Annika satt tyst ett tag.

– Hur vet Filip det? Var de inte osams?

Q svarade inte.

– Vad? sa Annika. Hur vet du att Yvonne verkligen blev knäpp av att göra abort?

Q gungade på stolen några gånger innan han svarade.

– Kollegorna i Örebro hittade en del saker inne i huset som tyder på det, sa han.

– Vad då? Babykläder?

– Ett rum.

– *Ett rum?*

– "Majas rum" stod det på skylten på dörren. Helt inrett i rosa, med möbler och kläder och leksaker, alltsammans med prislapparna kvar. Vi har inte hunnit gå igenom det, men där fanns brev och dagboksanteckningar och små konstverk till det döda barnet.

– Det var inget barn, sa Annika. Det var ett livsodugligt foster. Fast det kanske inte var förlusten av fostret som gjorde henne knäpp, utan sveket att bli lämnad.

Hon skakade på huvudet åt sina egna tankar.

– Men har man huggit händerna av tre personer så var man kanske galen sedan tidigare.

– Om det nu var hon som gjorde det, sa Q.

De satt tysta en stund igen. Annika såg kvinnan framför sig, hennes alldagliga anletsdrag, hennes sorgsna ögon.

– Vad sa hon när du pratade med henne första gången, då när du frågade om vägen? frågade polisen.

Annika tittade ut genom fönstret, det hade börjat snöa igen.

– Att hon haft stället ett år, att hennes sambo dött i julas, att hon jobbade med sitt företag. Allt stämde, hon verkade så... normal. Trevlig, faktiskt.

– Niklas Ernesto Zarco Martinez var inte hennes sambo. Det var en narkoman som fungerade som målvakt i företaget, det var han som skulle ta smällen den dagen de konkursade och tömde bolaget på tillgångar. Han fick en spruta fultjack i julklapp i fjol.

Hon bet sig i läppen.

– Så om Martinez satt med i bolagen som målvakt, varför var David där?

Q svarade inte.

– Att han drev ett företag med Yvonne kan jag väl förstå, om de hade ihop det, men varför satt David i styrelserna i de där andra bolagen? Vet ni det?

Q knäppte händerna och lade dem bakom nacken.

– Killen är död och det är inte honom vi utreder.

– Jag tror att David Lindholm var jävligt kriminell, och de där bolagen han satt med i, utom fallskärmshopparföretaget, var täckmantlar för penningtvätt eller någon annan brottslig skit. Han satt säkert i styrelserna för att hålla koll, en sorts påminnelse om att folk aldrig skulle kunna komma undan.

– Är du klar? frågade kommissarien.

Annika såg på klockan.

– Jag borde åka upp till tidningen. Jag har fortfarande inte lämnat tillbaka bilen jag lånade igår.

– Det är en sak till bara, sa Q. Vi har fått svar från England på ett brandtekniskt prov som vi skickade för analys för flera månader sedan, faktiskt redan i somras. Det kommer att intressera dig.

Annika stelnade till, fick med ens svårt att andas.

– Det gäller en tegelsten som vi lokaliserade i ditt nedbrunna hus. Teknikerna kom fram till att den användes för att krossa fönstret till din sons rum innan brandbomben kastades in. Britterna har hittat ett fingeravtryck på den.

Hennes puls skenade, halsen var alldeles kruttorr.

– Vi har faktiskt kunnat identifiera det, sa han. Det tillhörde en gammal bekant. Jag antar att du kommer ihåg Kattungen?

Annika svalde fel och var tvungen att hosta.

– Hon? Yrkesmördaren från Nobelfesten? Men... varför?

– Vi betraktar mordbranden i ditt hus som polisiärt uppklarad. Det var hon som tuttade på.

Annika satt lamslagen.

– Men, sa hon, jag trodde det var grannen. Hopkins.

– Jag vet att du trodde det, men där hade du fel.

– Det måste vara ett misstag, sa Annika. Det ingår inte i hennes mönster. Du sa det själv, branden var ett personligt brott, ett hatbrott. Varför skulle hon hata mig?

– Sluta nu, sa Q. Inse att du hade fel. Och du avslöjade henne, kan det bli mer personligt?

Annika reste sig och gick fram till fönstret, ställde sig och såg ut på snöfallet.

– Jag vet att jag tar miste, sa hon. Ganska ofta, till och med.

Q satt tyst.

Annika släppte snön och vände sig mot honom.

– Men ni är säkra på att hon var i Sverige den där natten?

– Källskydd, sa han.

– Vad? sa Annika. Vad nu då?

Han pekade på besöksstolen.

– Sätt dig. Vi har lyckats hålla det i ett halvår. Kretsen är jävligt begränsad.

– Det håller inte i längden, sa Annika. Allt kommer fram.

Han skrattade högt.

– Fy fan vad fel du har, sa han. Det är precis tvärt om. Nästan inget kommer fram. Källskydd?

Hon tittade på sina skor och gick och satte sig, nickade kort.

– Kattungen greps på Arlanda tidigt på morgonen den 3 juni i år, sa Q. Hon försökte flyga till Moskva på ett falskt, ryskt pass.

Annika lade armarna i kors.

– Och? Ni griper väl brottslingar varje dag.

Q log.

– Det är lite kul, faktiskt. Hon var väldigt upprörd när vi tog in henne. Inte för att vi haffat henne, utan för att hennes självmordspiller inte fungerade.

Annika höjde på ögonbrynen.

– Jo, det är sant, sa Q. Hon hade köpt något hon trodde var cyanid, men det visade sig vara Tylenol.

– Tylenol?

– En vanlig amerikansk värktablett, innehåller samma substans som Alvedon och Panodil.

– Ah, sa Annika. Mina favoriter.

– Tylenol och cyanid har förväxlats förut också, fast åt andra hållet. Sju personer dog i Chicago 1982 efter att de tagit piller ur en Tylenolburk. Det var i själva verket cyanid.

– Varför är det så hemligt att Kattungen bet sönder en värktablett? Och varför har vi inte hört något om det? Hon borde väl ha häktats, vid det här laget borde hon ha åtalats…

Q satt tyst. Annika spärrade upp ögonen.

– Hon är inte lagförd i någon svensk domstol. Inte ens registrerad som gripen. Ni utlämnade henne till USA! Helt utan vidare bara!

Hon reste sig igen.

– Ni skickade tillbaka henne till ett land som tillämpar dödsstraff! Det är ett brott mot FN-konventionen, samma som ni bröt mot när ni lät CIA hämta folk på Bromma...

Kommissarien höjde ena handen.

– Fel igen, sa han, och sätt dig ner. Utlämningen skedde på delstatsnivå. Hon kommer från Massachusetts, och de tillämpar inte dödsstraff.

Annika satte sig.

– Men det gör USA, sa hon.

– Jo, sa Q, i trettioåtta stater. Men tolv gör det inte, däribland Massachusetts. Hon kommer att få livstids fängelse, så mycket är säkert. Och då talar vi livstid, inga arton år och sedan benådning.

– Så vad är det som är så kontroversiellt?

– Tänk nu!

Annika skakade på huvudet.

Det var inte Hopkins! Tänk att jag kunde ta så fel.

– Så han ringde brandkåren? Han försökte rädda oss i stället för att bränna upp oss?

– Vi utväxlade henne, sa Q.

Hon stirrade på honom.

– Vi gjorde en deal med amerikanerna och bytte henne mot en annan person.

Hon blundade och erinrade sig ett upphetsat samtal på redaktionen, hörde Patrik Nilssons gälla röst i huvudet.

Regeringen gav jänkarna något i utbyte. Vi måste ta reda på vad det är. En razzia mot fildelare? Landningstillstånd på Bromma för CIA?

Det klack till inom henne.

– Ni utväxlade henne mot Viktor Gabrielsson!

– Officiellt så greps hon av FBI. Alla handlingar i ärendet visar det. Vi kommer aldrig att kunna hävda att hon var i Sverige den där natten.

– Och så fick ni hem polismördaren i stället. Tycker ni att ni gjorde ett bra byte?

– Det var inte mitt beslut, men det gjorde att jag var tvungen att ta hand om brandutredningen i ditt hus.

Hon försökte förstå.

– Så ni misstänkte henne ända från början?

– Hon fanns med på den korta listan.

– Vad innebär det för mig?

– Som jag sa, branden betraktas som polisiärt uppklarad. I handlingarna kommer den tyvärr att arkiveras som ett ouppklarat ärende. Sorry.

– Vad? sa Annika. Kommer jag aldrig att bli ordentligt rentvådd?

Han skakade lite på huvudet och såg nästan uppriktigt ledsen ut.

– Men, sa hon, försäkringspengarna då?

– Dem kan du nog se dig om i stjärnorna efter.

Hon var tvungen att skratta, ett mycket bittert litet skratt.

– Du har sålt ut mitt hem, *mina barns hem*, för att få cred hos FBI och kunna plocka hem en polismördare.

Kommissarien lade huvudet på sned.

– Så skulle ju inte jag definiera saken.

– Vad har du tänkt att jag ska göra?

– Du har väl pengar kvar från Draken?

Hon suckade tungt och blundade.

– Thomas och jag delade på det som blivit över. Min halva räcker inte ens till en tvåa på Söder.

– Du får väl låna, som alla andra. Eller skaffa en hyresrätt.

Hon skrattade igen, ett elakt skratt.

– Hyresrätt? Var skulle jag få tag i en sådan?

– Polisfacket har flera fastigheter runt om i stan. Jag kan fixa så att du får en lägenhet i någon av dem, vill du det?

Hon såg på honom och kände besvikelsen stiga som ett illamående i halsen.

– Fy fan vad det myglas i det här samhället.

– Inte sant? sa han och log brett.

Annika gick upp till redaktionen och lämnade tillbaka bilnycklarna i en korg på disken i vaktmästeriet, tacksam för att ingen var där och kunde skälla på henne för att hon haft bilen för länge.

Hon kände sig egendomligt tom, lättad men samtidigt ledsen.

Nästa vecka skulle skilsmässan gå igenom, efter det obligatoriska halvårets betänketid. Själv hade hon gärna skjutit upp den, skulle helst ha velat diskutera igenom saken i lugn och ro med Thomas, men det hade aldrig varit aktuellt, hon hade aldrig föreslagit det och inte han heller. Faktum var att de inte pratat ordentligt med varandra en enda gång sedan den där kvällen när han gick ifrån henne och huset brann ner.

Jag gjorde fel där också. Jag har nog gjort alla misstag som finns.

Fast när det gällde Julia hade hon haft rätt.

Hon tog en pinfärsk tidning ur tidningsstället och betraktade ettan. ALEXANDER HITTAD INATT, ropade den. Nedryckaren var en klassiker: Mormor i tårar: "Det är ett mirakel."

Resten av sidan upptogs av en av dagisbilderna på pojken (Spiken hade gått i taket när hon vägrat att ta en ny bild på honom och mms-a).

Hon skummade ettapuffen. Där framgick att mysteriet med den försvunne Alexander Lindholm, 4, äntligen var över. Pojkens mormor Viola Hensen hade uttalat sig och sagt: "Det går inte att med ord beskriva hur lyckliga vi är."

Sidhänvisningarna löpte över fyra uppslag och mitten.

Snabbt bläddrade hon igenom tidningen. Patrik Nilsson hade skrivit artiklarna om Yvonne Nordins död och Alexanders fångenskap, Annika hade givit honom bakgrundsfakta och var citerad på några ställen. Hon beskrevs som närvarande på platsen vid händelsernas inträffande, men framstod inte på något sätt som drivande i historien. Till sin egen förvåning gjorde det henne ganska nöjd, för alldeles i bakgrunden fanns vetskapen att hon precis lika gärna kunnat ha fel. Emil Oscarsson hade sammanfattat mordet på David, rättegången mot Julia och Alexanders försvinnande i en alldeles utmärkt text, den grabben var ett riktigt fynd.

Hon slog ihop tidningen och tryckte tillbaka den i stället, hon var verkligen genomtrött. Gick in på redaktionen för att stämma av med Spiken och Schyman vad hon skulle skriva till i morgon och förvånades över hur mycket folk som var där. Lördag förmiddag brukade vara den lugnaste tiden på hela veckan, men idag var redaktionen nästan fulltalig.

– Är det Alexander som fått hit dem? frågade Annika och ställde sin bag på Berits skrivbord.

– Han och nedskärningslistan, sa Berit och kikade upp ovanför glasögonbågarna. Den blev offentlig igår eftermiddag. Schyman har kringgått las-listan genom att befordra halva styrkan till redaktionsledningen.

– Den gamla räven, sa Annika och sjönk ner på Patriks plats. Är du och jag med?

Berit skakade på huvudet och såg granskande på henne.

– Varken här eller där. Det behövdes inte. Vi har jobbat här så länge att vi klarade oss från att bli utlasade. Men du har varit ute på äventyr, förstår jag.

Annika lade upp fötterna på Berits skrivbord.

– Hon var på väg att fly med pojken, sa hon. Det var på håret att hon lyckades.

– Men du skar sönder däcken på bilen, sa Berit.

Annika hajade till och såg ingående på sin kollega.

– Hur vet du det? Det stod inte i tidningen.

Till sin häpnad såg hon Berit rodna, det hade hon aldrig gjort förut.

– Det var någon som sa det, sa hon och började pyssla med några papper i en skrivbordslåda.

– Vem har du pratat med? Någon polis?

Berit harklade sig och tog upp en pappersbunt.

– Jo, jag pratade med Q.

Annika höjde förvånat på ögonbrynen.

– Med Q? Men honom träffade jag ju alldeles nyss...

Jag bryr mig om kvällstidningsredaktörer. Eller har gjort, åtminstone vissa...

Med ens trillade polletten ner med sådan kraft att Annika drog efter andan.

– Det var Q! sa hon. Du har haft ihop det med kommissarie...

– Tala gärna lite högre, sa Berit sammanbitet.

– Och jag som trodde han var bög!

Berit såg på henne och tog av sig glasögonen.

– Spelar det någon roll?

Annika stirrade på sin kollega, på hennes gråsprängda hår och rynkiga hals. Försökte föreställa sig henne tillsammans med kommissarien, hur de träffats och hånglat och kyssts...

– Wow, sa hon. Han är ju faktiskt ganska snygg.

– Och så är han väldigt bra i sängen, sa Berit och tog på sig glasögonen igen och fortsatte att skriva.

– Såg ni att jag blivit medlem av redaktionsledningen? sa Patrik Nilsson och höll upp en kopia av den långa listan.

Annika släppte ner fötterna på golvet och tog upp sin bag.

– Grattis, sa hon.

Patrik strålade högmodigt med hela ansiktet och riktade blicken mot reportervikarien Ronja som precis var på väg ut från redaktionen med en låda full av personliga ägodelar i händerna.

– Hur gick det för dig, Ronja?

– Jag bryr mig inte, sa reportervikarien med högburet huvud. Jag ska bli frilans, åka till Darfur och bevaka striderna där. Det är verkligen viktigt.

– Till skillnad från alla bagateller som vi sysslar med här på redaktionen, sa Patrik.

Ronja stannade upp och höjde på hakan.

– Där handlar det faktiskt om liv och död.

– Vilket det aldrig gör i Sverige? sa Annika.

Ronja vände på klacken och lämnade dem vid skrivborden. Lät dem sitta där på sina breda häckar, obekymrat invaggade i den falska förvissningen att deras verklighet var tryggare och bättre än hennes.

Med ens skämdes Annika, mindes hur osäker och eländig hon själv känt sig som vikare.

– Men berätta en sak för mig, sa Patrik och vände sig mot henne. Vem gav dig tipset om Yvonne Nordin? Vem berättade att gripandet var på gång?

Hon såg på den unga grabben som faktiskt var ett år äldre än hon själv, på hans nyfikna ögon och självbelåtna leende och oinskränkta självförtroende och kände sig som tusen år.

– Jag hade en källa, sa hon. En riktigt bra.

Så gick hon bort mot Spiken för att höra vad han behövde ha av henne.

Eftermiddagen hann bli kväll innan Annika hade skrivit ihop sin artikel. Den blev en ganska diffus redogörelse över Yvonne Nordins handlingar och bevekelsegrunder, helt utan källhänvisningar. Hon kände själv att det blev väldigt tunt, men hon ville inte lämna ut vare sig Nina eller Julia eller David eller ens Filip Andersson, så hon höll sig till de fakta som gick att belägga: att Yvonne drivit ett företag med David, att hon insisterat på ett förhållande och ville att David skulle skiljas, att hon möjligen också var skyldig till andra våldsbrott. Att polisen utredde om det fanns något samband med trippelmordet på Sankt Paulsgatan, att Filip Andersson skulle söka resning i Högsta domstolen (det sistnämnda hade hon verkligen hänvisningar till, med målnummer och allt).

Hon skickade över artikeln till burken, stängde av sin dator, packade ihop den och ställde ner den i bagen. Gick förbi Schymans rum och såg honom sitta bakom sitt skrivbord och gunga på stolen.

Han såg grå och sliten ut. Den gångna hösten hade fått honom att åldras.

Jag undrar hur länge han orkar hålla på. Han måste vara närmare sextio.

Hon knackade på, han ryckte till där inne som om han varit djupt inne i sina egna tankar, vinkade åt henne att kliva på. Hon satte sig ner i hans besöksstol.

– Jag antar att en ursäkt är på sin plats, sa han.

Annika skakade på huvudet.

– Inte fler nu, sa hon. Jag har fått en överdos. Hur mår du?

Det sista flög bara ur henne, hon visste inte varifrån det kom.

Han suckade hårt.

– De här nedskärningarna fick mig nästan att ge upp, sa han.

Han satt tyst och tittade ut över redaktionen, lät blicken långsamt glida över reportrar och datorer och radiostudior och redigerare och webbredaktörer. Utanför takfönstren hade det blivit mörkt igen, en kort dag som avlösts av en lång och blåsig decembernatt.

– Jag älskar den här tidningen, sa han. Jag trodde aldrig att jag skulle säga det, men det är faktiskt sant. Jag vet att vi har fel och går för långt och ibland så hänger vi ut människor på ett sätt som är alldeles för jävligt, men vi fyller en funktion. Utan oss blir demokratin skörare. Utan oss blir samhället farligare och hårdare.

Hon nickade långsamt.

– Jag vill att du ska ha rätt, sa hon, men jag är inte säker.

– Du gjorde ett bra jobb igår.

– Inte särskilt, sa hon. Jag skrev inget, jag vägrade att mms-a en bild på Alexander.

– Jag tänkte mera allmänmänskligt.

– Det är en jätterörig historia, sa Annika. Jag tror ingen riktigt fattar exakt hur den hänger ihop. Alla inblandade har haft olika motiv och olika bevekelsegrunder för att handla som de har gjort. Kanske är alla skyldiga, fast inte exakt för sådant de anklagats eller dömts för...

Anders Schyman suckade igen.

– Jag tror jag ska åka hem nu, sa han.

– Jag med, sa Annika.

– Vill du ha skjuts?

Hon tvekade.

– Tack, gärna.

De reste sig, chefredaktören släckte men struntade i att låsa, de gick genom redaktionen och ner i garaget och bort till hans bil.

– Varför trodde du att hon var oskyldig? frågade han när de rullade längs Norr Mälarstrand.

Hon beslöt sig för att vara uppriktig.

– Jag tror att jag identifierade mig med henne. Om hon var oskyldig så var jag det också.

– Har du hört något från polisen? Har de kommit fram till något om branden?

Hon svalde.

– Nej, sa hon kort och såg ut genom bilrutan.

Han släppte av henne vid en busshållplats på Munkbron.

– Du måste skaffa dig en riktig lägenhet, sa han.

– Jag vet, sa hon och smällde igen bildörren.

Epilog

TÅGET SAKTADE IN MED gnisslande bromsar och stannade till vid den öde perrongen. Snöröken ven runt lok och vagnar, kilade in sig längs dörrspringor och plåtskarvar och svepte in det långa ekipaget till ett knirkande hölje av is.

Hon var den enda som klev av.

Med ett stön rullade tåget vidare och lämnade henne ensam med vindens tjut. Hon blev stående en stund och såg sig omkring, lät blicken svepa över ICA Maxi, Pingstkyrkan och hotellet. Sedan började hon gå mot utgången med mjuka, tysta steg. Passerade genom den isklädda tunneln och kom upp på torget, fortsatte förbi taxistationen och Sveas bageri och kom ut på Stenevägen.

Vinden träffade henne i ansiktet med full kraft, hon fällde upp kapuschongen och drog igen snoddarna. Ryggsäcken kändes tung trots att den bara innehöll julklappen och smörgåsen som hon hade tänkt äta på tillbakavägen. Hon gick långsamt förbi villorna på bägge sidor om gatan, höll upp handen mot vinden för att kunna se in bakom gardiner och julstjärnor. Där innanför fanns värme och gemenskap, brasor som sprakade och julgranar som doftade och gnistrade.

Hon hoppades att människorna där inne värdesatte vad de hade.

Elstaketet uppenbarade sig framför henne och hon gick till vänster in på Viagatan. Som så många gånger förut följde hon den oändliga muren bort mot porten och parkeringsplatsen, gick och gick och gick utan att det märktes att hon kom närmare.

Hon hade fått istappar i ögonfransarna när hon äntligen nådde porttelefonen intill stora entrén.

– Ska besöka Filip Andersson, sa hon.

– Välkommen, sa den kvinnliga vakten.

Det surrade till i låset och hon drog upp den tunga grinden, gick snabbt och målmedvetet den asfalterade gången fram till nästa port. Snön hade packat sig samman i stålstaketet på vänster sida, hade bildat en skrovlig vägg av is.

Hon var framme vid den tredje kontrollen, tryckte in knappen igen. Tog som vanligt tag med bägge händerna för att få upp dörren in till besöksavdelningen. Borstade av sig snön och gruset innanför dörren, fällde ner kapuschongen och blinkade bort isen runt ögonen. Gick sedan snabbt bort till skåp nummer ett och låste in jackan och halsduken, öppnade ryggsäcken och tog ut julklappen och ställde in ränseln i skåpet också. Tryckte på den fjärde porttelefonen och blev insläppt i säkerhetskontrollen. Lade julklappen på bandet in till röntgenapparaten och klev igenom metallbågen. Den tjöt inte, det gjorde den aldrig. Hon visste vilka skor och bälten hon skulle undvika.

– God jul, sa den kvinnliga vakten och log när hon lade upp polisbrickan på receptionsdisken.

– God jul själv.

Vakten hängde upp brickan på tavlan, tydligen skulle de få rum nummer fem.

– Jag har redan skrivit in dig, så du kan bara signera, sa vakten och hon skrev under med sin tydliga, prydliga handstil: *Nina Hoffman, anhörig.*

– Det går bra med resningsansökan, hörde jag, sa vakten.

Nina log.

– Vi räknar med att han kommer att vara ute till påsk.

– Kom så släpper jag in dig. Filip är på väg.

Nina tog upp julklappen och följde efter vakten in i besöks-korridoren, stannade till och tog med sig en apelsin och en kaffe-termos från serveringsvagnen.

– En bok förstår jag? sa vakten och nickade mot paketet.

– La reina del sur, av Arturo Pérez-Reverte. En deckare, om knarksmugglingen på spanska solkusten.

Vakten såg imponerad ut.

– Läser Filip romaner på spanska?

Nina log inte längre.

– Det gjorde vi alla tre.

Författarens tack

DETTA ÄR EN ROMAN. Alla personer är sprungna ur författarens fantasi, alla händelser är fiktion.

Dock är jag mycket angelägen om att de institutioner och företeelser som existerar i verkligheten ska vara korrekt beskrivna i romanen. Därför har jag, i vanlig ordning, bedrivit en del research och upptagit människors tid med många och märkliga frågor för att lära mig hur saker och ting fungerar.

Jag hade inte kunnat skriva den här romanen utan deras hjälp.

Stort tack för ert tålamod!

Matilda Johansson, polisassistent i Stockholm, för studiebesök, genomgång av bil 1617, hjälp med vokabulär och formulär och andra detaljer.

Thomas Bodström, ordförande i riksdagens justitieutskott, för information om livstidsstraffets historia och tillämpning, om direktiv och förfarande vid tillsättande av regeringsutredningar, kontrolläsning med mera.

Björn Engström, informationsansvarig på Länskommunikationscentralen LKC, för detaljer kring polisers tjänstevapen och konsekvenser vid förlust av dessa.

Håkan Franzén, ansvarig för sakskadereglering vid Folksam i Stockholm, för information om handläggningen av misstänkta mordbränder i egnahem.

Anna Rönnerfalk, sjuksköterska inom psykiatrin, för hjälp med diagnos och symptom hos karaktärer under stark, psykisk press.

Peter Rönnerfalk, landstingsdirektör i Stockholm, för detaljer kring rutiner inom sjukvården, bland annat vid ambulansfärder.

Ulrika Bergling, säkerhetssamordnare vid Kronobergshäktet i Stockholm, för att vi fått besöka rastgårdarna på taket samt för möjligheten att ta omslagsbilden på avdelningen för intagna med totala restriktioner.

Kenneth Gustafsson, ställföreträdande kriminalvårdschef på fängelset i Kumla, samt Jimmy Sander och Hilde Lyngen, kriminalvårdare på Kumla med ansvar för inre säkerhet, för förevisning av anstaltens besöksavdelning och information kring telefon- och besökstillstånd.

Eva Cedergren, verksjurist på Kriminalvårdsverket, för hjälp med offentlighetsprincipens tillämpning för övervakare och förtroendemän inom kriminalvården.

Ulf Göranzon, presstalesman vid länskriminalpolisen i Stockholm, och Karin Segerhammar, administratör vid personalansvarsnämnden på Rikspolisstyrelsen, för information kring reglerna om offentlighet för ärenden hos ansvarsnämnden.

Medarbetare på Piratförlaget och Bengt Nordin Agency.

Samt till sist och framför allt: Tove Alsterdal, min första läsare av allt jag gör sedan tjugotre år tillbaka, för diskussioner, struktureringar, disponeringar och karaktärsanalyser och allting annat som finns i alla mina romaner.

Jag har också haft god hjälp av Terése Kleins examensarbete på

Juridiska fakulteten vid Lunds universitet, "Tidsbestämning av livstidsstraff – En jämförelse av nådeinstitutet och lagen om omvandling av fängelse på livstid".

Med författarens frihet har jag flyttat och uppfunnit fastigheter, försäkringsbolag och pizzerior.

Alla eventuella misstag är enbart mina egna.